D1251401

Татьяна
Гармаш-Роффе

Уйти нельзя остаться

Москва
«Эксмо»
2 0 0 8

УДК 82-3
ББК 84(2Рос-Рус)6-4
  Г 20

Автор блога *Олег Хрусталев*

Оформление серии *Сергея Груздева*

Серия основана в 2007 году

Гармаш-Роффе Т. В.
Г 20   Уйти нельзя остаться: Роман / Татьяна Гармаш-Роффе. —
        М.: Эксмо, 2008. — 384 с. — (Детектив высшей пробы).

    ISBN 978-5-699-27269-3

Она не была в России 23 года и теперь ощущает внутренний конфликт между собой и городом детства, уж очень негативно его воспринимает «американка» Лера. Под угрозой даже ее любовь: ведь быть с Данилой значит быть в России! Пытаясь примирить себя с родиной, Лера решает разыскать школьных друзей. Однако тут начинается самое странное. Выясняется, что некоторые из них скоропостижно скончались — причем в том порядке, в котором сидели за партами! Если бы не приезд Леры, никто бы не связал эти смерти между собой! «Это не может быть случайным совпадением!» — решает Лера и пытается самостоятельно во всем разобраться, не отдавая себе отчета, что попадает под прицел убийцы. К счастью, ее друг детства Алексей Кисанов стал теперь частным детективом и готов взяться за расследование...

УДК 82-3
ББК 84(2Рос-Рус)6-4

Кружит ночь из семейства вороньих.
Расстояния свищут в кулак.
Для отечества нет посторонних,
Нет, и все тут (...)

С. Гандлевский

Предисловие автора

Эта книга не совсем обычная. Она состоит из моего романа «Уйти нельзя остаться» и из «виртуальной» части, которая размещается в интернете в виде блога, написанного одним из *персонажей* романа.

Блог — это замочная скважина в прошлое, в которую можно подсмотреть хорошо запрятанные секреты. Он помогает частному детективу Алексею Кисанову восстановить события далеких дней, но и не только: он раскрывает характер как самого блоггера, так и нескольких его бывших одноклассников.

К идее написать роман, включающий в себя виртуальную часть, меня подтолкнула любовь к игре множественными реальностями, которую я открыла для себя еще во времена работы над диссертацией по «Евгению Онегину» (и другим произведениям Пушкина). И устоять перед возможностью поиграть в нее я не могла! Мир вымысла, коим является художественная литература, перекликается с миром виртуала по своей фантазийной сущности, по возможностям мистификации, — и соблазн столкнуть эти два мира в одном произведении был очень велик.

В результате частью романа становится виртуальная действительность, где блог пишет персонаж романа, а комментарии оставляют самые что ни на есть реальные посетители, которые тем самым невольно становятся частью романа!

В то же время эта игра позволила мне развести два полярных по духу и мировоззрению мира, дав каждому собственную форму и собственное пространство.

На «роль» персонажа, ведущего виртуальный дневник, я пригласила Олега Хрусталева, журналиста из Нижнего Новгорода. Он мужественно взял на себя задачу создать в подробностях характер блоггера и рассказать от его лица неприглядную историю. Эту роль Олег сыграл с большим мастерством, за что я приношу ему свою благодарность!

Адрес блога указывается по ходу развития сюжета. Для тех, кто не имеет доступа к интернету, распечатка с блога (без комментариев посетителей) дается в Приложении к роману. (Чур, не подглядывать раньше времени!)

Как в любом блоге, «висящем» в сети, любой посетитель может оставить там свои комментарии.

ЧАСТЬ 1

Долгий путь в Москву

...В сексе люди как в смерти: с чем на свет пришли, с тем и остались в решающий час. Стерлась с тела одежда, и была ли она от «Армани» или из китайской лавчонки — уже не вспомнить. Теперь важно только качество твоей кожи — неотъемлемой оболочки тела, которую ни за какие деньги не закажешь у лучшего кутюрье... Теперь не твои духи важны, а аромат твоего дыхания. И как пахнет твой пот, а не дезодорант. Вот это — подлинно. Ни один парфюмер в мире не подменит эти запахи.

И нечем тебе прикрыть свои недостатки и комплексы — ни модными часами, ни дорогой машиной... Сейчас ты равен себе, как в момент своего рождения, и тебе предстоит в этот миг заново начинать свою карьеру, если под ней понимать доказательство своей значительности. И здесь все зависит от всего, что есть ТЫ, а не...

Ох, как это нынче говорят в России?

...А не *прибамбасы* на тебе — вот как.

Об этом размышляла Лера, сидя в кресле и поглядывая на Данилу. Он спал на животе, простыня была почти отброшена, только прикрывала наполовину одну ягодицу да обвивала правую ногу. Тело его отливало ровным, золотым средиземноморским загаром, кроме тех мест, которые солнце не доставало под плавками. Светло-каштановые волосы вились на шее, и это было очень красиво, а лицо во сне казалось немного детским, несмотря на маленькую пижонскую бородку...

Лере исполнился сорок один год, но ее жизненный опыт до сих пор сводился к одной любви и к одному мужчине. Возможно, потому она теперь столь отчетливо и ново воспринимала то, что происходит с мужчиной и женщиной, когда их вдруг забрасывает друг другу в объятия. Ей хотелось это осмыслить, чем она и занималась, поглядывая на спящего Данилу.

Перед поездкой в Европу усердно наставляли Леру, основываясь на своем горьком опыте. Данила в соответствии с их рассказами был прямым кандидатом на роль курортного соблазнителя: красив, строен, любезен, хороший собеседник, в общении с которым возникает пьянящее чувство полного взаимопонимания... В общем, спасайся, кто может!

Но теперь она не сомневалась: он подлинный. Он казался тем, чем был, и был тем, чем казался. Об этом ей поведало каждое его прикосновение, каждый взгляд и каждый вздох...

Ей было очень хорошо оттого, что он находился рядом. И что в любой момент можно скользнуть под простыню и, обняв его, уснуть. А может, и не уснуть... Жалко терять мгновения такого блаженства, просто жалко. Ведь через два дня им расставаться...

Лера накинула халатик и вышла на балкон. Едва различимое в темноте, тихо посапывало во сне море. Отель еще спал, еще не началась предутренняя возня в ресторане, и садовники еще не вооружились шлангами для поливки пальм. Она постояла некоторое время, давая убаюкать себя теплой ночи, затем вернулась в комнату и скользнула под простыню.

Данила протянул руку. «Лерка... Сладкая моя...» Погладил ее и тут же снова уснул. Неудивительно — они полночи занимались любовью...

Некоторое время Лера еще размышляла, глядя, как колышутся в комнате ночные тени, — так, ни о чем. Скорее просто прислушивалась к удивительному блаженству, плескавшемуся нежной волной внутри ее.

Продолжения этому не будет, а жаль, жаль... Если б они жили в одной стране и в одном городе, то могли бы встречаться время от времени. Это было бы чудесно...

Кажется, такие отношения называются «эротической дружбой»? Во всяком случае, так называл это Кундера... Да только без разницы, как это называется, все равно они не живут ни в одной стране, ни в одном городе — они живут на разных континентах. Кон-ти-нен-тах!

Данила во сне повернулся к ней спиной, она обняла его, и тут же его тело подалось к ней, поудобнее устраиваясь в ложбинке ее тела, и она, уютно засыпая, успела подумать: «Нет ничего честнее этого жеста. И неважно, как это называется...»

* * *

...Лера увидела его не сразу, только на второй день своего пребывания в клуб-отеле. Там — вот сюрприз! — оказалось неожиданно много русских. Хотя Лера и знала, что россияне уже освоили Средиземноморье, но никак не предполагала, что столь массово. Впрочем, сюда она за этим и приехала: посмотреть на них, бывших соотечественников. После двадцатитрехлетнего затворничества в США она к

10 ним приближалась медленно и осторожно. И даже с некоторым страхом, пожалуй.

Именно по этой причине она не решилась поехать сразу в Россию. Предприняв путешествие по Европе, о котором давно мечтала, она запланировала закончить его отдыхом в Тунисе. В отдыхе она нуждалась, да, после всего того, что пришлось ей вынести за последние два года... Но больше всего ей хотелось посмотреть на своих сограждан. Издалека посмотреть, тайком, — *подсмотреть!* — прежде чем она решится поехать в Россию... Куда она съездить мечтала и боялась.

...О своей затее она пожалела в первое же утро. «Эй, мужчина!» — услышала она нетрезвую русскую речь, обращенную к официанту в баре. Молодой тунисец стоял спиной, готовя для кого-то кофе, — отель «все включено», напитки бесплатно и круглосуточно.

Лера посмотрела на говорящего. Он был изрядно пьян, хотя завтрак едва закончился, на часах одиннадцать. Ей стало так стыдно за бывшего соотечественника, что она отошла в сторонку, дождалась его ухода, а затем по-английски заказала чашку кофе — не желала иметь ничего общего с этим позорищем позорным, даже общий русский язык! Впрочем, персонал отеля все равно по-русски не говорил.

К ее большому огорчению, пьяный мужик оказался в отеле не один. На пляже обнаружилась компания человек из семи, и до Леры доносились их разговоры.

— Слышь, — говорила низкорослая женщина с круглым лицом, опухшим от алкоголя. — Как это в песне: «Речка движется и не движется...» У нее глюки, что ль?

— Не-е-ет, — отвечал ей толстый мужчина с

мягким складчатым брюшком, — это у него! Он беленькой перебрал! Или нет, он обкурился!

Грохнул смех.

— А это вот, помнишь? «Смотрит искоса, низко голову наклоня»? Ты пробовал так? Пробовал? Нет? Ну попробуй! — Компания дружно принялась изображать указанное действие, давясь от хохота. — Ха-ха-ха! Наверно, это даун был!

— А давайте на байдарке! — внес кто-то предложение. — Надо ж как-то развлекаться!

— Не, лучше на катамаране! — ответила блиннолицая.

— А чо на байдарке не хочешь?

— Так там надо работать! Грести! А на катамаране сядем там себе, а инструктор ведет!

Лера сдернула с топчана свое полотенце и перебралась на дальний конец пляжа, где снова улеглась, подставив тело солнцу, и закрыла глаза, стараясь не поддаваться чувству брезгливости и острого сожаления о своем приезде в этот отель. Но это ее не спасло.

— А где эти? — раздалось у нее над головой.

— Лица моют!

«Раньше говорили «умываются», — удивилась Лера. — Моют — руки, а лицо — умывают. Неужели русский язык так сильно изменился за это время? Ну, всякие новые слова — это хоть как-то понятно. Но отчего изменились старые?» Лера приоткрыла глаза. Мимо нее шли разболтанной походкой двое, мужчина и женщина, опухшими лицами и плотными коренастыми телами похожие на предыдущих.

— А чего это они? — заинтересовался мужчина.

— Ну, я им в номер позвонила, они спали, а теперь моют лица.

— Они чего, после обеда присели?

— Все после обеда присели! Ты как думал! Теперь вот кока-колу пьем, водичкой запиваем... А то ж до вечера надо дотянуть.

«Присели» — значит выпили», — догадалась Лера, и ей очень захотелось уехать отсюда. Но две недели были оплачены вперед, и позволить себе роскошь выбросить деньги на ветер она не могла. Она лишь твердо решила сделать вид, что никакого отношения к «этим русским» не имеет. В отеле знали, что она приехала из США, к ней обращались по-английски, — оставалось только сделать вид, что русской речи она вовсе не разумеет.

Не реагировать. Игнорировать.

Она перевернулась на живот и стала смотреть, как на волейбольной площадке играют под палящим солнцем какие-то сумасшедшие. Правда, они уже прилично загорели, и вряд ли им грозит ожог, но все же... Голоса до нее долетали смутно, она не могла разобрать слов и определить, к какой национальности принадлежали люди, но они были трезвыми, что уже радовало. Несколько силуэтов радовали глаз, ничего общего с низкорослыми, генетически мутировавшими алкоголиками, и Лера сочла, что это добрый знак. Она не позволит испортить себе отпуск!

Вечером на танцплощадке «мутантов» не было, к ее большому облегчению. Наверное, снова пили водку в каком-то из баров. Или уже напились и спят. Тем лучше!

Она присела за один из столиков, взяв коктейль. В центре площадки весело отплясывали три молодые женщины, позвякивая браслетами, — кажется, итальянки. Юбочки их поздно начинались и рано заканчивались, равно как верхние узкие полосочки ткани, весьма условно прикрывающие грудь. Но после того как Лера увидела утром на пляже дам всех возрастов вообще без лифчиков, она уже ничему не удивлялась. «Европа! Не то что пуританская Америка... Хотя мы ведь почти на пляже, а в курортных городах даже в Америке... Ну, только разве топлес там не принят...

Тьфу ты, вот привязалось ко мне — сравнивать с Америкой! Для чего я здесь? Чтобы отдохнуть! И чтобы посмотреть на других. В том числе и на русских, да. Ну, не понравились они тебе, — и никогда не нравились пьяницы, — но ничего страшного в этом нет! Отдыхай, Лера! Иди танцуй!»

Она скинула с себя легкий жакетик, прикрывавший плечи, и осталась в тонком платье брусничного цвета на бретельках. Ринувшись в центр танцплощадки, как в морскую волну, она подхватила телом ритм и через минуту уже забыла обо всем. Она так давно не танцевала и так была счастлива ощутить музыку в себе... За последние годы, оказывается, она даже забыла, что отлично танцует, и сейчас не только ее тело, сплавившееся с музыкой, напомнило ей об этом, но и восхищенные взгляды публики.

И даже нагрянувшие под конец «эти русские», потребовавшие от музыкантов, уже зачехлявших инструменты, сыграть «Катюшу» и принявшиеся выбрасывать руки и ноги в стороны не в такт музыке, — даже они не испортили ей настроения. Здесь были пальмы, море, музыка, и гадкие пьянчужки не стоили того, чтобы обращать на них внимание. Вот так-то!

Разгоряченная танцем и восхищенными взглядами, она потом посидела еще немножко на террасе, вдыхая свежий воздух, настоянный на розах и водорослях, затем поднялась к себе в номер, где благополучно заснула крепким, здоровым сном.

А наутро снова сверкало море, благодарно возвращая солнцу его блеск, небо соперничало голубизной с водой, пальмы взрезали изнеженный воздух острыми жесткими листьями... Поглядев на это диво с балкона, Лера быстро собрала пляжную сумку и помчалась вниз. И даже приснившаяся плоская, как блин, пьяная рожа бабенки, требовавшей от музыкантов «Катюшу», и ее тряпичные руки и ноги, которые словно кто-то дергал за веревочки, — даже этот короткий ночной кошмар не поколебал ее решимости отдохнуть на все сто.

«На всю катушку», как говорят в России.

...Данилу она разглядела, когда шла мимо волейбольной площадки. Впрочем, тогда она еще не знала его имени. Она просто обратила внимание на хорошо сложенного, загорелого мужчину лет тридцати пяти. Хотя, возможно, его взрослила небольшая бородка... Он тоже мельком глянул на Леру, и ее поразила мягкость выражения его глаз. Это было необычно. Стройная фигура и весьма интересное лицо располагали к совсем другому взгляду — мужчины, как и женщины, наделенные природой привлекательной внешностью, обычно смотрят на других, с тем чтобы собрать лавры признания своей неотразимости. Этот же человек смотрел, словно и в самом деле интересовался другими людьми, — а не сбором впечатлений от своей персоны.

Разумеется, все это Лера просто ощутила, а не словами себе рассказала, — но необычное сочетание ей запомнилось, и два последующих дня она невольно выглядывала его в ресторане или на пляже — просто так. Заводить с ним знакомство она абсолютно не намеревалась — просто так, просто так, ну, сказала же, *просто так*!!!

К тому же он говорил по-русски, она — по-английски и выдавать свою национальную принадлежность ничуть не собиралась...

И все же они заговорили. На третий день, когда после обеда, в самую жару, она уединилась с книжкой в тени парка, на деревянной скамейке уже опустевшего кафе. Внезапно что-то заставило ее поднять голову. Он стоял недалеко от столика и смотрел на нее.

Лера опустила книгу. Сердце ее чокнулось с ребрами.

— Никогда бы не подумал, что вы русская, — произнес он по-английски.

Лера растерялась. Затем посмотрела на свою книгу. Это был русский роман — Лера старалась жить в ногу с Россией и заказывала книги через интернет. Они далеко не всегда ей нравились, точнее, совсем редко нравились, но в них, даже в самых плохоньких, отражались новый русский менталитет и новая русская действительность, в которые Лера пристально вглядывалась, часто с недоумением.

— Я вас давно заметил. Вы говорите по-английски, и мне в голову не пришло, что вы можете оказаться русской... Не беспокойтесь, если это секрет, то я его не выдам!

Лера смутилась. Ей не хотелось, чтобы он подумал, что она просто дура, страдающая тяжелым приступом снобизма.

— Не то чтобы секрет... Просто я давно живу в Америке... Много лет не была в России. И сейчас, если честно, мне тяжело видеть, как...

Его понимающий взгляд располагал, и она пустилась объяснять: о пьяных мордах, о своем стыде.

— Может, это род патриотизма, не знаю, но ведь они представляют за границей Россию! Такое поведение совершенно безответственно, ведь оно порочит не только данных конкретных людей, но и всю страну! — Лера покраснела при мысли, что ее пафос вряд ли будет понятен незнакомцу.

— Данила, — произнес он. — Меня зовут Данила. А вас как?

— Вэлери... Валерия, если по-русски. Можно Лера.

— Так вот, Лера, я разделяю ваши чувства. Мне тоже стыдно, когда я вижу этих людей. И глаза иностранцев, на них устремленные. Согласен с вами: иностранцы судят по ним обо всех русских. Точно так же мы, увидев тупого жирного американца, судим обо всей нации. Совершенно несправедливо, но таков человеческий механизм восприятия чужестранцев. Довольно глупый, на мой взгляд. Но вам не стоит брать на свои плечи такой непомерный груз, как ответственность за всю нацию. Иначе он вас раздавит... А как вам тут, нравится?

Его английский был очень хорош, надо признать.

Как и он сам, надо признать...

Она плохо помнила, что было дальше. Они о чем-то говорили, причем долго, до самого ужина. О чем? Об Америке и России; о политике и политкорректности; о ценах на нефть и демократии; о семьях и детях...

Так она узнала, что Данила недавно пережил тяжелый, склочный развод. Так она рассказала, как почти два года дежурила у постели умирающего мужа.

Потом стало ясно, что и он, и она находятся на стадии выхода из тяжелого душевного кризиса. Приведшего к нервному истощению, что ударило по чувствам, вызвав в некотором роде душевную инвалидность, от которой хочется, конечно, оправиться, да, но не путем новых душевных затрат, нет...

В силу чего ни он, ни она не готовы к новым эмоциям и переживаниям.

Проще говоря, оба дали понять, что роман друг с другом заводить не собираются. Только пообщаться, тем более что общение обещает быть весьма приятным!

Все честно, откровенно, все карты на стол.

Потом, вечером, Данила пришел на танцплощадку — из-за нее. Обычно он избегает такого рода развлечений, не умея танцевать, — так сказал он.

Лере было приятно это услышать. Значит, он сказал правду, и здесь он не в поисках легких побед, иначе бы танцплощадку не упустил!

Она вызвалась его поучить, и они весь вечер дурачились, наступая друг другу на ноги и толкая, в пылу освоения танцевальной премудрости, окружающих. И по взглядам, сопровождавшим каждое их движение, Лера поняла, что они отлично смотрятся вместе.

После танцев они еще полночи просидели на террасе, потягивая коктейли, и, расставаясь, чувствовали, что это почему-то трудно...

Следующий день был отмечен необыкновенной спортивной активностью. Лера никогда не увлекалась экстремальными видами спорта, но с Данилой она согласилась и на парашюте полетать, и на водном скутере покататься. Переполненная новыми ощущениями, среди которых было — пожалуй, главное! — удивительное доверие к этому едва знакомому мужчине (уж раз она с ним на парашюте отважилась!), Лера легко согласилась пойти поужинать с ним в город.

Свечи, экзотическая кухня, полумрак — и эти серые глаза с мягким выражением всепонимания.

«Такие глаза бывают у святых, наверное», — подумала она с некоторым сожалением. Она, конечно, никаких видов на него не имела, но все же, все же... Святые не совсем в ее вкусе...

Однако недолго ей пришлось сожалеть. Вечер плавно перетек в ночь. Мартини на террасе гостиничного бара, снова разговоры, и уже рука в руке. А потом само по себе стало ясно, что было бы огромной глупостью, лицемерием и ханжеством разойтись сейчас по своим номерам.

«Как это по-русски называется... *Курортный роман*, кажется? — думала она, стоя под душем. — Да какая разница! — решила она, закручивая краны. — Пусть никак не называется. Этому названия вообще нет...»

Додумать сию глубокую мысль ей не удалось, потому что дверь в ванную распахнулась и Данила, отбросив в сторону полотенце, которое она едва успела взять в руки, схватил ее, мокрую, на руки и потащил на широченную кровать.

— Я не могу ждать, — говорил он, целуя ее куда попало, — не могу, Лерка, иди ко мне, иди, это какое-то безумие, я так хочу тебя, у меня сейчас сердце выпрыгнет...

...Расставались они трудно. Он приехал сюда на неделю раньше ее, и его срок уже подошел к концу. Автобус должен был забирать отъезжающих из отеля туристов через полчаса. Они говорили о всякой ерунде, о важном не имело смысла говорить, это всего лишь слова, названия и определения чувств, а какой смысл определять чувства, у которых нет продолжения? Разные континенты — это вам не разные улицы... Даже смешно говорить о серьезных вещах, потому что все закончится прямо сейчас, через несколько минут, оставшихся до отъезда.

— Напиши мне, что ты решила с Москвой. Если приедешь, я тебя встречу.

— Обязательно. А ты напиши, как долетишь. Я отсюда, из интернет-кафе, твое письмо прочитаю.

— Обязательно...

Она ткнулась ему в шею, куда-то под мягкую бородку. Так бы там и жила.

За спиной громко фыркнул автобус. Отъезжающие курортники стали подтягивать чемоданы.

— Иди, — отстранилась она, отпуская его.

— У меня только сумка, с собой возьму. — Он притянул ее обратно. — Подыши мне еще в шею...

Они стояли в стороне от автобуса, у пальмы, но на виду, а где еще стоять? На них посматривали. Русская мутант-бригада тоже покидала отель и даже была, кажется, относительно трезвой. Освободившись от чемоданов, они принялись изучать парочку, подталкивая друг друга локтями. Курортный роман не ускользнул от внимания обитателей отеля, да Лера с Данилой и не удосужились его скрывать.

— А американка-то небось с икрой уезжает! — хихикнула блиннолицая.

— Вот хорошо, больше наших, русских, в их Америке будет!

Лера не очень поняла, что имелось в виду, да и не хотелось понимать. Данила только крепче прижал ее к себе, будто хотел укрыть своим телом от пошлых взглядов и слов.

— Забудь о них. Это выродки, — шепнул он. — На самом деле таких мало. Это исключение, а не правило, поверь мне. Приезжай в Москву, сама увидишь. Приезжай, Лерка... К Москве и ко мне.

— Я напишу, Данила, напишу тебе. Мы не расстаемся, то есть не совсем расстаемся.

— Да...

— У нас есть интернет...

— Да...

— И по телефону можем говорить...

— Да...

— Отпускай меня, сейчас ребра хрустнут...

— Да...

До них долетел голос сопровождающего, просившего отъезжающих пожаловать в автобус.

— Иди. — Она вывернулась из его рук, поцеловала в губы и подтолкнула. — Иди же!

Он сделал несколько шагов, обернулся.

— Я никогда не знал, что так бывает, Лера...

И она не знала. Какое-то острие, тонкое и стальное, насквозь проколото ей сердце. Было очень больно, очень...

— Я напишу тебе... — повторила она. Других слов не нашлось.

Она стояла, пока автобус не скрылся из виду, а потом наступила пустота. И Лера совершенно не представляла, как в ней жить.

...Она была влюблена только один раз в жизни: в мужа. И потом много лет осваивала непростое искусство принимать другого таким, как он есть. Они оказались очень разные с мужем, но это и нормально! Даже в книжках пишут, что именно на разности любовь держится. Что с человеком, похожим на тебя по складу ума и характера, тебе просто будет скучно. Ведь так?

Парадокс был в том, что с Данилой они оказались схожи в чем-то очень важном. У них мысли о жизни были похожи, они угадывали их с полуфразы. У них отношение к людям было похожее, и оттого каждый из них чувствовал другого, предугадывая еще не родившееся сомнение, ловя любую эмоцию еще на взлете.

— Я не очень понимаю классическую музыку, меня к ней не тянет, — говорил он.

— Она трагична по своей сути, она уводит за пределы жизни. Если любовь — так смертельная, если разговор — так с Богом, — говорила она.

— А вот джаз гармонизирует меня и мир, — говорил он.

— А джаз радостный, и в то же время он соединяет в себе многие важные вещи. В нем есть любовь и есть мысль, — говорила она.

— А вот всякие песенки я не особо слушаю. Слова у них обычно простые, как три копейки! — говорил он.

— Во-первых, не всегда, а во-вторых, под них танцевать можно! — возражала она.

Ну, надо же хоть в чем-то не совпадать!

— Я люблю детективы, а ты? Фантастикой увлекалась в детстве, теперь не тянет. А фэнтези совсем не понимаю: сказки для взрослых. Толкиен мне очень понравился в свое время, но Гарри Поттера не осилила, — говорила она.

— А я люблю и фантастику, и боевики, и детективы, — говорил он. — А из серьезной литературы... Я когда-то составил себе список из классиков — Шекспир, Бальзак, Хемингуэй и так далее, — которых необходимо прочитать. И всех прочитал, хотя заняло у меня это лет десять...

— У меня даже больше! Я не работала, была домашней хозяйкой — вот в свободное время и поглощала книги всех времен и народов!

— Знаешь, что я заметил? Что западные авторы только описывают то, что происходит с людьми, но редко объясняют, почему. А наши любят анализировать, покопаться в причинах, дать объяснение...

— Надо же, ты тоже об этом подумал! Мне всегда не хватало у европейских и американских писателей объяснений. Я все время спрашиваю себя мысленно, по мере чтения: «почему?» — но не получаю ответа, — отвечала она.

— И еще наши любят мораль почитать!

— Ох, не говори! Особенно Толстой! Я его недолюбливаю поэтому, хотя, конечно, великий писатель...

Казалось бы, что ей с того, что у них совпало несколько мнений? Ерунда, пустяк! Наверное, за ними было что-то другое, более важное. Эти слова оказались просто электронным кодом, взломавшим естественную защиту ее души, и в открытую словами-хакерами дверь вошла другая душа. И как это соединение оказалось сладостно!

И как оно оказалось коварно. Разделение *сросшихся душ* стало подобно убиению.

«*Посмотри в иллюминатор*, — написала она из интернет-кафе, когда стрелки часов достигли времени его отлета, — *видишь? Там моя душа летит рядом. Прицепилась к крылу твоего самолета и летит, летит. А я тут осталась одна — без тебя и без души*».

Он позвонил на ее мобильный с бортового телефона, как только шасси коснулись московской земли.

— Лер, у меня такое чувство, что меня располовинили: одна половинка долетела, другая осталась там, с тобой, у тебя на хранении... Ты береги ее, ладно?

Через неделю и она вернулась домой, в Америку, и еще два месяца они переписывались и перезванивались. Интернет — виртуальное пространство, в котором сообщения с легкостью перемахивают через континенты, — казался Лере тем самолетом, который все летел и летел в пространстве, и ее душа все цеплялась за крыло, отчаянно заглядывая в овальное окошко иллюминатора, пытаясь разглядеть черты Данилы; он же, отправляя письмо, думал почему-то не об Америке, — он видел Леру так, словно она все еще стояла под пальмой, глядя вслед его автобусу. И выгоревшие пряди выбивались из хвостика на затылке, падая на глаза, а она их не заправляла, потому что они скрывали слезы...

...Что это — любовь? Влюбленность? Увлечение? Какие еще слова есть, чтобы назвать то, что с ней происходило?

Двадцать четыре года назад было все просто и ясно: словом «любовь» обозначались всяко-разные бурные чувства, в пьянящем букете которых был и такой неброский цветочек, как прицел на замужество. А как же иначе? В том возрасте ищут себе пару для того, чтобы создать семью. Выйти замуж, родить детей... Все дивные свидания, все биения сердца — все это было прелюдией к ней, семье! Она была целью и структурировала чувства, направляла все последующие шаги.

А теперь Лера растерялась. Детей ей уже не надо, замуж тоже. После долгого, очень долгого брака она свое неожиданное и непрошеное одиночество ощутила как свободу — и наслаждалась ею... Отчего влюбленность в Данилу поставила ее в тупик: ей хотелось его видеть, с ним быть, с ним проводить ночи, слушать его дыхание, да... Но жить с ним, заводить семью — нет. Для совместной жизни нужно куда больше, чем совпадение душ и тел! Куда больше, чем любовь...

Лерин долгий брак потому и оказался счастливым, что был постоянной работой, процессом взаимного приспособления, обоюдных усилий и шагов навстречу. Но сейчас она не чувствовала себя готовой к совместной жизни. Устала она от нее. И Данила, между прочим, тоже. Он пережил такой развод, что отдыхать от семейных отношений будет еще десять ближайших лет.

К тому же у них пять лет разницы в возрасте, как выяснилось. Внешне она не была заметна, Лере никто не давал ее возраста, но она есть, и надо смотреть на вещи трезво!

И живут они на разных континентах, между прочим...

Но тогда как? Как проводить с ним хотя бы время от времени ночи? Как хотя бы время от времени наслаждаться его обществом? Наш мир, с удивлением констатировала Лера, не знает никакой другой формы союза между мужчиной и женщиной, кроме семьи. И в нем нет места для непринужденных и свободных отношений. Не-ту!

«Эротическая дружба»? Но это тоже форма отношений, причем очень конкретная! Для этого нужно хотя бы жить в одном городе. И при этом неплохо бы заниматься каким-то делом. А если, допустим, она купит в Москве квартиру и будет в ней сидеть в ожидании их с Данилой встреч, то так она сойдет с ума! И он заодно тоже.

Может, все-таки поехать в Москву? А там осмотреться... Если понравится, то... тогда и подумать. Вариантов немало — например, открыть какое-нибудь свое дело в Москве... Деньги у нее есть, муж оставил ей вполне приличную сумму...

Ведь все началось именно с этого: с ее идеи съездить в Москву, найти старых друзей, посмотреть на дом, где жила раньше... Уловить запах детства. Америка так и осталась чужой, и теперь, после смерти мужа, ее там больше ничего не держало. И отчаянно хотелось в Россию. Да, отчаянно, если не лукавить с собой! И вся ее поездка по Европе, она была приближением, подкрадыванием к России. И ее отдых в Тунисе — тоже.

Где пьяные мутанты превратили образ призабытого Отечества в образину...

Но Данила ведь тоже представляет Россию! Даже его лицо — лицо сказочного русского витязя — вызывало в памяти какие-то виденные в детстве фильмы, отчего ее ностальгия сплавилась с любовью... Или наоборот?

...Так, может, все-таки поехать в Москву? Ну, хотя бы ненадолго, на разведку?

«Конечно, — писал ей Данила, — конечно, приезжай! Все увидишь своими глазами и тогда решишь, что делать дальше. А то ты словно страшилок насмотрелась и теперь боишься открыть дверь и выйти из комнаты. Не дрейфь, Лерка, если что, я тебя спасу».

Он ни разу не попросил, чтобы она приехала ради него. Деликатность? Или?..

«Гостиница обойдется тебе слишком дорого, у нас непомерные цены в отелях. Если тебя не смущает мое общество, ты можешь остановиться у меня».

«Я не хочу тебя стеснять», — отвечала она.

«У меня две комнаты, не стеснишь», — писал он...

Почему-то теперь, когда ее приезд оказался решенным и они принялись обсуждать детали, их общение приобрело некоторую напряженность. Спросить у Данилы, что чувствует он, она стеснялась. Да и хорошо бы сначала понять, что чувствует она, откуда взялся зажим. Курортный роман, как новорожденный вулкан, потихоньку уходит под остужающие воды повседневности? Так ведь часто бывает, все говорят...

«Нет, — вдруг поняла она, — это другое. Это страх перед *формой*, которую неизбежно должны принять отношения. Жизнь в одной квартире, ее как-то надо устраивать! Вместе завтракать или по отдельности? Кто будет мыть посуду? Докладывать, куда пошла, или вечером каждый по себе? Совместную жизнь, пусть и ненадолго, надо организовывать... Это и есть *форма*. Конкретная, прописанная мелкими и реальными подробностями быта, разных привычек и особенностей характеров...» Где он будет курить? — Лера не выносит табачного дыма. Чисто ли у него в квартире? — Лера не выносит грязи. Какая у него стиральная машина? — Лера требовательна к качеству стирки...

А он, чего не выносит он?

Хорошо было в Тунисе. Жизнь в отеле пять звезд не содержит подробностей. Там не стоит вопрос о том, кто будет мыть посуду...

И Лера решила остановиться в гостинице.

ЧАСТЬ 2

Одноклассники

Чем больше приближался день отъезда, тем большее волнение охватывало Леру. В последние дни она ни о чем другом не могла думать, даже мысли о Даниле отступили на второй план. Въезд в Москву представлялся ей торжественным, как гимн Советского Союза, и праздничным, как марш Мендельсона. У нее заранее захватывало дух и мурашки шебуршились на затылке.

...И вот сидит она в машине, разглядывая Ленинградское шоссе, отмечает новшества, о которых, впрочем, наслышана, и ничего не чувствует. Ну, ровно ничего!

Ей почему-то стало неприятно, словно ее обманули. Столь долгой — длиной во много лет и множество сомнений — была дорога на родину! И нате вам, ни одной положительной эмоции, хоть самой завалящей...

— И тут «Макдоналдс», — произнесла она с легким раздражением, заметив знакомое лого.

Данила посмотрел на нее, словно хотел поймать выражение ее лица, и тут же отвернулся: надо следить за дорогой. Ленинградка была забита, особо прыткие пытались протыриться всеми неправдами, глаз да глаз.

Лера тоже посмотрела на него. Там, на белых пляжах Туниса, он был романтическим любовником из такой далекой и такой романтичной Москвы; здесь же, за рулем машины, он стал обычным москвичом, прекрасно вписавшись в интерьер загазованного шоссе с замызганными бордюрами. А она не вписывалась никуда. Она не была иностранной туристкой, готовой радоваться любой глупости, которую скажет гид; но она и не была россиянкой.

Точнее, она *больше* не была ею...

— Почему ты решила поселиться в гостинице? — от мыслей ее оторвал голос Данилы.

— Извини, я подумала, что так будет лучше...

— Не извиняйся, это твое право решать, где тебе будет лучше. Я просто полюбопытствовал.

— Я не имела в виду, что только мне... Тебе тоже.

— Ты меня держишь за маленького мальчика, который сам не в состоянии решить, что ему лучше?

Все неправильно пошло с самого начала, Лера чувствовала, и, наверное, в этом виновата она, потому что у нее совсем не такие эмоции, как она ожидала... Она не рада Москве, не рада Даниле, и невозможно понять почему. А он, конечно, мгновенно это уловил — это была его черта, она уже изучила: он пеленговал, как сверхмощная антенна, любые перепады ее биополя.

— Лер, если я предложил тебе остановиться у меня, значит, я все взвесил. И если я сказал, что ты меня не стеснишь, значит, сказал правду. Мне бы не хотелось, чтобы ты перестала верить мне.

— Я... Данил, я не перестала, почему ты так...

— А если не перестала, то, значит, испугалась. Что я, поселив тебя у себя, предъявлю на тебя права?

Она попыталась что-то сказать, беспомощно чувствуя, что они сейчас поссорятся, и тогда все станет просто невыносимо, и тогда она попросит его повернуть обратно в аэропорт, потому что Москва ее уже предала, и если теперь еще и он...

Данил обвил рукой ее плечи.

— Погоди, помолчи минуту. Дай договорить. В наших отношениях много всего хорошего... Очень хорошего. Но знаешь, что самое потрясающее? Что мы все время говорили друг другу правду. И в Тунисе, и когда переписывались... Тут важны оба слова: и то, что правду, и то, что ее говорили. Ведь можно остаться честным и промолчать. И тогда другой никогда о ней не узнает. А мы говорили друг другу все... Так вот, Лер, пусть это останется так же... У меня в мыслях не было связывать тебя, иначе бы я сказал, вернее, предложил бы тебе пожить вместе, именно *вместе*. Но я таких слов не произнес, потому что таких мыслей у меня не было, понимаешь? Если бы ты приняла мое приглашение, ты бы осталась совершенно свободной, независимой в своих делах и планах. И даже в постели, — усмехнулся он. — Я специально во вторую комнату купил кровать, чтобы ты не считала себя обязанной спать со мной. Ты могла жить у меня, как в гостинице, только бесплатно.

От этих слов Лере почему-то стало еще обиднее. Она с трудом сдержала слезы.

— Данила... Ты прав, конечно. Не обращай внимания. У меня, наверное, шок... Отвези меня в гостиницу, пожалуйста.

* * *

— Здравствуйте. Могу я поговорить с Вячеславом Зюбриным?

Глухое, словно обморок, молчание в ответ.

Лера не выдержала:

— Алле? Вы меня слышите?

— А кто его спрашивает? — Женский голос сух и напряжен.

— Я его бывшая одноклассница... Видите ли, я давно живу в Америке, больше двадцати лет... Вот приехала на родину. Хотелось бы повидаться со школьными друзьями. Вам это создает какую-то проблему? Вы, наверное, его жена?

— Я его мама... — послышалось всхлипывание. — Дело в том... Дело в том, что Слава умер...

— Ох, простите... Мои соболезнования...

— Спасибо...

— Что с ним случилось?

— Инфаркт... Вот как вышло: мы живы, а сына нет...

Лера сочувственно помолчала. Женщина нарушила тишину:

— А вы кто, деточка, как зовут вас? Я помню некоторых его друзей по школе...

— Лера, Валерия Титова.

— Нет, извините, не припомню. Ингу помню. А вас нет...

— Не страшно, — вежливо ответила Лера. — А вы не знакомы с кем-нибудь из его — наших с ним — одноклассников? Может, сохранился телефон Инги?

— Ничем не могу вам помочь, деточка. Славик давно ни с кем из школы не общался, а уж мы тем более, как вы понимаете...

Лера извинилась еще раз и повесила трубку. Строго говоря, Слава никогда не был ее приятелем, она хотела разыскать свою любимую подружку Веру, да и других девчонок... То есть нынче уже взрослых женщин, как она сама, — просто Лера их помнила школьницами. В нашей памяти люди не меняются: не взрослеют, не растут, не стареют. Память, как фотоаппарат, жестко фиксирует тот далекий в годах образ, и увидеть, даже мысленно, школьных подружек своими ровесницами ей не удавалось.

Проблема же была в том, что, видимо, все они вышли замуж и сменили фамилии. И теперь их ни в каких справочниках не найти. Тогда как мальчишки остались при своих фамилиях, и даже если они сменили место жительство, то ей все-таки удалось разыскать несколько человек. Хорошая штука интернет!

Она находилась уже три дня в Москве — и все три дня слонялась без устали по улицам, пытаясь примирить себя с городом детства. Каким-то чутьем она понимала, что и с Данилой примирения не будет, пока она не разберется в своих отношениях с родиной.

И пока не найдет своих школьных друзей. Они помогут ей в этом: они часть ее детства, они печать, штамп, подтверждающий ее родство с этим городом, принявшим ее столь безразлично, если не сказать недружелюбно. В Москве слишком откровенно на нее смотрели и женщины, и мужчины — изучающими, хоть и по-разному, взглядами. В Москве слишком громко говорили по телефону, на весь автобус, устраивая себе из пассажиров публику. В Москве слишком вызывающе одевались, слишком много пили пива, слишком часто ругались матом... Москва не была нейтральна, как любой другой город на Западе, — этот город вступал, не спросясь, в какие-то отношения с Лерой, он к ней приставал, он чего-то от нее требовал... Harassment, вот как это называется! Этот город был сплошной харассмент — провокация, домогательство, агрессия!

Да, Лера понимала, что смотрит на родной город глазами иностранки, и ничего не попишешь, она большую часть жизни прожила в Америке, она почти иностранка и есть.

Но она осталась русской, москвичкой и потому не столько осуждала город, сколько огорчалась его непристойным подростковым поведением.

«Ладно, — сказала она себе, — попробуем следующий телефон».

* * *

— Света? Светлана Погодина?

— Да, я.

— Это Лера Титова. Помнишь меня? Мы учились в одном классе.

— Лера? Не помню.

— Ну, Валерия. Валерия Титова!

— И что вам нужно, Валерия?

— Мне? Ничего... Света, ты меня вспомнила?

— Более-менее. Так что вам нужно?

— Ничего... Я живу в Америке. Много лет не была в России. А теперь приехала... У меня здесь нет никого из друзей, кроме бывших одноклассников.

— Надеюсь, вы не рассчитываете на то, что я предложу вам остановиться у меня?

— Бред какой! — рассердилась Лера. — При чем тут! Мне есть где остановиться.

— Так что же вам нужно от меня?

— Да ничего мне не нужно! Просто ностальгия...

— Мне уже давно никто не звонит ради «ничего». Я работаю в мэрии Москвы и прекрасно знаю, что стоит за вашими «ничего». Все друзья, подруги, бывшие соседи, друзья подруг и друзья соседей — все меня вдруг вспомнили. У всех потрясающая память. Знакомые чуть не с ясельного возраста мне звонят и рассказывают про ностальгию. Так что не крутите, Валерия. Говорите, что вам нужно. Если смогу, то помогу, но не обещаю. Все будет зависеть от того, в чем суть вашей просьбы.

— Послушайте, Света... — Лера вынужденно перешла на «вы» — тон бывшей одноклассницы никак не располагал к дружеским интонациям. — Вы чего-то не поняли! Я уже двадцать с лишним лет живу в Америке, в США, понимаете? А не в Москве! И ничего от мэрии Москвы мне по определению не может быть нужно! Я хотела разыскать школьных друзей, вот и все!

— Мы с вами подругами не были.

— Разумеется. Но, возможно, у вас сохранились контакты с кем-то из нашего класса?

— В этом я вряд ли смогу вам помочь.

— Вы ни с кем не общаетесь?

— Нет, — отрезала Света.

— Но вы же только что сказали, что все вас вспомнили и звонили...

— Кто-то из них мне звонил, уже не помню кто, и у меня нет их номеров. Успехов вам в ностальгии! — закончила она с легкой издевкой и повесила трубку.

...Надо же, Света, Светка Погодина, серая троечница, списывавшая сочинения у Леры, — нынче она важная персона! Работать в мэрии Москвы — это, наверное, круто? Ну да, судя по тому, как она задирает нос. От нее, видимо, многое зависит нынче...

Лера испытала вдруг облегчение оттого, что давно не живет здесь и что ей не нужно заискивать перед бывшей одноклассницей в надежде вымолить (или выкупить?) у нее какие-то неведомые блага.

На мгновение остро захотелось назад, домой, в Америку. Там тоже нередко приходится выбивать и настаивать, но потому, что у тебя есть *права*, которые не соблюдает какой-то чиновник. А вовсе не потому, что ты ищешь *милости* забытой одноклассницы...

* * *

М-да... Не так, совсем не так представляла себе Лера возвращение на родину! Похоже, ее сантименты тут мало кто способен разделить.

Сантименты. Это, кажется, несколько ироническое название чувств? Ее русский язык несколько сузился за годы жизни в Америке...

Когда в восемнадцать лет она встретилась с американцем — роман развивался бурно и быстро закончился свадьбой, — она с радостью уехала из СССР. Она ненавидела этот строй, эту систему. Ее родители постоянно слушали «Голос Америки», тихо диссидентствуя на кухне. Она с детства впитала острокритическое отношение к советской власти, она читала в полуистертых слепых копиях Солженицына и Венечку Ерофеева, Аксенова и Бродского, запрещенных и опальных. Тогда еще опальных, хотя продлилось это недолго. Вскоре шарахнула перестройка, и она, уже в Америке, не отрывалась от новостей, в которых в ту пору говорили на редкость много о Советском Союзе и о Горбачеве. Ей страшно хотелось вернуться в Россию, подышать этим воздухом свободы, поговорить с друзьями, со школьными друзьями, других она завести не успела, уехав в неполные девятнадцать лет...

Но к тому времени им уже удалось перетащить ее родителей в Штаты, и с Россией ее больше ничего не связывало. Дети родились там, в Америке. Куда ехать, к кому? Переписку с подругами она не вела — когда она уезжала, в СССР еще косо смотрели на связи с иностранцами, и Лера не хотела создавать проблемы подругам. А потом возобновлять утраченные отношения было неловко и ни к чему...

Наступили девяностые, и Леру снова стало воротить от того, что происходило на родине. А происхо-

дили там немыслимые, жуткие вещи: там постоянно
убивали людей, там новорожденную демократию
использовали только для того, чтобы воровать в масштабах государства! Вся помощь, которую посылала
в Россию Америка и другие западные страны, расте-
калась по карманам коррумпированных высокопо-
ставленных чиновников, а низший чиновничий эше-
лон изводил население страны непомерными взятками... Все это было отвратительно, и Лера снова
порадовалась тому, что уехала из этой гиблой страны с ее гиблым, развращенным большевиками менталитетом.

Меж тем ее политические взгляды, исполненные
праведного гнева, оказались недостаточным основанием для того, чтобы обрести счастье в чужой
стране. Лера так и не привыкла к Америке: слишком
многое в этой стране вызывало ее нравственное отторжение. Вот и вышло, что зависла она душой между двумя странами. Россию она любила, но при
этом категорически осуждала, а Америку не любила,
хотя, конечно, в политическом отношении эта страна была куда более демократичной и развитой...

Прошли годы, дети выросли. Они еще кое-как
говорили по-русски, пока были маленькими, — Лера
настаивала, но вскоре сдалась и перешла с детьми
на английский. А Россия потихоньку выправлялась,
хотя все еще откалывала такие номера, от которых у
международного сообщества отвисала челюсть. Тем
не менее ей все чаще хотелось туда, на родину. Дети
выросли настоящими американцами, с чуждым ей
менталитетом. Россия их не интересовала. Мужа
тоже. Несколько русских подружек-эмигранток поливали Россию как могли. Им нужно было доказать
всем — и прежде всего себе, — что они сделали пра-

вильный выбор, уехав в Штаты, в которые так стремились, — а для этого им требовалось всячески принижать покинутую родину.

Лера ненавидела эти убогие разговоры. Они были крайне предвзятыми, изначально ориентированными на хай и лай, а ей хотелось беседы умной, аналитической, по возможности объективной... Да не с кем было вести эти беседы.

Подоспел интернет, и Лера регулярно погружалась в русские сайты, в новости и аналитику, участвовала даже в парочке форумов, где нередко ругала Россию, жадно вычитывая возражения. Ей хотелось, страстно хотелось, чтобы ее убедили в обратном! Ей хотелось верить, что у России великое будущее, как писали русские участники форумов, и, критикуя, она жаждала аргументированных опровержений.

Опровержений она получала предостаточно, но с аргументацией у оппонентов дела обстояли куда хуже, и это ее расстраивало.

А потом, два года назад, муж тяжело и неизлечимо заболел. И вся жизнь ее свелась к небольшому пространству вокруг его постели, где единственным отдыхом и развлечением Леры стал голубоватый экран компьютера, ведущий в рунет[1].

После похорон Лера на месяц впала в спячку. Она отсыпалась за последние два года, когда привыкла постоянно вскакивать по ночам. Сиделка находилась в доме круглосуточно, но муж звал Леру. Он знал, что умирает, и она это знала, — какие тут счеты! На фоне его страдания ее недосып не имел права на голос.

---

[1] Рунет — русский интернет.

Когда она наконец вынырнула из мутных глубин спячки и огляделась вокруг прояснившимся взглядом, то ей показалось, что она стоит на вершине горы, на которую долго и истово взбиралась, а теперь не понимает, зачем она это сделала и куда теперь идти. Куда?! Вокруг простиралась пустыня...

В Америку она приехала из-за мужа. А теперь его нет. Сыновья выросли, стали совсем взрослые. Оба еще, правда, учились, но жили в другом городе, в кампусе, по выходным подрабатывали, Лера их месяцами не видела... Родители, помогавшие им, пока дети были маленькими, теперь поселились в пансионате во Флориде и были очень довольны своей жизнью.

Настоящих друзей у нее тоже не оказалось. Те подружки, что прибило к ней обстоятельствами и близостью адресов, были, по сути, *экономическими* эмигрантками, которые приехали в Америку в надежде на легкую красивую жизнь. Красивая жизнь мало у кого получалась, но чем меньше она удавалась охотницам за американской мечтой, тем озлобленнее они поливали Россию. Лере было душно в их кругу...

* * *

— Я бы хотела поговорить с Андреем Исаевым...

— Кто вы такая?

— Его бывшая одноклассница. Видите ли, меня не было в России двадцать три года, и мне хотелось бы разыскать своих школьных друзей...

— Вы его любовница?

— Ну что вы, конечно нет, я же вам объясняю: я бывшая одноклассница, только три дня назад приехала в Россию после многолетнего отсутствия и...

— Он умер.

— Вот как...

— Вот так!

— Вы его жена?

— Вдова!

— Ох, простите... А что же случилось с Андрюшей?

— Хм, с «Андрюшей»! Вы были его любовницей?

— Да нет же, одноклассница! Меня не было в России двадцать три года, как вы хотите, чтобы я оказалась его любовницей!

— Я как раз и не хочу! Так почему вы ему звоните, если вы не его бывшая любовница?

Лера настолько отвыкла от подобных разговоров и интонаций, что совершенно растерялась. Как на это отвечать? Или просто повесить трубку? Подумав, она все же произнесла как можно более доброжелательно:

— Я пытаюсь разыскать наших бывших одноклассников. Особенно девочек... Может, вы знакомы с кем-то из них?

— Вот только девочек мне и не хватало!

— Я имела в виду наших общих одноклассниц... А что случилось с Андреем?

— А то! По бабам надо было меньше шляться!

Лера ничего не ответила. Разговор даже не зашел в тупик, он в нем пребывал с самого начала. Дежурно выразив соболезнования, она повесила трубку. У нее возникло ощущение, словно она ехала к морю с жаждой искупаться в его прозрачной, освежающей воде, а вместо этого окунулась в мутную жижу закисшего пруда с лягушками...

* * *

— Здравствуйте, меня зовут Валерия Титова. Я бы хотела поговорить с Анатолием Трубачевым.

Ей ответил мужской голос, и она обрадовалась,

что на этот раз попала не на жену. Но разочарование наступило немедленно. Вместо ожидаемого «это я» мужской голос прокричал куда-то:

— Мамк! Поди сюда, тут кто-то папку спрашивает!

Лера с детства ненавидела все эти «мамка» и «папка».

— Кто? — донеслось до нее. — Не знаю, тетка какая-то.

Ага, «тетка» тоже хорошо...

— Слушаю! — рявкнул женский голос в трубку.

— Здравствуйте, меня зовут Валерия Титова. Я бы хотела поговорить с Анатолием Трубачевым.

— Вы кто?

Лера, вздохнув, смирилась с судьбой и принялась объяснять про Америку и одноклассников.

— Нету его, — выслушав, заявила женщина. — Спекся.

— Простите, это как?..

— А так! Пить надо было меньше!

— Он что, заболел?

— Сдох. Так что опоздали вы, Титова Валерия.

Лера вспомнила «мутантов» в Тунисе. А ведь все начиналось в школе, когда мальчишки еще только бравировали, распивая бутылку водки. Тогда это была почти шутка — так подростки курят, и им кажется, что с сигаретой они очень взросло выглядят. Но годы побежали, помчались, намотались на какой-то невидимый маховик, и детская шалость стала серьезным пороком... В России нет антиалкогольной пропаганды, и это неправильно!

— Сочувствую...

— Да что вы, зачем! Порадуйтесь за меня, я избавилась от алкоголика!

Лера растерянно помолчала, затем поскорее распрощалась.

Наверное, к родине и к Даниле у нее оказался одинаковый счет: обоим она не могла простить того, что не находит в своей душе прежних чувств. Что отчаянно пытается найти внутри себя опору, на которой можно было бы заново выстроить отношения любви и понимания, но в этом ей никто не хочет помочь! Ни родина, ни Данила!

После того как в день приезда он отвез Леру в гостиницу, они только один раз встретились: поужинали в ресторане. Домой к себе он ее не пригласил — наверное, обиделся, что она отказалась жить у него... За ужином Лера была напряжена, не знала, как ему объяснить сумятицу, происходившую в душе, не находила слов, да и желания их находить почему-то не было. Что-то внутри ее закрылось, свернулось в тугой калачик и не хотело казать носа наружу. А он, устремив на нее мягкий взгляд своих серых глаз, говорил, что понимает ее и ничего навязывать не собирается. Что он, как его жилище, всегда в ее распоряжении, по первому зову. Что он любит ее, но уважает ее свободу.

Какого черта, спрашивается? Сдалась ему ее свобода! Наверное, он считает ее американкой и ведет себя, так сказать, в самом демократическом духе. Вот парадокс: она приехала в Москву, чтобы почувствовать себя русской, а ей все и всё словно указывают ее место: иностранка ты! Чужая. Чужачка...

Почему в Тунисе было не так? Почему там все было легко и сказочно, сказочно легко? И почему вдруг стало все так трудно и сложно здесь, в Москве?

Ах да, там же не было *подробностей*. Там не нужно было принимать решения. Там у их отношений не было формы, что все и объясняет...

Странно, разве можно иметь чувство без формы? Лера столкнулась с чем-то совершенно непонятным, доселе не испытанным и не обдуманным. Есть чувство как цельный *поток*. И есть форма, то есть необходимость воплотить и конкретизировать это чувство в массе житейских мелочей. Вот это и убивает чувство. Нет, пожалуй, слишком сильно — «убивает», но распыляет, разбивает на фрагменты, на *брызги*, летящие в совершенно разные стороны. Тогда как поток тек сильно и уверенно только в одну сторону, в одном направлении!

Как было легко любить Данилу в маленьком раю! Тогда не надо было думать, кто кому чего должен или нет, как не стеснить, не навязаться, как рассчитать жесты, взаимную любезность, денежные отношения. Вот, к примеру, к вопросу о последних: Лера привыкла, что каждый платит за себя. В этом она видела демократичность, равноправие, самоуважение. А Данила джентльменствовал по-русски: он за нее платил. Вызывая у нее ярый дискомфорт — и не понимая этого....

И как было легко скучать там, в Америке, по России! Ее ностальгия, такой же цельный поток чувства, как любовь, там не распылялась необходимостью постоянно что-то принимать или отвергать. Теперь же, в Москве, на месте, требовалось все куда-то поместить в своей душе, распределить: и этот мат, и это пиво, и этих не в меру оголенных и раскрашенных девочек; и застарелое хамство, и новоиспеченную любезную услужливость, и невиданный снобизм, охвативший все слои населения, от продавщицы до административного бонзы; и дичайшие американизмы в речи, и повсеместный культ «элитности-виповости», и... и... и...

Все это ежедневно, ежеминутно требовало к себе отношения, обдумывания, осуждения или оправдания, попытки внутреннего примирения... Любовь к родине тоже принимала конкретные *формы*, расчленяясь на тысячу мелких *брызг*, воплощаясь в том или ином конкретном виде...

А где же взять внутренних сил на все на это?.. Лера ощущала себя подавленной и усталой, словно на нее навалилась депрессия...

Хотя почему «словно»?

* * *

— Добрый день. Могу я поговорить с Мишей Пархоменко?

— Его нет дома, позвоните через два часа.

Слава богу, на этот раз ее ни в чем не стали подозревать, и Миша оказался жив! А то уже она стала было думать, что в России всех мужчин косит преждевременная смерть!

Набрать еще номер? В списке оставалось два, но Лера вдруг почувствовала себя настолько выжатой от первых разговоров, что решила отложить звонки на завтра.

Выждав для верности чуть больше двух часов, она перезвонила. Миша заорал в трубку:

— Лера?! Титова? Какими судьбами?!!!

— Да вот, приехала из Америки...

— Потрясающе! Насовсем?

— Нет... Посмотреть, повидаться....

— Лера, переезжай насовсем! Возвращайся! Ты же видишь, какие тут у нас дела творятся! Россия все крепчает, хорошеет, набирает мощь!

Поразительно. Еще в школе Миша был страшным активистом, комсоргом и старостой класса, и еще кем-то там — и явно сохранил до сих пор свой общественно-политический темперамент. Ему не пришло в голову спросить у Леры, как она жила все это время, каковы ее личные и семейные обстоятельства — ну хотя бы те, которые привели ее вдруг на родину... Нет, Миша вновь, как и прежде, звонко и жизнерадостно занимался пропагандой новой России — так же прытко, как когда-то советской.

«Это, видимо, какие-то гены крутят, — подумала Лера, — что человек всегда на страже своего строя, своего руководства, своей страны, какой бы она ни была. Без критической мысли, без собственного мнения, в силу которого что-то принимается или отрицается. А просто при любом правлении и режиме — гип-гип-ура!»

— Миша, — перебила она поток славословий, — мне очень хочется повидаться со всеми. Ты же помнишь, я уехала из России сразу после школы, и у меня здесь нет друзей ближе, чем вы, мои одноклассники. Нельзя ли...

Но Миша не дал ей договорить.

— Великолепно! Я организую классный сбор! Сколько ты еще пробудешь в нашей столице?

Интересно, а почему не сказать попросту «здесь» вместо пафосного «в нашей столице»? У Леры в Америке зубы сводило от патриотизма аборигенов, и нате вам, приехали! Может, это заразная инфекция, перекинувшаяся с одного континента на другой?

— Две недели, — ответила она.

По правде говоря, билет у нее был с открытой датой, и ответила она так Мише лишь потому, чтобы он не тянул.

— Прекрасно! Все устрою!

— Миш, а ты знаешь, что Трубачев, Зюбрин и Исаев умерли?

— Нет. Последний раз мы общались лет пять тому назад, я тогда тоже организовал классный сбор. И они были вполне живы и здоровы... Печальная новость. А что с ними такое?

— Не знаю. Их вдовы были не слишком любезны со мной.

— Эх, стареем мы, Лера! А ведь пока кажемся себе молодыми. Бегаем, гарцуем... А некоторых из нас уже смерть прибрала своей костлявой рукой!

Лера раньше не замечала за ним склонности к таким выспренним оборотам. Хотя, скорей всего, тогда, в школьном детстве, она просто не обращала на них внимания, они не резали ее еще неопытный слух своей пустотой и фальшивым пафосом. Теперь же — может, оттого, что прожила столько лет вдали от своей страны? — она слышала и слушала родной язык особенно обостренно.

А Миша всегда такой и был: любитель восклицаний, которыми щедро сдабривал свою активную школьную деятельность...

— Тогда я жду от тебя звонка?

— Обязательно! Диктуй номер. Это гостиница? Ну, вот и отлично. Буду очень рад повидать тебя, Лера, очень!

Еще через три дня Миша сообщил, что встреча намечена на пятничный вечер. Придут не все, чьи-то адреса и телефоны потерялись, «унесенные ветром времени», как он выразился. Но те, кого удалось найти, — те «однозначно в восторге» от новости, что Лера приехала, и жаждут с ней повидаться!

— Я бы вряд ли собрал столько народу — подразленились, зажирели, нет уж той романтики, что раньше! Но на тебя все, как на крючок, поймались!

Лера не стала спрашивать, кто придет, а кто нет. Пусть окажется сюрпризом.

Она приехала чуть раньше всех — после Мишиных слов Лера чувствовала себя едва ли не виновницей торжества, что обязывало. Миша, однако, уже ждал ее: он всегда был ответственным и исполнительным старостой.

Впрочем, разглядеть в улыбающемся до ушей мужичке — улыбка была заключена во множественные скобки морщин, что напомнило Лере интернетный смайлик « :))) », — разглядеть Мишу в этом мужичке, щепотью налаживавшем последние прядки на лысинке, было весьма затруднительно.

— Лера, Лерочка! — встал ей навстречу Миша, раскрывая объятия. — А ты ничуть не изменилась! Все такая же красавица!

Лера немного смущенно протянула ему руку, которую Миша галантно поцеловал.

Он провел ее к столику, отодвинул стульчик, подождал, пока она опустится, и снова придвинул к столу — так делают официанты в дорогих ресторанах. Сейчас, когда он перестал улыбаться, скобки морщин исчезли, но Лере все равно хотелось его спросить: отчего он так плохо выглядит в свои — их! — молодые годы? Уж не болен ли чем? Но задавать подобный вопрос было бы совсем неприлично, и она лишь постаралась не выдать своего огорчения.

— Я зарезервировал весь зал, — гордо сказал Миша, обводя рукой небольшое помещение кафе. — Придет не меньше половины класса!

— А Вера? — все-таки Лера не устояла, спросила о своей лучшей подружке.

Не успел Миша ответить, как со стороны входа донеслось: «Лери-и-ик!!!» Этот голос невозможно было не узнать. Да и никто больше ее так не звал, кроме Веры.

— Вери-и-ик!!! — И, роняя соседний стул, она бросилась к подруге.

Наверное, они обе, в ожидании предстоящей встречи, к ней готовились, искали слова, предназначенные для выражения дружбы и симпатии и одновременно для того, чтобы с достоинством очертить нынешнюю свою жизнь, двадцать три года спустя... Но все слова вылетели из головы, как пробка от шампанского, с хлопком. И не осталось ничего, кроме объятий и соплей.

...Двадцать три года назад на отъезжающих за границу смотрели крайне подозрительно, а в США — тем более. Письма перлюстрировались и почти никогда не доходили, телефоны прослушивались (уж не говоря о дороговизне звонков), интернета тогда не существовало. Так они и потерялись.

И вот нежданно-негаданно нашлись. Стояли, обняв друг друга, поглаживая по плечам и всхлипывая.

Едва подруги утерли носы, как стал подтягиваться остальной народ. Кого-то Лера узнавала сразу, кого-то никак не удавалось, а некоторые торопливо представлялись сами, чтобы избежать неловкости.

Вскоре кафе заполнилось, первоначальное напряжение спало, бывшие одноклассники принялись шумно общаться. «Как ты? — А как ты?» — неслись отовсюду вопросы. Воспоминания мешались с рассказами о нынешней жизни, кто-то хвастался бизнесом, кто-то детьми (иные уже и внуками), а кто-то больше помалкивал. «Лерику с Вериком» особо не удалось поговорить — за их столик то подсаживались, то утаскивали их, вместе или поштучно, за другие столики. Но подруги успели обменяться телефонами и договориться о встрече на завтра же вдвоем, которую уже предвкушали, а пока предались коллективному общению.

— У меня для тебя еще один сюрприз, — тихо сказал Миша, подсев к Лере и тронув ее за локоть. — Помнишь Юру Стрелкова? Он обещал прийти!

...Разумеется, она помнила! Он принадлежал к элите класса, точнее, он сам элитой и был, а остальные так, распределились вокруг, на его орбите. Красивый, уверенный в себе мальчик, краснобай, остряк и эрудит. Девчонки по нему сохли, хотя он имел репутацию «бабника», но, как водится, это только придавало Юре еще большее обаяние в их глазах. Многие из них втайне мечтали стать его доброй феей, способной спасти душу начинающего распутника и подарить ему свет «настоящей любви».

Но Юре «настоящая любовь» была совершенно ни к чему («по барабану», так сейчас говорят!), да и вряд ли он верил, что подобное явление водится в природе. Он играл роль циника и был им. Или правильнее сказать так: он был циником и умело это обыгрывал...

Девочек он менял примерно раз в месяц — и, похоже, не только девочек. Жертвами Юриного обаяния, по слухам, пали пионервожатая и даже моложенькая училка начальных классов. Никто не мог устоять перед его броской внешностью, его элитарностью, его божественной распущенностью, ослепительно-провокационным презрением, которое Юрино остроумие превращало как бы в милую шутку. Едва заканчивался его очередной скоротечный роман, как тут же с робкой алчностью вспыхивали глаза старшеклассниц: вдруг теперь я, вдруг мне выпадет?

...Почему Лера не поддалась, как все, на этот заразительный экстаз? Что в ней сопротивлялось? Чувствовала ли она, что презрение Юры совсем не «милая шутка»?

Теперь, с годами, Лера понимала: она просто трусила. Боялась влюбиться. От своей первой любви она ждала гораздо большего, чем месячный романчик и снисходительно-высокомерное к себе отношение. И какое-то врожденное нравственное чувство, подкожное понимание того, что хорошо и что плохо, спасло ее.

Поэтому, когда однажды Юра прихватил ее на выходе из раздевалки физкультурного зала (Лера была медлительна, вечно выпадая мыслью из реальности. Где бродила ее мысль — бог весть; но учителя нередко делали ей замечания на уроках за постороннюю задумчивость)...

Итак, она задумчиво переодевалась, застревая над каждым рукавом и каждой пуговицей. И оказалась, таким образом, как всегда, последней. Выйдя из девчачьей раздевалки, она увидела Юру. Он поджидал ее, отчего тоже оказался последним. Взял ее за рукав.

— Я *тебя* жду, — сказал он с нажимом, чтобы она поняла, что стала его очередной избранницей. — Пойдем сегодня вечером в кино?

— У меня нет времени, — ответила она, покраснев.

— Пойдем... — Он легонько привлек ее к себе и выдохнул в ушко: — Ты мне нравишься, Лер...

Она немножко постояла так, вчувствовываясь в его небрежное объятие: оно было таким взрослым, таким уверенным, таким обещающим...

— У меня нет времени, — упрямо повторила она.

— Тогда завтра.

Юра не спрашивал, Юра констатировал. Отказа он не предполагал и честно поверил, что она сегодня занята. Иначе ведь и быть не может!

В течение целой недели Юра оказывал ей снисходительные знаки внимания — как обычно, вполне открытые. Ему явно нравилось жить публично, чувствовать себя в центре внимания. Это было его самодельное «За стеклом», через которое к нему устремлялись глаза множественных зрителей.

И только к концу недели до него дошло, что Лера — хоть и не посмела сказать ему прямо — ему отказала! Это было еще оскорбительнее. Если бы прямо, он бы просто не поверил. Он бы нашел уничижительные слова, вроде «синего чулка» и «воинствующей феминистки», а то еще и «суфражистки» — мудреные словечки были его коньком. Но именно потому, что она стеснялась ему отказать прямо и всячески выворачивалась, именно поэтому он не мог ее заподозрить ни в чем воинствующем.

Юра снова отвел ее в уголок.

— Я не понял, ты меня динамишь?

— Юр...

— Ну?

— Я к тебе очень хорошо отношусь, но...

— Понятно.

Он провел рукой по ее голове и быстро ушел. Лера так и не поняла, то ли он ее погладил, то ли дал легонький подзатыльник.

С тех пор он оставил Леру в покое, а если и был уязвлен, то ничем этого не выдал. Напротив, вскоре он уже громогласно рассказывал, что «Лерка мне не дала, представляете?!» — и столь же громогласно демонстрировал к ней слегка уважительное и незаинтересованное приятельство.

В конечном итоге Лера уже не знала, задел ли его самолюбие ее отказ, или она была Юре настолько до фени, что он не стеснялся рассказывать об этом всем подряд и даже находил забавным.

Прошло несколько месяцев, подкатил и выпускной вечер. И на нем Юра пригласил ее танцевать. А после танца увел на скамейку в школьный парк.

— Хорошая ты девка, — сказал. И добавил, помолчав немного: — Человек ты хороший, Лера. А мы все говно на самом деле. Ты правильно сделала, что мне не дала. Ничего хорошего я бы тебе не принес.

Лера видела: он выпил уже изрядно. Но словам его отчего-то верила. Да и как не поверить, когда тебе столь откровенные вещи говорят? Если такие вещи вранье, то вообще топиться пора! Сейчас Юрка не врал, она точно знала. И, несмотря на грубость фразы, он имел в виду что-то важное. Она не понимала, что именно, но точно знала, что важное... Смотрел блестящими от алкоголя глазами на нее с некоторым восхищением, что ли... Не влюбленно, нет. Но отчего-то это было еще лучше.

— Юр, ты тоже хороший, — отважилась она. — Ты только не знаешь об этом сам. Прячешься за такой масочкой циника, но душа-то у тебя нежная...

Он посмотрел ей в глаза, и взгляд его медленно угас. Он поцеловал ее в губы, без вожделения, словно на память, затем встал и сообщил:

— Мне пора. Счастья тебе, Валерия!

Вот так они расстались двадцать четыре года назад.

— ...Ты представь, — продолжал Миша, — за все эти годы я ни разу не смог его вытащить на наши сборы, он все отказывался, занят очень, он у нас бизнесмен и политик! А сегодня сказал, что заскочит ненадолго, а все ради того, чтобы на тебя полюбоваться!

Лера пожала плечами. Она не видела никаких особых причин для интереса к себе со стороны Юры Стрелкова. Ну не та же мимолетная история несостоявшегося романа!

Юра вскоре появился, о чем возвестил громкий гудок автомобиля, вынудивший всех выглянуть в окна кафе. Вышел из роскошного лимузина (шофер открыл дверцу), такой же красивый, подтянутый, овеянный запахом богатства и благополучия, как и раньше, разве только его подростковое высокомерие сменилось благодушием и снисходительностью. Он шумно и картинно, словно на него были нацелены объективы, заключил Леру в свои объятия, пожал несколько рук, не вглядываясь в лица, после чего приступил к расспросам о ее жизни в Америке. Через несколько минут, узнав максимум подробностей, Юра пустился рассказывать о себе. Из рассказа этого следовало, что у Юры все не просто отлично — преотлично даже! — а главное, что у него все лучше, чем в Америке.

Зачем ему понадобилось тягаться с Америкой, что за детский комплекс «догнать и перегнать» эту несчастную Америку у него водился, Лера не представляла. Или он что-то хотел доказать ей? Что неправильный она сделала выбор ни с Америкой, ни тогда с ним, с Юрой? Но разве может такое быть, что двадцать с хвостиком лет спустя ему это не все равно?

Впрочем, возможно, речь его была рассчитана на публику в лице бывших одноклассников, и поскольку Юра активно занимался политикой, то и придал своей речи политический окрас. Ругать Америку нынче в России модно, Лера это уже усвоила, — и Юра попросту отдавал дань моде?

Как бы то ни было, ей стало скучно от этих разговоров, и она уже не знала, как отделаться от Юры.

Спас ее староста, который громогласно объявил, что принес фотографии класса. Хотя у каждого из них были точно такие, но со временем куда-то задевались или просто черт знает где валялись, невостребованные.

Все немедленно сгрудились вокруг стола, фотографии пошли по рукам, сопровождаясь восклицаниями и смехом. «Смотри, Лера, у тебя лицо такое испуганное! А Вовка-то, смотрите! Сколько лет у меня валяется эта фотография, а я никогда не замечал, что он Сеньке рожки приставил, вот умора!»

И вдруг Миша со свойственным ему пафосом объявил:

— Давайте помянем наших одноклассников, безвременно и трагически ушедших из жизни так рано! Слава Зюбрин, Андрюшка Исаев, Толик Трубачев... Пусть земля им будет пухом!

Все растерянно подняли бокалы и молча пригубили вино.

— А что с ними случилось? — спросил кто-то.

Староста Миша вкратце поведал историю Лериных звонков и уступил ей слово.

— У Славы инфаркт... Толик, похоже, спился... А Андрей, не знаю, его жена не сказала...

Наступила неловкая тишина. Продолжать веселье показалось неуместным. Присутствующие с полагающейся печалью на лицах разглядывали свои бокалы, не зная, куда еще уставить взгляды. И вдруг тишину разорвало восклицание:

— Надо же, они все рядом сидели!

Все снова обступили столик Миши, на котором лежали фотографии. Подошла и Лера.

На последнем снимке, за десятый класс, трое умерших одноклассников сидели вместе, на первой и второй партах в ряду у окна. Сами-то они, как и вся Юрина компашка, в которую эти трое входили, предпочитали «камчатку», где довольно громко переговаривались, отпускали шуточки и замечания, но к концу года учителя озверели и, несмотря на важных папиков-мамиков, сговорились и вынудили «элиту» занимать первые места.

...Это был особый клан в классе, сформировавшийся вокруг Юры Стрелкова. Их так и называли: Компашка. Юра был самым ярким из них, хотя нельзя сказать, что вожаком. Его имидж был весьма далек от «пахана», никто никогда не слышал, чтобы Юра распоряжался, командовал, диктовал условия. Казалось, что члены Компашки сами были готовы ему услужить и старались угадать, куда подует ветер. Им хотелось быть при Юре, а Юре нравилось, что они составляли его свиту.

Впрочем, все они, ребята из Компашки, были чем-то похожи. Они лениво учились, при этом были эрудированны, ставили своими познаниями в тупик училку русского языка и литературы, своим блистательным произношением — училку английского, шокировали своими замечаниями историчку, особенно на уроках обществоведения. Выходцы из очень благополучных номенклатурных семей, они имели доступ к зарубежным книжкам и пластинкам, фильмам и учебным кассетам, с помощью которых отрабатывали как английское произношение, так и приемы карате. А уж о шмотках и речи нет. Их школьная форма была сшита у портных и сидела на них так, словно на картинке из журнала «Бурда», бывшего в то время эталоном моды.

Единственная девочка в этой компании, Инга, тоже носила короткое узкое платье, хоть и коричневое, но на два тона светлее обычной формы. Застежка на платье проходила по плечу — невиданный тогда полет дизайнерской фантазии. Черный фартук был сшит из плащовки с обстроченными, как на джинсах, карманами.

Инга была так же высокомерна, как мальчишки из этой компании, но в ней светилось еще и другое превосходство: она единственная из всех девочек была допущена к этим парням! К элите.

Их элитарность заключалась не только в обладании вещами, не только в снобско-ироничной манере смотреть на всех. В них было еще другое: прочный запас здоровья. Эти дети выросли при отличном питании из номенклатурных распределителей, у них всегда были лучшие врачи, они все занимались спортом. И потому лица их были гладки, волосы блестящи, а тела стройны. Ну и к этому собирательному портрету можно, пожалуй, добавить, что они никогда и ничем не были озабочены. Они не стояли в очередях в магазинах, куда их не посылали родители, они не сидели с младшими братьями или сестрами, они не мыли посуду после ужина, и им не нужно было выклянчивать у предков лишние пятнадцать копеек на мороженое или сколько там (кажется, сорок?) копеек на кино. Потому что продуктами забивали холодильник предки, с подрастающим поколением сидели няни, посуду мыли домработницы, и карманные деньги выдавались регулярно и без расспросов на что.

Впрочем, Инга была, кажется, из не совсем благополучной семьи. Откуда у нее брались деньги и почему она была столь претенциозна в поведении, Лера никогда не понимала, да и не задумывалась. Она Ингу не трогала, испытывая чувство отторжения к этой девочке, а Инга имела привычку не смотреть ни на кого, кроме членов Компашки, словно других в классе вообще не существовало...

— Слушай, а ты ведь дружил с ними! — оторвался от снимка Миша Пархоменко, ища глазами Юру. — Ты что же, не знал, что они умерли? Или вы больше не общаетесь?

Все зашевелились и отлепились от стола в ожидании ответа. Но Юры нигде не было. Миша выглянул из дверей кафе: лимузин исчез.

— Это называется — уйти по-английски! — заявил бывший староста. — Юра у нас всегда был аристократом!

По-английски или нет, но Лере подумалось — Юра ушел потому, что ему перестали уделять внимание. Он не мог не быть центром и не выносил никакой конкуренции, даже со старыми снимками. И еще у нее осталось ощущение, что Юра приходил за чем-то другим — то ли что-то ей сказать, то ли себе доказать, — но спрятался за разговором об Америке, как прячутся актеры в кулисах, ожидая своего выхода на сцену... Который у Юры так и не получился.

Постепенно прежнее оживление вернулось. Несколько человек ушли, и оставшиеся решили сдвинуть столики и сесть вместе. Заказали еще пирожных, и Лера с удивлением отмечала, что пирожные не так жирны и сладки, как в Америке, что кофе почти европейский, а персонал любезен и расторопен...

Ее теребили со всех сторон, особенно «девочки», жадно выспрашивая подробности ее жизни: и какой дом, и какая мебель, и занавески какие, да как дети учатся, да как муж к ней относился...

Вера уже ушла в предвкушении их завтрашней встречи наедине, без посторонних. Среди оставшихся были еще две бывшие подружки: Маша и Яна. Не такие близкие, как Верик, но все же. Обе Леру в достаточной степени разочаровали — они стали обыкновенными тетками, озабоченными бытовыми проблемами, особенно денежными. Точнее, их — да и остальных бывших одноклассников — занимал не сам денежный вопрос: все неплохо зарабатывали, во всяком случае, отнюдь не сводили концы с концами. Теперь их больше занимала другая сторона денег: престижность товаров. И Лера, терпеливо отвечая на их вопросы, наталкивалась на непонимание.

— Как это тебе все равно, какая марка? Ведь у них качество разное!

И Лера уже в пятый раз пыталась пояснить, что высокая цена еще не является гарантией качества, а лишь платой за престижность; что большинство американцев отнюдь не склонны переплачивать за такую глупость, как бренд; что хорошим тоном считается одеваться сдержанно и достаточно скромно, причем и в Европе тоже, после своего недавнего вояжа она может смело это утверждать...

«Девочки» не соглашались, горячо отстаивали свою точку зрения. «Мальчики» время от времени встревали в эти нестройные речи, успевая одновременно говорить о чем-то своем, мужском.

В какой-то момент Лера почувствовала себя выжатой. Нужно было как-то повежливей попрощаться, но это казалось задачей непростой: она все еще являлась центром внимания. Отчего Лера решила пойти на тактический ход — извинившись, она пересела поближе к Карену, взгляд которого она чувствовала на себе весь вечер, — и тем самым вынудить сплоченный практическим интересом женский коллектив общаться между собой, без нее.

Карен, когда-то очень хорошенький армянский мальчик с большими миндалевидными глазами и девчачьими ресницами, сильно располнел, хотя лицо его оставалось красивым... Красивым, но другим, совсем другим. В классе он держался немного особняком. В целом его считали членом элитной группки, Компашки, — он тоже имел номенклатурных родителей, Лера уже не помнила, чем именно они занимались. И он тоже, как практически все члены этой группки, был эрудирован и насмешлив, но Лере тогда казалось, что он на самом деле мальчик романтичный и замкнутый, несмотря на внешнюю раскованность. Его жгучие армянские глаза частенько следовали за

Лерой в девятом и десятом классе, но он ни разу не подошел к ней, ни разу не заговорил.

Теперь же Карен стал вальяжным, от былой застенчивости-замкнутости не осталось и следа. И взгляды, которые он бросал на Леру, уже не имели ничего общего с былой романтичностью. Чем она и воспользовалась, чтобы сбежать из центра внимания.

— Как живешь, Карен?

Ее маневр удался, и, пока она вела незатейливый диалог с Кареном, остальные переключились друг на друга. Лера сочла, что может уйти, никого не обидев. Она подошла к Мише.

— Мне пора, Мишуня. Можешь дать мне фотографии? Я пересниму и верну тебе в целости и сохранности.

— Какой вопрос!

И вскоре Лера, пожав все мужские руки и поцеловав все женские щеки, вышла из кафе, держа под мышкой большой конверт со снимками.

Ее тут же нагнал Карен.

— Ты на чем?

— На том, что поймаю, — усмехнулась Лера.

— Садись, я тебя довезу!

Едва Лера оказалась в его просторной, ухоженной машине (марку она не определила — она не разбиралась в европейских автомобилях), как Карен произнес:

— Может, поужинаем вместе? — И окинул ее недвусмысленным, восхищенно-плотоядным взглядом.

Глупо, наверное, но Лера расстроилась. Тот задумчивый Карен ее воспоминаний нравился ей куда больше.

— Я устала, Карен. Знаешь, я отвыкла от таких больших и шумных встреч.

— Одичала ты там в Америке, Лера!

— Угу, что-то в этом роде... Карен, скажи... Вы вроде бы все дружили в школе, держались одной группой... Ты не знаешь поточнее, отчего Толя, Славик и Андрюша умерли? У Славы инфаркт, сказали его родители, но так странно, так рано...

— Русский человек неумеренно пьет, — сообщил Карен. — Оттого и мрет.

— Все трое пили?

— Наверное. Ты же сама сказала, что Толик спился. Остальные тоже наверняка. Иначе отчего человек может помереть в наши годы? Мы же еще молодые.

— То-то и оно. А точно ты не знаешь?

— Я не общался с ними после школы. Только с Димкой, Костиком и Робертом. Помнишь их?

— Конечно. А отчего они сегодня не пришли?

— Боб в командировке, а Димка и Костик не захотели. Им наши одноклассички ни с какой стороны не интересны. Сама видела, во что девчонки превратились, во что Юрка, Миша... Вот если б с тобой одной была встреча — пришли бы. И Боб пришел бы, думаю. К тебе все парни хорошо относились... Лер, слушай... Может, поедем все-таки, поужинаем? Что-то меня на сантимент пробило... Я ведь в тебя влюблен был.

— Я знаю, — улыбнулась Лера.

— Знаешь? Откуда? Я ж ни словом, ни взглядом!!!

— Ни словом — это верно. А вот насчет «ни взглядом»... Твои глаза следовали за мной повсюду, Карик. Неужели ты не отдавал себе в этом отчета?

— Ни боже мой! Я был абсолютно убежден, что игнорирую тебя полностью, стопроцентно законспирировался!

— Как забавно вспоминать теперь, правда? А я видела, как ты на меня смотрел... И удивлялась, что ты смотреть — смотришь, а ни разу ко мне не подошел...

— Стеснялся, Лер.

Сейчас лицо Карена вдруг приобрело то давнее, задумчиво-застенчивое выражение, и Лера была ему благодарна за него.

— А если бы подошел... Неужто бы ты мне тогда ответила взаимностью? Я же на голову ниже тебя был...

— Взаимностью? В чем, Карен? — вдруг нахмурилась она, вспомнив Юру.

Карен засмеялся.

— Ты стала циничной, Лера!

— Почему это? — опешила она.

— Мальчишку, то есть меня в те годы, в чем заподозрила? Я же не Юрка, я романтиком был! И еще немножко им остался, между прочим. Мог ведь сказать: поехали в номера! А я сказал: поехали ужинать... А? Чувствуешь разницу?

— Ну, ты даешь, — пробормотала Лера. — Ты шутишь, надеюсь?

— Конечно, шучу, моя прелесть.

Карен вдруг развернулся к ней всем корпусом. Он мотор еще не завел, но в машине уже негромко играла музыка, что-то на французском. Его черные глаза отражали отблески уличных фонарей, и в них Лера увидела неожиданное, растроганное выражение.

— Дай мне руку, Лерка. — Она чуть с опаской протянула ладошку, и Карен крепко сжал ее пальцы. — Я уже, конечно, стал старым циником, но все же... Тогда ты была для меня Прекрасной Дамой. Наверное, потому и не подошел и ничего тебе не сказал: о чем можно говорить, что можно делать с Прекрасной Дамой? Ей можно только служить. И я тебе служил... В мыслях. — Он смущенно рассмеялся.

— Карик, извини меня.

— С ума сошла? За что?

— Просто, понимаешь, тогда... Даже сейчас, когда я взрослая, трудно понять, что у другого в голове, особенно когда этот другой — мужчина, — а тогда все воспринималось через призму Юрки. Он был у нас законодателем мод, властителем дум... А ты сам знаешь, как он к девочкам относился...

— Скажи... У тебя тогда с Юркой что-то было?

— Ничего.

— Я так и думал! Но сейчас, не поверишь... Двадцать с лишним лет прошло, а вот облегчение испытал... Ты не представляешь, как меня воротило от всех этих давалок!

— Ну, зачем ты так грубо, — поморщилась Лера. — Девчонки в него влюблялись. И потому уступали....

— Лер, не смеши! Какое «уступали»? Они сами под Юрку лезли... Он это дело на поток поставил, групповухи устраивал. Они же пачками перлись, так пацаны их и оприходовали коллективно!

— Не надо так, Карен! В Юру многие девочки были влюблены. А странно сейчас видеть всех взрослыми, солидными. И уже не влюбленными. Даже жалко. Глаза уже не горят...

— Эх, Лера, наивная... Я-то знаю, как дело было...

— Ты тоже участвовал?

— Я перестал с ним дружить в конце девятого класса! Ты забыла? И никакого отношения к их забавам не имел!

Она действительно забыла, но постеснялась в этом признаться.

— В моей семье меня приучили по-другому относиться к женщине. Уважительно. А как таких уважать, скажи?

— Поэтому, как ты сказал, я была для тебя Прекрасной Дамой? — сменила щекотливую тему Лера.

— Наверное, — серьезно согласился Карен. — И еще потому, что ты была красивая. Не самая красивая в классе, да соль не в этом. Ты была задумчивая и грациозная. Жаль, я стал подзабывать стихи на армянском, а то бы прочитал тебе про горную лань!

— А что же тогда не прочел? Когда помнил?

— Стеснялся, Лер.

Некоторое время Карен смотрел на нее внимательно, и его полные губы подрагивали, словно борясь одновременно с двумя крайностями: с физическим желанием и порывом дружеской сентиментальности.

Кажется, победила дружба.

— Боб возвращается из командировки через два дня. Давай я сговорюсь с пацанами, и встретимся отдельно, вчетвером?

— Давай.

Карен завел наконец мотор.

— Куда тебе?

— На Ботаническую.

— Ты в гостинице?

— Да.

— Как у тебя с финансами?

— Нормально.

— Я человек богатый, Лера. Очень богатый. Если тебе что нужно, не стесняйся. Могу тебя поселить в гостинице в центре Москвы, хочешь?

— Ты предлагаешь перейти к тебе на содержание? — усмехнулась Лера.

— Не говори пошлостей! — строго прикрикнул на нее Карен. — Ты моя Прекрасная Дама! Это, считай, в порядке служения... Даме.

— Я согласна к тебе на содержание.

Карен чуть руль не выпустил из рук. Он посмотрел на Леру — она мило улыбалась.

— Тогда... Слушай, может, тогда прямо в гостиницу поедем?

— А как же служение Прекрасной Даме? — рассмеялась она.

— Обманула, зараза?

— Ага. Хотелось тебе отомстить за пошлости.

— Чума, — покрутил шеей Карен. — У меня чуть сердце грудную клетку не пробило. И еще кое-что кое-где... — Он хохотнул. — Давно у меня таких разговоров не было... Непрактичных. Детство вспомнил. Приятно. Можно я тебя поцелую, Лерка?

— А ничего ниоткуда не выскочит? — с опаской спросила она.

— Не бойсь. Я уже давно большой мальчик, деловой мальчик, бизнес-мальчик, и «души прекрасные порывы» — как там в анекдоте? «Вот и души», м-да... — у меня они случаются редко, отчего и на вес золота... Не поверишь, а я прям радуюсь, что еще способен что-то испытывать. Такое нежное, как к тебе... Или ты там в Америке одичала и боишься даже дружеского поцелуя?

Лера молча подставила лицо, гадая, куда он придется. Он пришелся на щеку, хотя и у самого уголка ее губ.

— Ух, — сказал Карен, выравнивая машину, — если ты вдруг передумаешь... В смысле, захочешь... В общем, ты скажи мне... Так что, забиваем стрелку? — сменил он тему. — Как Боб вернется, так я все организую.

Лере был все еще непривычен «новый русский» язык, приблатнившийся, с одной стороны, и самым варварским образом американизированный — с другой. Но она догадалась о смысле фразы о «стрелке».

— Забиваем, Карик... А почему ты зовешь Роберта «Боб», на американский манер?

— А как ты хочешь, чтобы я его звал? Тебя ж я не

зову «Валерия», а Лера. Ну а Роберта — Боб. Не Робиком же его называть!

— Тоже верно... Меня просто раздражают американизмы, их стало слишком много в русском! Это неуважение к собственному языку, со стороны очень заметно. И обидно!

— Абыдна, да? — Карен изобразил кавказский акцент. — Ты там, Лерочка, в Америке привыкла думать, что это пуп земли? — усмехнулся он. — Это называется «англицизмы», дитя мое. Американизмами называются отклонения от британского английского в Америке.

— Точно! Ты всегда лучше меня учился, Карик... Скажи, а тебя не напрягло, что все трое умерших в классе сидели рядом?

— Что за ерунда... При чем тут?

...Вера, Верочка, Верик!..

Они устроились на ее кухне — *московской кухне*, о боже! — и говорили, говорили... О чем — не пересказать, не вспомнить. Так, перескакивали с темы на тему: *а помнишь?* Шелестели фантики — Вера накупила конфет, которыми они делились в детстве: «Мишка», «Южная ночь», «Коровка»... Лера, наверное, за все годы в Америке не съела столько сладкого, как в этот вечер! Они смаковали коньяк, какой-то «Аист», и Лера даже выкурила до половины сигарету, чтобы вспомнить, как они, подражая известным актрисам, затягивались после уроков на скамеечке в сквере...

В Америке Лера, естественно, почти не пила алкоголь и совсем не курила. И сейчас сигарета ей показалась отвратительной, а коньяк слишком крепким. Но это впервые за неделю ее пребывания в Москве не вызвало у нее раздражения. Напротив —

умиление. Горстка фантиков на столе, обжигающие глотки коньяка и даже сплющенный окурок в пепельнице. Голос Верика был таким родным, таким теплым, что Лере хотелось закрыть глаза и подставить под него лицо, как под ласковую струю воды. В душе словно что-то дрогнуло. Дрогнуло, сдвинулось с места, поползло, как ледяная глыба, которая начала подтаивать, оставляя за собой мокрый след слез, выплаканный след горечи и обиды, мучивший ее с момента приезда в Москву...

Уходя от подруги, Лера вдруг ощутила, как прекрасен вечер позднего сентября, как полны московские улицы зрелой неги, почти чувственной... Ей вдруг захотелось увидеть свой старый дом — сейчас, немедленно! До сих пор Лера избегала встречи с ним, боясь новых разочарований, но сейчас она поверила, что дом детства шепнет ей слова о любви...

* * *

Старый дом желтого цвета на Садовом кольце, недалеко от метро «Смоленская». Она пошла к нему знакомой дорогой, стараясь в сто пятый раз не думать о том, что в Москве стало невозможно дышать из-за выхлопных газов, которые плотно висели на Садовом. Тут почти ничего не изменилось, и Лера шла, вглядываясь в морды домов, предаваясь сладостному чувству узнавания...

А вот и он, ее Дом. Ничего, вполне бодренький, старичок! Краску обновили совсем недавно, и он смотрелся молодцом.

Лера свернула во двор. Он, конечно, совсем другой теперь, но это и к лучшему: прекрасная детская площадка, ухоженные газоны... Она встала напротив фасада, подняла глаза. Окна ее бывшей квартиры на третьем этаже. Новенькие, беленькие, пластиковые... Кто там теперь обитает?

Как недавно тут жила она, Лера! Захлопывала дверь квартиры, слетала по лестнице во двор! Играла в прятки, качалась на качелях, съезжала с горки...

...Как-то, когда ей было лет семь, они дворовой компанией решили опробовать новый метод съезжать с горки: на животе. Внизу набросали рыхлую, прохладную кучу песка, и это было немножко похоже на море: плю-юх в нее ногами! Лера вышла в этот день во двор в обновке: мама сшила ей короткий сарафанчик из красного ситца с белыми горохами, с крылышками на плечах, и точно такие же трусы на резиночках, образовывавшие вокруг ножек оборки. Ей очень хотелось съехать с горки на животе, но жалко было отглаженное новое платьице, и потому она колебалась.

«Давай, Лерка, давай!» — кричали дети, и она нерешительно поднялась на горку. Уселась, расправив складки сарафана, и тут сообразила, что нужно ведь на живот лечь! Стараясь не помять обновку, она неуклюже перевернулась, чиркнув ягодицами по бортику, — платьице задралось, и что-то острое с треском оцарапало ее кожу. Но Лера никогда не была плаксой, и ожидавшее ее удовольствие стоило того, чтобы пренебречь какой-то царапиной!

Она лихо съехала, ткнулась в кучу песка, встала на ноги, одернула завернувшийся подол... И вдруг увидела, что на нее смотрят все каким-то странным, напряженным взглядом. И почти сразу же раздался смех. Сначала тихий, он быстро перешел в повальный хохот. Мальчишки тыкали в нее пальцем и сгибались от смеха, девчонки им вторили. Лера покрутилась в растерянности, пытаясь понять причину смеха, и поняла ее, когда что-то защекотало ноги. Она тронула щекотное место рукой: на ноги свисал большой лоскут трусов. Тронув повыше, она ощутила ничем не прикрытую кожу ягодиц...

Вот откуда взялся треск: то рвалась ткань ее трусиков! И, значит... она съехала с голой попой! У всех на виду!

Видимо, ее растерянный вид добавил детям веселья. Она залилась краской. Что-то надо было сделать — уйти хотя бы! Но она стояла в центре круга, а вокруг нее хихикала и улюлюкала детская толпа.

Неожиданно один мальчишка постарше растолкал малышню, подошел к Лере, взял ее за руку и вывел из позорного круга. Он проводил, помнится, ее до подъезда, прикрывая собой ее тыл, чтобы никто больше не смог увидеть висящий лоскут. Хороший был парень Лешка! Позже они стали дружить. Не то чтоб не разлей вода — в том возрасте каждый год разницы приравнивался чуть ли не к разнице поколений, — но случалось им вместе гулять по окрестным дворам за разговорами... А когда ей было лет четырнадцать, они даже как-то целовались в подъезде...

Но дальше этого дело не пошло. Со временем они стали редко видеться — выросли из дворовых интересов, у каждого образовалась своя компания. Только иногда, встречаясь во дворе, перебрасывались парой слов. И то если не спешили. Где он теперь, интересно? Он тоже вырос — он был постарше на сколько-то лет, помнится...

Лера попыталась восстановить его внешний облик в памяти. У него еще глаза были немного разного цвета, один цвета хаки, а второй светло-карий. И волосы темные, курчавые, жесткие. Как вон у того мужчины, который отпирает свой джип... Наверное, теперь он примерно такого же роста должен быть...

Батюшки!!! Лера сделала несколько шагов в сторону мужчины, всматриваясь. Мужчина стоял у раскрытой дверцы машины и что-то искал в кармане. Наконец он выудил мобильный телефон, набрал номер и бросил пару фраз. Лера замерла, наблюдая за его лицом.

Невероятно — это он, Лешка! Она узнала его не столько памятью, сколько чувством, уловив что-то очень родное, что исходило от него...

— Лешка... — позвала она тихонько, чтобы, на случай если она ошиблась, он не среагировал.

Но он поднял голову. Посмотрел вопросительно. Не узнавал.

— Кисанов?.. — решила она уточнить, чтоб не оставалось сомнений. — Кис, это ты?!

— Да... — Он был удивлен.

Она подошла поближе.

— Я Лера Титова... Валерия, помнишь? Я в этом доме жила... Давно... Ты меня еще Валеркой звал...

— Валерка? — Он секунду всматривался в нее. — Точно. Валерка. Вот это да! Ты совсем не изменилась, ты знаешь?

— Ладно врать-то!

— Ну, выросла немножко, — улыбнулся он. — Красавицей стала. Какими судьбами?

Из подъезда вышел молодой человек и направился к ним. Протянул Леше упаковку памперсов, которую тот забросил на сиденье.

— Валерка, я так рад тебя видеть! Но я тороплюсь, а у тебя как со временем? Может, сядешь ко мне в машину, по дороге поговорим? Подвезу куда-нибудь, скажешь куда...

Лешка ехал в район ВДНХ, и впервые Лера порадовалась московским пробкам: у них оказался практически целый час, чтобы поговорить. Целый час... всего лишь час...

Его хватило только на краткую биографию: рассказать о жизни, прошедшей за эти стремительные и долгие двадцать три года, что отделяли их нынешних от тогдашних. Обо всей взрослой жизни фактически...

Странно, Лера сейчас подумала, что *биография* есть только у взрослых. У детей ее нет. У благополучных детей, по крайней мере. Может, потому что детям не нужно принимать решения... Но однажды наступает в твоей жизни пора, когда принимать их приходится тебе, именно тебе. Делать выбор. И вот тут начинается твоя биография: история твоих ошибок и удач. История верных и неверных решений...

— Валерка, так куда тебя отвезти? — очнулся Леша, когда уже показались ворота и башенки ВВЦ. — Я бы очень хотел пригласить тебя к нам или в ресторан поужинать — в общем, повидаться еще, обязательно! Но сейчас не могу. Держи мою карточку, а мне свои координаты дай. Ты где остановилась?

Лера продиктовала телефон отеля.

— Ого, ты частный детектив?! — рассмотрела она строгую визитку, выполненную в черно-стальных цветах. — Точно, ты всегда хотел преступников ловить! Ой, Лешка, ты даже не представляешь, как я рада нашей встрече!.. Я не ожидала, я просто так пришла во двор... А ты помнишь, мы стали дружить с того дня, когда я с голой попой съехала с горки?

— Валерка, — он приобнял ее и чуть притянул ее к своему плечу. — Я все помню. Я очень рад тебе. И мы обязательно должны увидеться. Но сейчас, куда тебя отвезти сейчас?

— Если у тебя есть время... Тут недалеко, на Ботанической.

Лешка кивнул и принялся выруливать налево. И только когда показалось здание телецентра и огромная телебашня, она вдруг вспомнила, что Данила живет недалеко от Останкина.

И Лера решила, что это знак. Две сегодняшние встречи, с Вериком и Лешкой, словно насытили ее вопрошающую жажду, примирили ее с Москвой, с Россией, с самой собой...

И с Данилой.

— Леш, извини... Я передумала... Мне на Звездный бульвар надо! Тут рядом. Высади меня вот тут, раз торопишься, я доберусь до места сама!

Они немножко поторговались, но ее доводы о пробках, из-за которых лишних сто метров пути могут ему стоить лишнего получаса времени, взяли верх.

— Я должен отпустить няню, — смущенно сдался он.

— Привет жене и малышам! — крикнула Лера, выбравшись с высокого сиденья джипа.

Адрес Данилы она помнила наизусть. Он жил на Звездном бульваре, а Лера еще в Америке не раз рассматривала карту Москвы — отчасти, чтобы вспомнить город, отчасти, чтобы увидеть перемены. И, конечно же, место обитания Данилы подверглось самому пристрастному изучению.

Она решила не ловить машину, а дойти пешком до Звездного бульвара, к которому должна привести ее улица Цандера. Она шла не торопясь, удивляясь принятому решению и пытаясь обдумать его...

Впрочем, она только делала вид, что обдумывает. На самом деле внутри ее все ликовало при мысли о встрече — и одновременно сжималось от страха.

По дороге попалось кафе, она вошла, присела за столик, заказала кофе. Сердце стучало со странной оттяжкой, словно замирая перед каждым ударом, вызывая холодок на затылке. Какие слова сказать ему? Да и дома ли он?

Мобильного телефона у Леры не было, она оставила его дома, в Америке, предполагая, что в Москве ей некому звонить на мобильный. Данила предлагал ей, у него имелось штуки три, но она гордо отказалась... А телефон-автомат не найти, да и карточка к нему нужна...

В общем, позвонить нельзя, но это, может, и к лучшему. Так их встреча будет честнее, она все сразу поймет по его лицу... Но что же сказать ему, бог мой?

Лера усмехнулась. К вопросу о честности: сама-то она мухлевала! Ему оставляла спонтанную реакцию, тогда как для своей пыталась сейчас, за чашкой кофе, заранее расписать сценарий...

«Нечего! — решила она. — Неожиданность так неожиданность. Для обоих!»

Решительно подкрасив губы в туалете, причесав запылившиеся волосы (сколько же в Москве пыли!!!), она покинула кафе и углубилась в жилой квартал.

...Когда в домофоне раздался его голос — ее отказал. Она молчала, потому что горло сжалось и она не могла выдавить из себя ни звука. Только сердце оглушительно билось: бум, бум...

— Да! Я вас слушаю. Говорите! — через паузы прозвучали его реплики.

Он подождал еще немного и отключился. Лерино сердце разгонялось так, словно шло на взлетную полосу. Непослушным пальцем она снова ткнула в кнопки.

— Да! Кто там?

Потом он умолк. И через некоторое время тихо спросил:

— Лера?..

— Да... — прошептала она.

— Открываю. Четвертый этаж.

...Он ждал ее у лифта. Кажется, она пыталась заготовить слова?.. Напрасный труд, они не понадобились! Он просто молча схватил ее и утащил в квартиру. А там, в полутьме прихожей, прижал ее к себе так сильно, что ей пришлось попросить пощады...

— И не надейся, — ответил он. — Пощады не будет...

...О чем она думала все эти дни? Она их просто потеряла, бездарно потеряла — без его любви!

Потерянное время они наверстывали в рекордном темпе. Сколько прошло — сутки? Двое?

Во всяком случае, когда Лера наконец некоторым усилием сознания поняла, что жизнь несколько шире, чем их кровать, она съездила в гостиницу за вещами и перебралась к Даниле.

...В гостинице ей сообщили, что в течение двух дней ей безуспешно дозванивался господин Карен Саргосян. Она набрала его номер.

— Лерочка, где пропадаешь? У нас на завтра назначена встреча с мужиками — Боб, Костька, Димка, все придут! А у меня все еще нет от тебя подтверждения!

Хорошая вещь — риторические вопросы! Замечательные такие вопросы, не нуждающиеся в ответах! Не то бы она очень затруднилась объяснить Карену, где именно она пропадала.

— Ох, Карен...

— Я смотрю, ты не из гостиницы звонишь... Ты где?

— Я? У... у друзей...

— Ага, — усмехнулся Карен, уловив вибрации ее голоса. — Что-то мне подсказывает, что имеет смысл запомнить этот номер. Ну, записывай адрес. Это совсем рядом с метро «Добрынинская», там отличный тихий армянский ресторан, а кухня — вместе с пальцами съешь!

* * *

...Как она жалела сейчас, что не вняла совету Данилы и не обзавелась русским мобильником! Бесплодно просидев в ресторане целый час, тупо заказывая то кофе, то сок, она так никого и не дождалась! И уехала домой, крайне раздосадованная. В России как опаздывали повсюду во времена СССР, так и теперь опаздывают! И что на их дворе уже давно другой век — век бизнеса, век рыночных отношений, который требует точности и дисциплины, — здесь никому невдомек! Потому что слишком легко им деньги достались, и не знают они цены ни деньгам этим, ни времени!

Лера вспоминала всех русских нуворишей, виденных ею в Америке и в Европе, и делала гневные обобщения.

— Тебе звонил Карен, — встретил ее Данила на пороге. — Просил перезвонить. Он оставил номер, сейчас тебе дам.

— У меня есть, — буркнула Лера.

— Что-то не так?

— Никто не пришел на встречу... Знаешь, я, наверное, стала слишком западной. Я не в состоянии не только прощать подобную необязательность, но даже и понимать ее!

— Позвони сначала, — мягко ответил Данила. — Мало ли что могло приключиться.

...Позже Лера не раз думала, что той своей раздраженностью и ворчанием она просто пыталась отогнать от себя дурное предчувствие.

— Костя скоропостижно скончался, — глуховато произнес Карен. — Как ты понимаешь, я не мог приехать на нашу встречу. Меня срочно вызвала его жена, Лена...

— Конечно, Карик, о чем речь...

— Ты сколько пробудешь в Москве? Я все же очень хочу тебя повидать... И Боб с Димой тоже.

— Мы обязательно встретимся, — заверила его Лера. — Я здесь еще три недели пробуду, не меньше... А что случилось с Костей?

— Не знаю. Предположительно инфаркт.

— Мои соболезнования, Карик. Это все-таки был твой друг.

— Я тебе позвоню, Лер. Как только смогу.

Данила сидел у компьютера, что-то читал на экране.

— Ну, все разъяснилось?

— Почти.

Он повернулся к ней.

— «Почти»? И что осталось в осадке?

— Костя скоропостижно скончался. Сегодня.

— Это один из тех, кто должен был прийти сегодня на вашу встречу?

— Да.

— Я завтра же куплю сим-карту и дам тебе свой мобильник, чтобы больше не возникало подобных недоразумений!

— Данила, он четвертый...

Она, конечно, рассказала ему, как жила в Москве первую неделю без него. И о своих телефонных звонках, и о встрече одноклассников, о старосте

Мише, Юре Стрелкове, Карене... И, конечно, о Верике, Лешке Кисанове и доме своего детства.

— Лер, если посмотреть статистику смертей за день только по Москве, то ты увидишь, что...

— Погоди.

Она залезла в шкаф, туда, где Данила отвел для нее полки, и через тридцать секунд положила перед ним большую фотографию класса.

Костя сидел на второй парте рядом со Славой Зюбриным. Четвертым в ряду у окна.

— Вот он, — указала Лера ноготком. — А теперь смотри: раз, два, три, четыре... Они умерли все ***подряд***! Ты все еще думаешь, что это случайное совпадение?

Данила помедлил, прежде чем ответить.

— Это, конечно, настораживает... Тем не менее пока не является основанием для подозрений. Вот если бы все они были *убиты*, тогда другое дело. Отчего умер Костя?

— Предположительно инфаркт.

— Вот видишь.

— *Предположительно*, Данила!

— Ну, допустим, медики не заметили пулевое ранение у него во лбу, — усмехнулся он. — Но тогда все остальные тоже должны были иметь пулю в какой-нибудь части тела. Или яд, или нож, не знаю. А в таких случаях обычно говорят «убит» или «погиб», а не «умер».

— Может, людям не хотелось посвящать меня, неизвестно откуда взявшуюся чужачку, в такие подробности? Надо попробовать это выяснить. Я попробую...

— Как?

— Обойду все эти семьи. Это не то же самое, что спрашивать по телефону.

— Лер, а зачем тебе это нужно? Ты приехала ненадолго, скоро снова уедешь... В детектив поиграть захотелось?

В ответ она постучала ноготком по фотографии, лежавшей на столе.

— Что ты имеешь в виду?

— Не что, а кого, — ответила Лера. — Посмотри, — и она отодвинула ноготь с чьего-то лица.

На третьей парте в ряду у окна, сразу за четырьмя погибшими, сидела сама Лера!!!

Она видела, как он сжал скулы. Но ничего не сказал, только предложил заняться ужином. И только когда тарелки были уже убраны, Данила, приобняв ее, сказал тихо:

— Совпадение, конечно, странное, но предположить, что кто-то убивает одноклассников, сидевших друг за другом в одном ряду, — еще страннее. Сама подумай, звучит совершенно бредово! А насчет совпадений, так вспомни: ты начала обзвон своих одноклассников и первым же делом попала подряд на трех умерших. На трех подряд — из тридцати учеников класса! Хотя ты могла начать с других и даже вовсе не дойти до погибших! Ты же не можешь утверждать, что это не совпадение!

И Лера была вынуждена согласиться с ним. Это логично. Это ощутимо доказывало, что совпадения случаются, даже самые странные... Но тревога не отпустила ее, и, даже засыпая на руке Данилы, она думала об этом, и перед глазами стояли две первые парты в ряду у окна, за которыми сидели четверо недавно, один за одним, умерших одноклассников...

* * *

На следующий день Лера дозвонилась до старосты Миши и договорилась встретиться, чтобы вернуть ему фотографии, которые она уже пересняла.

Между делом Лера попросила список всех адресов и телефонов класса, сославшись на свою ностальгию.

Миша был рад ей услужить и пообещал даже внести в когда-то составленный список исправления и уточнения: для Леры он-де постарается и прозвонит всех, кого только найдет!

Пока же Лера решила, не теряя времени, навестить родителей Славы Зюбрина. Она хотела убедиться, что ее тревога не имеет оснований и все это действительно хоть и редкое, но совпадение!

...Разговор был тяжелым. Его мать плакала, обнимая Леру, словно та своей причастностью к школьному детству сына могла вернуть ей Славика....

— Вы сказали, что он умер от инфаркта, — осторожно проговорила Лера, боясь ранить пожилую женщину лишними расспросами. — А как же это случилось? У него было больное сердце?

— Никогда, никогда он не жаловался! Но врачи сказали: так бывает... Сердце вдруг взяло и отказало...

— Он умер в больнице? Дома?

— Дома... Жена его нашла. Уже поздно было врачей звать...

— Вы меня простите, пожалуйста... Но я хотела бы уточнить: никаких следов насильственной смерти аутопсия не выявила?

— Насильственной смерти?! Бог с вами, деточка, нет! Что за вопрос странный? Инфаркт у Славика приключился...

— И когда это случилось?

— Два месяца тому назад...

«Инфаркт, — думала Лера, выходя из квартиры родителей Славы. — И никаких признаков насильственной смерти! И Карен сказал: у Костика инфаркт. Значит, все остальное — мои домыслы!»

И все же она решила навестить супругу спившегося Толи Трубачева. Ну, чтобы уж совсем не сомневаться...

Его, как и Славу, Лера помнила несколько смутно. Они входили в Компашку, но так как-то, на орбите. Примкнули, что называется. Пригрелись под лучами Юркиной популярности, а тот их не гнал, они играли роль свиты при нем. Лера помнила, что они пытались подражать Юре, но их шутки были лишены блеска, их высказывания — мысли, их поведение — артистизма и провокации.

Тем не менее их объединяло привилегированное социальное положение. Точнее, их родителей, разумеется. Посему Лера удивилась бедной квартире и запущенной женщине, вдове Андрея.

Впрочем, очень скоро она поняла, что Толя все *пропил*. Свое привилегированное положение, свои скромные таланты и родительские деньги.

Наташа — так звали его вдову — приняла Леру с каким-то странным сочетанием симпатии и в то же время раздражения. Словно, с одной стороны, ей хотелось поговорить с ней о своей жизни, а с другой — словно Лера, будучи знакома с ее мужем еще в школе, оказалась ответственна за его тягу к алкоголю.

Впрочем, Лера такую черту уже наблюдала в своих русских приятельницах в Америке. Когда у них что-то не ладится, а при этом у Леры все в порядке, их тон приобретает странный оттенок обвинительности. Словно она то ли должна им что-то, то ли виновата перед ними тем, что у нее дела лучше...

Но как же им не быть лучше, если она вышла замуж по любви (а не ради переезда в Америку)? И если у нее эта любовь длилась долгие годы и муж всегда отвечал ей взаимностью? И если дела мужа шли в гору, потому что к его собственным амбициям существенно добавлялось желание добиться успехов для нее, для Леры, для любимой жены? Это ведь какой мощный стимул для мужчины — любимая жена!

И разве Лера виновата в том, что они сделали неверный выбор? Что они за «грин кард» вышли замуж... А теперь у них все плохо?

Теперь же вроде бы и ситуация была иной, но Лера ясно ощутила в словах Толиной вдовы похожий упрек: вам-де хорошо, а мне плохо!

— Вы не знаете, что такое жить с алкоголиком! Вы не знаете, что такое подтирать его рвотные лужи!

Лере хотелось ответить: «И знать не хочу! Это ты, милая, вышла замуж за алкоголика, чего бы я никогда не сделала! На что польстилась? На положение его родителей? Ну, так что ж теперь жаловаться, это *твой* выбор, голубушка!»

Но она постеснялась произнести столь резкие слова вслух. Да и на конфликт не хотелось идти: она еще не все узнала.

Наташа меж тем продолжала ее грузить:

— Все деньги пропивал... С работы уволили... Родители его видеть не хотели, отказали от дома...

Лера наконец вставила в поток ее излияний первый из тех вопросов, ради которых пришла сюда:

— А отчего же Толя умер, а, Наташа?

— Спился, сволота! Сердце отказало.

— Отказало? Инфаркт?

— Ну да.

— Диагноз точный?

Наташа удивилась:

— А что, по-вашему, ему водку кто в глотку влил, что ли?

— Я имею в виду, никаких следов насилия?

— Что его кто-то трахнул?!

Лера поморщилась. До чего же сузился русский язык за последнее время! Слово «насилие» понимается исключительно как сексуальное, хотя оно означает всего лишь применение силы... Как и слово «возбуждение», она заметила, — теперь его и произнести нельзя, сразу заподозрят за ним сексуальный смысл... Странно, как меняется язык.

Или менталитет?..

— Нет, конечно. Я имела в виду следы насильственной смерти, извините...

— Да кому он нужен, убивать его? Никчемный как жил, так и помер...

— Инфаркт при вас случился?

— Какое! Я ведь за двоих вкалывала, на полторы ставки работала!

— И кто обнаружил его тело? Где?

— Я же и обнаружила. С работы вернулась — лежит... Уже и «Скорую» поздно было вызывать... А чего это вы расспрашиваете?

Лера смутилась. Рассказать этой простоватой Наташе о своих сомнениях? Не поймет.

— Я просто удивляюсь, что молодой мужчина так скоропостижно умер... — ответила она. — Даже для алкоголика рановато, мне кажется...

Она врать не умела и чувствовала себя очень неловко. Казалось, что каждое ее слово звучит фальшиво. Но Наташа фальши не уловила.

— Это смотря как пить, — усмехнулась она.

— Когда Толя скончался?

— Да вот уже почти месяц, как я дышу, — ответила Наташа. — Он в начале сентября умер. А чего это вы интересуетесь все-таки?

Лера прибегла к уже отработанному приему: сослалась на ностальгию и всякие прочие сантименты, связанные со школьным детством, и поспешила покинуть вдову.

С Данилой она столкнулась у подъезда: он возвращался с работы. Он прижал ее к себе, радуясь встрече, а ей вдруг стало больно отчего-то... Может, потому, что она поймала себя на ощущении, словно возвращается *домой*? Но это *домой* сочеталось только с ним, с Данилой, а никак не с его квартирой... Тесная московская хрущевка — Лера прощала ее лишь потому, что тут жил он, Данька. И то прощала ее незадачливое существование в качестве своего *временного* пристанища. Она слишком привыкла к большому пространству своего дома под Вашингтоном, и теснота этой квартирки ее могла бы задушить, если бы она хоть на миг представила, что это действительно ее *дом*.

Наверное, во всем этом была какая-то нестыковка, даже, может, какая-то нечестность... По ее разумению, — тому разумению, которое сложилось в совсем юные годы, когда она влюбилась в своего будущего мужа, — любить — значит принимать все! А она делила, отделяла, разделяла свои чувства... Данилу — от его квартиры. Любовь к нему — от совместного быта. Но разве так бывает, когда любишь?!

Или это не любовь?

Господи, скажите мне кто-нибудь, что такое любовь! И что происходит со мной!!!

С другой стороны, и он не приглашал ее занять конкретное место в его жизни — со всем его малоустроенным бытом.

Не смел?

Не хотел?

Как мало мы знаем об отношениях между мужчиной и женщиной, когда они не стремятся создать семью и нарожать детей! Когда ими движет не инстинкт, а свободный выбор...

СВОБОДНЫЙ! Как красиво звучит. Но в нем-то все и несчастье... Мы не умеем быть свободными, мы от свободы дуреем. И перестаем понимать, чего же мы хотим...

*   *   *

— Дань, помоги мне! — сказала она за ужином. — У Андрея Исаева страшно ревнивая жена, она не станет со мной разговаривать! А если бы пришел к ней ты, с твоим обаянием...

— Лер, но я же не одноклассник!

— Но она этого не знает! Что тебе стоит сделать вид?

Он посмотрел на нее, и Лера поняла, что он согласится, хотя ему это претит.

— Давай инструкции.

— Позвони ей, я тебе дам номер. Скажи, что одноклассник, что собираешь информацию обо всех, — ну, например, делаешь сайт... Сейчас их уйма развелась в интернете. И договорись о встрече. Все, что я хочу узнать, это диагноз и дату...

И он сделал это. Он позвонил, договорился и сходил к ревнивой вдове Андрея Исаева. И принес Лере информацию: диагноз — инфаркт.

Ин-фаркт...

Не слишком ли много инфарктов?!

— Когда? — спросила Лера.

— В августе. Месяц назад. Лер, ты же видишь, никаких признаков насильственной смерти! Инфаркт! Это не убийство...

— Данька, ты говорил, что детективы читаешь?

— Да. Хотя больше люблю фантастику.

— То-то и оно... Существуют такие лекарственные препараты, которые способны вызвать инфаркт. Агата Кристи описала: дигиталин, например...

— Лер, ну почему ты думаешь, что тут непременно должен быть криминал? Ты детективов перечитала, ей-богу...

— А вот почему... — Лера снова водрузила фотографию на стол. — Смотри: первый — если считать справа налево, — сидит Слава Зюбрин. И он умер от инфаркта в июле, около двух месяцев назад. Рядом с ним сидит Андрей Исаев. Ты был сегодня у его жены, и она сказала...

— Что Андрей умер от инфаркта...

— Да, причем в августе. И он второй по счету. А третий, Толя Трубачев, — и он сидит третьим, видишь, на парте сразу за ними? И умер он тоже от инфаркта — в начале сентября. Понимаешь?

— Порядок мест в классе соответствует смертям?

— В том-то и дело... И последний Костя, вчера. Он, видишь, сидел рядом с Толиком. И тоже инфаркт. И у нас конец сентября.

Данила помрачнел. Потом шумно вздохнул и заграбастал ее к себе. Она, повинуясь его жесту, перебралась к нему на колени, прижалась к его груди, и следующий шумный вздох уже путался в ее волосах, обдавая теплом шею, а потом...

...А потом наступило утро.

Лера полдня провалялась в постели, обнимая Данькину подушку. Она пахла им, им и его одеколоном, словно он, уйдя на работу, оставил ей в залог этот запах. Она думала о странных их отношениях, в которых ей ничего от Данилы не надо, и в то же время существовать без него невозможно... То есть, наверное, возможно, но плохо. Очень плохо существовать без него...

И еще она думала о двух первых партах и о четырех своих одноклассниках, сидевших за ними. Если считать слева направо, то порядок смертей соответствовал расположению за партами. Почему?! Это случайность? Но разве бывает так много случайностей?

А если нет... То надо исходить из гипотезы, что инфарктам *помогли случиться*! Как любитель детективов со стажем Лера точно знала, что до инфаркта можно и намеренно довести. Хоть тот же дигиталин, о котором писала Агата Кристи. А сколько других медикаментозных средств вышло на рынок со времен сочинительства бабушки детектива?

Иными словами, эти смерти есть не что иное, как убийства!

Но и в это было трудно поверить. Зачем??? Кому понадобилось убивать этих ребят, которые уже давно перестали общаться между собой? И за что? Может, какой-то псих? Или кто-то им за что-то отомстил?

И закончен ли список смертей?.. Ведь Лера сидела следующей, на третьей парте в ряду у окна... Если это псих, решивший методично истребить свой бывший класс, то он теперь до нее доберется!!!

«Стоп, — сказала она себе. — Тут промелькнуло одно слово, какое-то важное слово... Да, вот оно: «свой бывший класс». Кем бы ни оказался убийца, он должен быть из нашего класса!!!»

Эта мысль выдернула ее из постельной неги.

— Карен? Мы можем встретиться сегодня? Ну, скажем, через полтора часа?

— Конечно. Я пришлю за тобой машину. Диктуй адрес...

Она буквально слетала в душ, выпила кофе, оделась-причесалась-подкрасилась и вскоре входила в роскошный офис Карена в центре города.

— Обеденное время, — сказал он, когда Лера появилась в его кабинете. — Пойдем поедим. Ты ведь мне что-то сказать хочешь, угадал? Ну, за обедом и поговорим...

— ...Вот так, Карен. Только не говори, что я сошла с ума, — закончила Лера свое повествование.

Он отодвинул от себя тарелку, положил на нее вилку и нож, вытер рот салфеткой, скомкал ее и бросил на стол. И все это не сводя с Леры своих черных влажных глаз. Полные губы его дрогнули, но так и не сложились в улыбку. В детстве, в школе, лицо его было очень подвижно, Лера помнила; теперь же оно отяжелело вторым подбородком, налитыми щеками, и на нем, казалось, только и жили глаза и губы.

— Не говорю, — сказал он. — Но чего ты хочешь? Что предлагаешь?

— Костю когда хоронят?

— Завтра.

— Значит, тело еще в морге?

— Видимо.

— Добейся, чтобы судебно-медицинский эксперт... Я правильно сказала?

— Правильно.

— Чтобы он осмотрел еще раз тело!

— В поисках чего, Лера?

— Причины инфаркта.

— То есть? — нахмурил черные брови Карен.

Лера отчего-то постеснялась говорить Карену про свою любовь к детективам и про вычитанный у Агаты Кристи дигиталин.

— Карик... Ты просто скажи ему, что у тебя есть основания подозревать, что инфаркт был спровоцирован. Возможно, введением какого-то лекарственного препарата. Пусть поищет в крови, я не знаю...

Карен подумал.

— Хорошо. Я для тебя это сделаю. Заплачу ему, пусть ищет.

— Ты не веришь мне, да?

Карен только сделал жест рукой: замолчи, мол! Он

уже прижал к уху телефон и выспрашивал у Лены, Костиной вдовы, в каком морге находится тело.

— Какая разница, Лер, верю я тебе или нет? — произнес он, закрывая телефон. — Ты в сомнениях; они тебя пугают. Мое дело либо их развеять, либо подтвердить. Это минимум, который я могу сделать для тебя. И, знаешь, я бы предпочел первый вариант.

— Я тоже... Только боюсь, что...

Но Карен уже договаривался с моргом, обещая подъехать через час.

Лере он позвонил поздно вечером, точнее около полуночи. Данила недовольно выпустил ее из своих объятий. Она долго копалась в груде их одежд, пока не отыскала мобильник в кармане своего пиджачка. И затем молча выслушала то, что сказал ей Карен.

Данила протянул ей руку, помогая забраться в кровать.

— В крови ничего не нашли... — произнесла Лера, положив голову ему на грудь.

— Вот видишь! — Данила запустил пальцы в ее волосы.

— Но зато нашли след от укола на его руке...

— Надо сообщить в милицию, я думаю, — произнесла Лера за завтраком. — Если бы не мой приезд, то никто никогда бы не связал эти смерти между собой. Но теперь очевидно, что это неспроста! И милиция должна об этом знать! Пусть объединят эти дела и поищут причины инфарктов!

Данила странно посмотрел на Леру, снизу вверх — он ел яичницу, — и в его серых глазах засветилось удивление.

Лера смутилась.

— Ты не находишь эти смерти подозрительными? Тебе кажется, что я все сочинила, да?

— Лер... Какая же ты иностранка, на самом деле...

Таким тоном говорят: «Какая ты маленькая!»

— Почему?..

— Милиция — это не ваша полиция. Никто ничего делать не станет.

— Но я напишу заявление с просьбой расследовать! Они же должны...

— Иногда демократическое мышление трогательно до слез, — усмехнулся Данила. — Неужто ты думаешь, что кто-то начнет искать причины? Доставать из земли трупы...

— Эксгумировать, — подсказала образованная на детективах Лера.

— Вот-вот, эксгумировать и искать это лекарство в крови...

— Да и не получится. Дигиталин быстро разлагается. Если, конечно, пользовались именно им...

— Дело не в том, Лер! Просто никто не станет этим заниматься. Не станет, понимаешь?

— Но ведь имеются достаточно веские причины для того, чтобы заподозрить убийства! И возбудить дело. Почему же никто не станет, объясни?

— Потому что до сих пор это были мирные разрозненные покойники, умершие своей смертью, а тут они превратятся в никому не нужное, сложное дело по серийным убийствам, или как там у них называется. Со всеми шансами на «висяк». Или «глухарь».

— Это что?

— Так у нас в фильмах следователи выражаются... В смысле, что нераскрытое «глухое» дело испортит отчетность, «повиснет».

— Так пусть раскроют... — упавшим голосом

проговорила Лера, уже понимая, что это отчего-то невозможно, хотя все еще не могла понять, отчего именно.

Данила поднялся — завтрак он закончил, пора было уходить на работу.

— Я не хочу, чтобы ты получила еще одну дозу отрицательных эмоций, Лер... — Он притянул ее к себе, поцеловал в макушку. — Не обращайся никуда, мой тебе совет. К тому же ты американка... На все твои доводы они только отмахнутся.

Данила взялся за ручку двери.

— А ты? Ты тоже отмахиваешься, да? — с обидой проговорила она.

— Я только здраво смотрю на вещи. Ты время потеряешь впустую, нервы себе потреплешь... К тому же я не хочу, чтобы игра в детектив отнимала тебя у меня.

Дверь за ним закрылась.

«А если очередь дойдет до меня? — обиженно думала она, оставшись одна. — Тогда что ты скажешь, Даня, если меня у тебя отнимут *навсегда*?!»

Драматическая интонация собственного восклицания произвела на нее впечатление, и на глазах показались две скромные слезинки.

«Неужели это не звучит убедительно: четыре человека умерли в порядке тех мест, которые занимали за партами одного класса? Неужели этого не достаточно, чтобы насторожиться? И даже забеспокоиться? Или им нужна пятая смерть, чтобы поверить в ее неслучайность?!»

Лера смахнула слезинки, толку в них никакого не было. Куда больше ей нравилось думать и рассуждать.

Пятая смерть... Лера прекрасно знала, кто сидит

пятым, на третьей парте, но снова положила перед собой фотографию класса: она, Лера!

И ее соседка, шестая по порядку, Вера.

Она позвонила Юре.

* * *

Он не сразу согласился с ней встретиться. Он-де всею бы душою, но занятость и неотложность дел не позволяют! Тон его был холодноват, и Лере подумалось, что он тем самым хочет подчеркнуть высоту своего положения, чтобы она получше оценила его жест: он *снизошел* до них всех, приехав на классную встречу. Или он *снизошел* до нее, до Леры?

Ей было решительно все равно, что он там хотел ей продемонстрировать, Юрочка Стрелков, и положение его ничуть ее не занимало. Но разговор этот был ей необходим, и следовало каким-то образом на нем настоять, хотя ей не хотелось формулировать по телефону столь щекотливое дело. Наконец она решилась и намекнула, хоть и туманно, на некое трагическое происшествие, которое хотела бы с Юрой обсудить.

Тон его мгновенно изменился, сделался участливым. Лера с изумлением прислушивалась к бархатным переливам: ни дать ни взять депутат, отвечающий на чаяния народа! Ну что ж, подумала Лера, в школе у него была одна маска, теперь их много, только и всего. А уж таланта Юре не занимать...

На следующий день Юрин лимузин подобрал ее у метро и повез куда-то за город.

— На дачу? — спросила Лера.

— Нет. У меня там сейчас семья... — В голосе Юры проскользнуло недовольство, и Лера не знала, относится ли оно к ней или к семье. — В один хороший ресторан едем. Увидишь, как у нас в России принимают дорогих гостей!

Лера повернулась к нему в надежде уловить былой отблеск иронии, который раньше придавал оттенок шутки и насмешки всему, что бы Юра ни говорил. Эта интонация позволяла предположить, что ирония Юры отчасти относится и к самому себе, что и составляло силу его обаяния...

Но нет, лицо его было серьезно и даже хмуро. И только в ответ на взгляд Леры что-то прежнее мелькнуло в глубине его глаз. Мелькнуло и сразу спряталось. С прежним Юрой Стрелковым было покончено усилиями нынешнего Юры Стрелкова, теперь он относился ко всему серьезно. И в первую очередь к самому себе...

В ресторане, стилизованном под русскую избу, только непомерных размеров, Юру хорошо знали. Улыбаясь и чуть не приседая на ходу, провели их с Лерой в «кабинет» — отдельный маленький зальчик на втором этаже, где в отличие от деревянных лавок общего зала стояли удобные мягкие кресла вокруг довольно большого стола, покрытого красной с вышивкой скатертью. Челядь в национальных русских костюмах бросилась прислуживать. Две женщины в сарафанах с искусственными белыми синтетическими косами из-под кокошника усадили дорогих гостей чуть не под руки; кинулись расправлять несуществующие морщиночки на скатерти и салфетках; подали меню, услужливо раскрыв лубочный переплет перед гостями; принесли две стопочки холодной водочки и грибочков: «Добро пожаловать!» Мужчина в русской рубахе стоял в почтительной позе, присогнувшись, с блокнотом в руках, ожидая, пока дорогой гость изволит озвучить свои пожелания.

Лера смотрела во все глаза. Эта услужливость вызвала в памяти *половых* из русской литературы, которые ей всегда казались художественным преувеличением, карикатурой. Ан нет, подобострастие так и лилось из преданных глаз обслуги...

В Америке с подобным Лера никогда не сталкивалась, но, с другой стороны, в Америке она никогда не ходила в ресторан с известными политиками. Впрочем, у американцев очень развито чувство собственного достоинства, и вряд ли они стали бы так стелиться даже перед самим президентом.

Да вот и с Кареном она такого не замечала, хотя его, наверное, можно было вполне назвать «новым русским» — образ-страшилка для Запада с мафиозными замашками, сорящий деньгами на ходу. Однако его в ресторане встретили по-приятельски — уважительно, но без подобострастия...

Пока Лера раздумывала об этом, Юра что-то заказал, не спросив ее, только уже потом, когда официант ушел с заказом, сообщил ей с широкой улыбкой:

— Я решил тебя угостить нашими русскими блюдами! Такого ты никогда не ела, уверяю!

Лера не любила, когда ее угощают, не спросясь. В Америке она вообще привыкла к тому, что мужчина угощает женщину исключительно в тех случаях, когда за ней ухаживает, иначе же каждый рассчитывается за себя; и потому в Москве она норовила повсюду заплатить свою долю, что русскими мужчинами, в каких бы отношениях она с ними ни состояла, с негодованием отвергалось.

Все это было довольно обременительно, но спорить еще обременительнее, и оттого Лера лишь вежливо улыбнулась на гастрономическо-патриотическое сообщение Юры.

В ожидании заказа она хотела было начать разговор, ради которого и пришла сюда, но Юра остановил ее жестом:

— Пусть сначала все принесут и свалят. Лишние уши ни к чему.

— Ну, знаешь, если кому надо, то и у двери подслушают, — усмехнулась она.

— Под дверью стоит мой охранник. А этот кабинет, — Юра обвел рукой зальчик, — регулярно просматривается моими людьми на предмет «жучков». И хозяин этого ресторана знает: чуть что, и он потеряет не только свой бизнес, но и право приближаться к Москве ближе чем на сто километров...

Лера помрачнела. Ей решительно не нравилось то, что говорил Юра. За его словами ясно просматривалось превышение служебных полномочий, столь сурово наказываемое в Америке, а он, кажется, не только не стесняется этого, но и бравирует...

Разумеется, говорить ему об этом она не стала: не для того она встретилась с Юрой, чтобы обсуждать особенности его менталитета, прямо скажем.

— А отчего ты такой секретный стал?

— Много будешь знать, скоро состаришься.

— Уж не в президенты ли метишь? — хмыкнула Лера.

Внесли несколько блюд с пирогами, дорогой рыбой, икрой.

— Это тебе не гамбургеры трескать! — кивнул на блюда Юра.

— Нет, вы все тут спятили! Спятили, и все тут! Во-первых, у нас очень многие ведут здоровый образ жизни, куда более здоровый, чем в России! А во-вторых, что вам так далась эта несчастная Америка? Что вы с ней все тягаетесь? Застарелый советский комплекс «догнать и перегнать»? Или это твой политический конек? В таком случае за тобой пойдут одни идиоты!

— Видишь ли, Лерочка, — Юра усмехнулся и на секунду стал прежним, — при подсчете голосов интересует только их количество, а не умственные способности голосовавших. А количество идиотов столь велико, что тот, кто желает стать популярным, должен ориентироваться именно на них... Что ты будешь пить? Шампанское?

— Воду.

Она подумала и добавила, вложив в малозначащую фразу все свое несогласие с поведением Юры:

— Шампанское подают к десерту, к твоему сведению! А не к соленой рыбе!

— Это у вас там к десерту, — отрезал Юра. — Мы тут свободные люди, когда хотим, тогда и пьем. И деньги не жалеем, заметь! Чего не скажешь о твоих новых соотечественниках.

— Знаешь, Юра, ты раньше лучше был! — не выдержала Лера. — Хоть и циником, но с чувством юмора! Ты ко всему относился словно к шутке. А сейчас... *грузишь*! — выпалила она недавно усвоенное ею новое словечко.

Юра расхохотался.

— А ты осталась такой же честной, как была, Лерка! Это приятно... Жизнь тебя пощадила: тебе не пришлось жертвовать своими принципами, что отрадно.

— А тебе разве пришлось, Юр? Разве у тебя когда-нибудь были принципы, чтобы ими жертвовать?

— Ты прелесть, — ответил Юра. — Давай я тебе отрежу кусочек вот этого дивного пирога. Его готовят по старинным рецептам, оцени!

Надо признать, что пироги были действительно на редкость вкусны. Юра все ухаживал за Лерой, как за маленькой: намазывал икорку на блинчики, поддевал вилкой прозрачные ломтики дорогих копченых рыб и подкладывал ей на тарелку до тех пор, пока она не взмолилась.

Несколько раз Лера пыталась заговорить о деле, ради которого встретилась с Юрой, но тот отшучивался и предлагал не портить трапезу серьезными разговорами.

— Ты у меня в гостях, Лера, я, можно сказать, отвечаю за твое настроение и пищеварение!

Лера была раздосадована. Юра стал куда примитивнее, опростился — намеренно? Чтобы быть ближе «к народу»? Его прошлый, еще детский имидж оказался непрактичным? Он был слишком блистателен, на несколько голов выше всех — и своей потрясающей эрудицией, и своим презрением, и своим юмором... И теперь испугался, что «страшно далеки они от народа»? Избиратель не поймет? Ставка на «идиотов»? И теперь он усвоил манеры доброго барина, который время от времени братается с народом и разглагольствует о «национальной русской идее»? Определить которую по существу весьма затруднительно, но зато очень сподручно о ней трепаться в противопоставлении «врагу», все той же Америке?

При том что Россия все больше уподоблялась ей — и агрессивностью политического тона, и той ролью, которую играл в политике государства военно-промышленный и нефтяной комплексы, и дешевым патриотизмом, и непомерно вознесенной на щит религиозной моралью...

Впрочем, какое ее дело? Что ей с того?

— Так о чем ты хотела со мной поговорить? — спросил наконец Юра, отодвинув от себя пустую тарелку.

— Умер еще один наш одноклассник, Костя Панин, помнишь его?

Лера достала из сумки последнюю фотографию десятого класса.

— Ты хочешь, чтобы я прислал венок на его похороны? — хмуро сострил Юра.

— Смотри: раз, два, три, четыре, — проигнорировав его шутку, указала Лера ногтем мизинца на лица. — Все они умерли один за одним. И ровно в том порядке, в котором сидят за партами.

Юра погрузился в молчание, уставившись в снимок.

— Диагноз знаешь? — перевел он на нее потяжелевший взгляд.

— Инфаркт. У всех четверых.

— Так... И что ты об этом думаешь? У тебя ведь какие-то соображения, я угадал?

— Что это замаскированные под инфаркт убийства.

— Под инфаркт? Такое возможно?

— Да.

— Зачем кому-то нужно убивать наших ребят?

— В том-то и вопрос. Возможно, они все четверо связаны каким-то делом... Ты не в курсе? Они ведь в твоей компании тогда были, ты их знал лучше меня.

— Я после школы ни с кем не общался.

— Даже с Ингой?

— С ней мы остались на связи... Я женат на ее сестре.

— Вот как?..

Лера толком не знала, что именно она вкладывала в это восклицание. Что-то негативное, без сомнения... Ингу она мало знала в силу закрытости последней, но интуитивно Лера ее не любила. Чувствовалось что-то черное, что-то дурное в этой красивой девочке. И было понятно, что она обладала необъяснимым влиянием на Юру, а через него на всю Компашку. И Лере было жалко, что Инга сохранила это влияние и после школы. Дурное влияние, без сомнения...

Но она не стала копаться в своих смутных ощущениях и от комментариев решила воздержаться.

— Если эти четверо не имели никаких дел между собой, — продолжила она, — то, возможно, какой-то псих убивает всех подряд. Просто потому, что сидели в одном ряду... А следующей сижу я, между прочим!

— Вижу, Лер. Другие соображения у тебя есть?

— Есть. Что кто-то охотится за вашей Компашкой. Вас не любила вся школа, начиная от учителей и кончая ребятами... Ты исключение, девчонки по тебе сохли.

— Кроме тебя.

— Кроме меня, — улыбнулась Лера.

— Я до сих пор... Ладно, проехали.

Лицо Юры было серьезным, даже угрюмым. Ничего не осталось от барского благодушия, равно как и ничего от его давнего, еще школьного, высокомерия. Перед Лерой сейчас был иной, уже третий человек.

— Мы можем это как-то проверить? — поспешил Юра сменить тему.

— Кто это — «мы»?

Юра замешкался, а Лера вдруг подумала, что он с детства привык жить кланом, этаким «мы», и неважно, из кого он состоял. Главное, клан существовал, и Юра во главе, и его главенство обеспечивалось наличием клана! Одно без другого не могло существовать, и потому Юра мыслил себя исключительно в категориях «мы»...

— Проверить *мы* можем, если подождать, — она усмехнулась, — и посмотреть, кого убьют следующим. Варианта развития событий у нас два: либо за меня возьмутся — тогда это псих, который истребляет по рядам, — либо инфаркты начнутся у первых парт среднего ряда. Вы же все, Компашка, сидели к концу выпускного класса на первых партах, — вас где-то в середине десятого класса вынудили переселиться с «камчатки». Достали вы учителей, помнишь? И на первой парте среднего ряда сидел ты, Юр. С Ингой... Видишь?

— Не слепой.

— Только у меня, Юра, нет никакого желания проверять верность моих заключений опытным путем.

— У меня тоже. Что ты предлагаешь?

— У тебя есть связи, ты сможешь... Первым делом нужно узнать, были ли замечены следы от укола на телах. На Косте нашли. Мне необходимы сведения по остальным. Для этого нужно поднять все заключения по вскрытиям.

— Заметано. Я найду концы.

— Если такие следы есть, то моя догадка верна. Им что-то вкололи, чтобы спровоцировать инфаркт. И тогда мы отметаем окончательно идею, что все эти смерти — чистое совпадение.

— Договорились. Что еще?

— Узнай, были ли связаны эти четверо каким-то общим делом. Хотя я думаю, что нет. Я говорила с семьями: все утверждали в один голос, что никаких связей с бывшими одноклассниками не просматривается... Тем не менее надо проверить. Сможешь?

— Постараюсь.

— Если между ними не было ничего общего, то придется нам рассматривать версию психа... Который учился в нашем классе, между прочим.

— Почему?

— А кого еще, Юра, могут интересовать порядок и расположение парт и сидящих за ними наших одноклассников?

— Ты права. Все постараюсь узнать. Выбирай
десерт. Тут очень вкусные пирожные делают.

— Я сыта.

— Кофе?

— Пожалуй...

Когда они поднимались из-за стола, Юра придержал ее за локоть:

— Погоди.

Лера посмотрела на него, и ей стало не по себе. В его светлых глазах светилась тоска, почти потусторонняя, — отчего они сделались почти черными.

Она села обратно.

— Есть очень мало вещей на свете, которыми я дорожу, Лера. Очень мало. Все дерьмо. Я тоже. Но в ту самую *малость* ты как-то затесалась. Я даже не тобой дорожу, не женщиной по имени Валерия, нет, — у меня к тебе никаких чувств. Я дорожу тем, что ты есть такая, как ты есть. Я понятно говорю?

Он посмотрел ей в глаза, и даже если бы Лера не поняла ни слова, то была бы вынуждена ответить «да» — так требовал его взгляд.

Но она поняла.

— Поэтому... Когда ты уезжаешь?

— Еще не решила. У меня билет с открытой датой.

— Уезжай срочно, Лера! К себе в Америку. УЕЗЖАЙ, слышишь?! Мы тут сами разберемся.

— Хорошо, — покладисто согласилась она. — Уеду. Только узнай сначала, было ли что-то общее между четырьмя погибшими...

Обед в «Русской избе» оставил тяжесть в желудке. Разговор с Юрой — тяжесть в душе. Он осел ядовитой пылью, от которой не так-то просто отмыться. Она инкрустировалась куда-то под кожу и продолжала отравлять ее организм.

Может, и вправду уехать? Она провела в Москве уже больше двух недель — вполне достаточно, чтобы насытить зверя по имени *ностальгия*...

Но она еще не насытилась Данилой.

И она еще не насытилась загадкой.

И то, и другое манило, осложняя жизнь — да; холодя загривок предчувствием драмы — да. Но что-то началось, даже лучше сказать, *зачалось* сейчас в ее жизни, и Лера знала, что не сможет остановиться. Она должна прожить то, что зачалось в ее судьбе, до конца — так проживают до конца беременность.

В разговоре с Юрой имелся один несомненный плюс: стараясь изложить ему как можно более внятно свои подспудные мысли, она уяснила их и для себя. Так часто бывает, Лера замечала не раз — и сейчас радовалась, что сумела разложить по полочкам свои подозрения. В том, что за инфарктами четверых ее одноклассников просматривается чья-то недобрая рука, она не сомневалась, хотя доказательств пока никаких не наблюдалось... Зато она очень точно сформулировала три основные гипотезы:

1. Между четверыми погибшими было нечто, их объединяющее, и именно это «нечто» послужило причиной их гибели.

2. Или тут действует псих, который решил извести бывших одноклассников в порядке мест, занимаемых за партами?

3. Или дело не в порядке парт, а в том, что занимали их члены Юриной Компашки? Но тогда этот псих — конечно же, псих! — все же действует с определенной логикой... И в чем же она?

Не надо быть семи пядей во лбу, чтобы заподозрить, что он мстит за что-то.

ЗА ЧТО???

Лере захотелось немедленно набрать Юрин телефон и задать вопрос в лоб: «Юрочка, ты и твоя Компашка, вы так часто и так многих унижали, что я не слишком удивлюсь, если кто-то вздумал вам отомстить! Конечно, это нездорово, — сколько лет прошло! Нужно быть больным на голову, чтобы сводить счеты почти через четверть века! Но у нас, Юра, четыре смерти налицо. И объединяет их порядок парт, Юра...»

Но она не позвонит и слов таких не скажет. Жизнь научила Леру не забегать чрезмерно вперед. Она уже и так забежала — выложила Юре практически все свои соображения. Почти все... Ну и хватит. Теперь его ход! Если он действительно такой *крутой*, то пусть и разузнает то, о чем она его попросила!

Юра обещал управиться за два дня. Что ж, подождем. А потом, в зависимости от полученной информации, будем думать дальше!

* * *

— ...А потом будем думать дальше, Дань...

— Не нравится мне это все, Лера.

— Мне тоже не нравится. Но что ты предлагаешь?

— Не знаю... Может, Юра прав... И тебе стоит уехать?

— Я подумаю над этим предложением, — крайне сухо ответила она.

...Почему он так сказал?! Он заботится о ней? Или о себе???

Он устал от нее? Он готов с ней расстаться?..

Ей мучительно захотелось снова сбежать в гостиницу. Ошибка, да, ошибка — ее решение перебраться к Даниле! Как бы хорошо им вместе ни было, но это «хорошо» помещается только в беспечную, праздную жизнь — такую, какая была на курорте. Быт не годится для таких отношений, точнее, не быт, с ним они справились... Но когда возникают какие-то проблемы, то совершенно непонятно, как к ним относиться... Потому что проблемы у них не общие... И никогда не станут общими...

Данила почувствовал, что что-то рушится. Анализировал он или нет, облекал ли в слова свои ощущения и пытался ли их объяснить, Лера не знала. Мужчины вообще не склонны к самоанализу. Они как собаки: все понимают, но сказать не могут.

Между ними возникло напряжение. Лера старалась выглядеть естественно, он тоже. Но неловкость нарастала. Он сидел за своим компьютером, она смотрела телевизор, устроившись на диване. Время приближалось ко сну. Ко сну — к общей постели, в которой не было еще ночи, чтобы не сплелись их объятия.

Что будет сегодня? Мы повернемся друг к другу спиной?

«Может, уйти прямо сейчас в гостиницу?» — с тоской подумала она. Но это означало бы жест на разрыв, а Лера вовсе не хотела его делать! Ей просто было больно оттого, что не получается у них жить вместе... Никто в этом не виноват. Да и цели ведь такой не было, *жить вместе*, — просто так сложились обстоятельства... И не получилось.

От горьких мыслей ее оторвал голос Данилы.

— ...такая озабоченная в последние дни, — договаривал он какую-то фразу, — что я подумал, что нужно нам устроить себе маленький праздник... Как раньше!

В одной руке он держал два фужера, зажав меж пальцев ножки, в другой — бутылку коньяка.

Лера вскинула на него глаза. Какой, к черту, праздник?! О чем он? Они весь вечер провели в напряженном молчании, что им праздновать теперь?!

— Коньяк не пьют из фужеров, — сказала она, и голос ее прозвучал против воли враждебно.

Данила присел перед ней на корточки.

— Какая разница! Лер, ну не отводи глаза. Давай поговорим. И выпьем немножко, как тогда, в Тунисе...

Он поднялся, поставил фужеры на табуретку у дивана, плеснул в них коньяку. Затем подсел к ней на диван.

— Принести тебе фрукты? Конфеты? — Голос его звучал мягко, ласково, ни дать ни взять добрый папочка с капризничающей дочуркой!

Она помотала головой.

— Тогда давай чокнемся, Лер. За нас с тобой...

Фужеры прозвенели тихо и печально.

— Я чувствую что-то не так... Но я не согласен тебя так нелепо потерять. И все то, что у нас было. Может, я сделал глупость, настояв, чтобы ты перебралась ко мне, но мне так хотелось видеть тебя днем и любить тебя по ночам...

— Мне тоже, Дань... Я не понимаю, отчего все вдруг испортилось... Словно мы не нашли какой-то правильной формы для совместного существования. Как будто то, ради чего мы сошлись у тебя, на твоей территории, вдруг спряталось за мелочами. Если ты меня спросишь: что же не так? — то я даже не сумею толком ответить...

— Но при этом они работают, эти мелочи, да?

— Работают, да... Помимо меня.

— Лер.... Я читал какие-то статьи по женской психологии, когда мой брак начал трещать по швам... Мы очень разные, мужчины и женщины. Я понял, что женщины внимательны к разным мелким вещам, на которые не обращают внимания мужчины.

— Дань....

— Погоди, дай договорю... Я стараюсь с этим считаться. С нашей разностью. Какими бы ни были твои эмоции, они твои, и я принимаю их как должное. Поэтому я тебе предлагаю такой вариант: ты остаешься тут, о гостинице не может быть и речи! Но чтобы не возникало напряженности, я пока поживу у своего товарища. Мы будем встречаться, когда ты сама этого захочешь. Когда меня позовешь. Договорились?

Ей хотелось закричать: «Не-е-ет! Не договорились! Я не хочу так! Останься, Данька, не уходи, давай поговорим, давай найдем слова, давай попробуем понять друг друга!»

Но она только молча кивнула. И через пятнадцать минут, поцеловав ее в щеку, он покинул квартиру.

Лера упала на подушку и заплакала.

* * *

...Они снова устроились на кухне у Веры и снова пили чай и лопали конфеты. И снова Лере стало так хорошо, как будто она вернулась домой из долгих странствий, которые теперь напоминали сон...

Верик, для которой не прошла незамеченной смена Лериного контактного телефона, осторожно поинтересовалась, у кого теперь обитает подружка. И неожиданно для себя самой, слово за слово, Лера все ей рассказала. От белых пляжей Туниса до вчерашнего вечера, закончившегося таким благородным и таким нестерпимым жестом Данилы.

— Наверное, я просто жалею об утраченных чувствах, — печально подытожила она, — и никак не отважусь признаться самой себе, что отношения наши превратились теперь в милое приятельство, славную такую дружбу, которая никого ни к чему не обязывает... Да, жалею! В Тунисе это было так красиво... И, знаешь, я рада, что снова испытала это чувство! Но любовь, я знаю, всегда проходит, раньше или позже. С мужем она у нас превратилась в какую-то другую любовь... Я не знаю, как это называть. На все чувства существует только одно слово, а ведь чувства такие разные!

— Ох, Лерик, как я с тобой согласна! У меня по сравнению с тобой жизнь была бурная... Несколько сильных увлечений, и во всех вроде бы *любовь*, а при этом чувства разные-разные! А ведь любовь еще и к детям, и к родителям, и к друзьям... И все одним словом, даже любовь к конфетам! Ужасно, что так беден человеческий язык...

Верик закончила филфак, и потому ее заботы простирались до осмысления возможностей языка. Но у Леры сейчас были свои заботы. Она только согласно кивнула на речь подруги.

— Извини, я тебя перебила, — проговорила Вера. — Продолжай!

— Я имею в виду ту любовь, которая только начинается, любовь-увлечение, страсть, влюбленность... Страсть не только физическая, но и страсть влетания друг в друга душой... Понимаешь?

— Еще как!

— Так вот, я знаю, что такая влюбленность рано или поздно заканчивается... У нас с Даней просто вышло *раньше*... Потому что нас ничего не связывает. У нас нет общих целей, мы живем в разных странах. Мы сошлись ненадолго и скоро расстанемся. Нет почвы, понимаешь, в которую бы чувства пустили корни! Если бы мы могли планировать совместную жизнь — хотя бы гражданский брак, — то, может, отношения бы строились иначе. А так, без будущего, они обречены на то, чтобы перерасти в дружбу. Мне надо это осознать, вот и все! И перестать придираться к Дане. Дружба — это когда люди любят друг друга, но при этом им ничего не нужно друг от друга!

— Ты что, Лер, какая, к черту, дружба? Да как это не любовь? Она самая и есть! Оттого ты и придираешься к каждому его слову!

— Выходит, раз он ко мне не придирается, значит, не любит? — усмехнулась Лера.

— Ну, мужики иначе устроены. Любит он тебя, любит, Лерик, прямо нянькается с тобой, а ты все недовольна!

— Это потому что он добрый. И мы друзья.

— Нет, ну от тебя точно сойти с ума можно! Молодой свободный мужик, красивый, — он тебя чуть не силком затаскивает к себе жить, — а ты говоришь *добрый*! Хотела бы я встретить хоть одного такого доброго. Да он наверняка от баб отбивается каждый день, у нас тут холостые мужики, да еще к тому же красивые, да к тому же добрые, да еще и не алкаши, — они на вес золота! Да с собственной квартирой, Лер! Ну ты чего, совсем одичала в своей Америке? На него вешаются ежедневно все незамужние и разведенные, а замужние глазом подмигивают! Вот бы им на твоем месте оказаться: сам к себе зазвал! Это дружбой называется, по-твоему? А по ночам вы тоже *дружите* в одной постельке?!

Лера улыбнулась. Верик мало изменилась: она всегда отличалась пылким темпераментом.

— «Эротическая дружба», так тоже бывает.

— Ты не сравнивай! То, что Кундера описывал, — совсем другое! Там им обоим действительно ничего друг от друга не нужно, кроме секса! А ты любишь мужика, как нормальная женщина, и все тебе от него нужно, все-превсе! Только ты вбила себе в голову, что у вас никакого будущего нет, вот потому дурью и маешься! А почему его нет, этого будущего, Лерик? Почему? Кто сказал, что нет? Бери да переезжай сюда! Что тебя держит в Америке? Дети? Так они уже большие! Будешь навещать время от времени, а то и сами пусть прилетят, они ж у тебя России никогда не видели! Корни свои, своей русской мамы, пусть почувствуют!

Лера обошла столик, обняла подругу. Не имело никакого значения, согласна она с ней или нет. Важно было другое: Верик разделила ее печаль. Старалась подружку поддержать. И Лера была безмерно благодарна ей за это.

...Она не стала рассказывать Верику о четвертой смерти. Надо сначала разобраться самой. Она устала слушать скептические замечания. Доказательств у нее нет — так пока, слова на слова. Ни к чему грузить Верика своими домыслами...

Даже если Лера была уверена, что это не домыслы.

* * *

Вечер в квартире Данилы — без самого Данилы — оказался тоскливым и неуютным. Она слонялась по комнате, не зная, чем себя занять. Неожиданно обнаружилось, что без него ей худо, особенно в его квартире, где все дышало им... Глупые, глупые люди! Как мы умеем усложнять себе жизнь! Казалось бы, любишь — ну и люби на здоровье! Отдайся своему чувству, наслаждайся близостью любимого, радуйся!

Куда там — на что-то обижаемся, чем-то недовольны. А с другой стороны, как иначе? Если Данила ушел, значит, не хотел вникать в ее «мелочи». Значит, ему все равно, отчего она расстраивается! И как же не обижаться?!

Лера ходила от вещи к вещи, рассматривала. Пока

Данила был тут, ей и в голову не пришло изучать его квартиру, но сейчас она была одна. Рассмотрела фотографию его родителей на книжной полке... Перебрала кассеты... Провела пальцем по корешкам книг — у него оказалось довольно много эзотерической литературы, она только сейчас заметила, а Данила никогда не говорил с ней на эту тему... За свою жизнь Лера почитала две-три вещи подобного рода — они оттолкнули ее проповедническим тоном, которым автор-всезнайка поучал свою «паству», как правильно жить. А что Данила пытается в них вычитать?

Поступил ли он в соответствии с тем, что говорят эти книги? *«Какими бы ни были твои эмоции — они твои, и я принимаю их как должное»* — так он сказал. Это оттуда, из книжек?

С другой стороны, он оставил ее одну, чтобы у нее больше не возникало поводов для раздражения. Не стал раздражаться сам в ответ, не стал упрекать ее, просто дал ей перевести дух. Разве это не мудро?

Наверное, мудро. И даже очень, особенно если учесть, что она себя уже чувствует виноватой и тоскует по нему...

Может быть, он даже на это рассчитывал? Если так, то очко!

Желание ему позвонить и позвать стало настолько сильным, что она несколько раз бралась за телефон — и каждый раз ставила трубку на место. Несерьезно как-то... То ей с ним трудно — теперь без него плохо. Чего ты хочешь, Лера, в конце-то концов?!

Она знала чего: сказки. Той, которая была в Тунисе. И чтобы при этом она длилась вечно.

Но Лера знала, что сказок не бывает. И заставила себя прекратить делать круги вокруг телефона, села к столу, достала фотографии одноклассников и принялась размышлять.

Если четверо погибших не были связаны общим бизнесом... Юра обещал разузнать в два дня, один уже прошел. Позвонит ли он ей завтра? Послезавтра? Два дня — это как?

Итак, если четверо погибших не были связаны общим бизнесом и если убийца не псих, которому шепчут «голоса», что он должен извести бывших одноклассников по порядку, тогда в его действиях должна быть другая логика. А именно, как Лера уже предположила: он охотится за Компашкой. В таком случае он не тронет ее, Леру, а перекинется на средний ряд, где на первых двух партах сидели Юра с Ингой. За ними Роберт (он же Боб) с одной девочкой, в Компашку не входившей. И дальше на тот ряд, который у стены: первую парту в нем занимали Максим и Дима, а за ними Коля, ничем не примечательные ребята, которые подобострастно заглядывали в глаза Юрке Стрелкову и подражали ему дерзкими высказываниями на уроках — за право находиться в его орбите и считаться членами Компашки... Юра давно научился держаться барином, подумала вдруг Лера. Просто раньше ему хватало вкуса это скрывать — пренебрежение к «суете сует» входило в его имидж. А теперь, видимо, не входит. Вот и вся разница...

В Юриных интересах — прямо скажем! — разузнать побыстрее то, о чем просила его Лера! Если она права в своих догадках, то Юра окажется следующей жертвой!

Но если она права в своих догадках и дело в Компашке, то им кто-то мстит... За что же, интересно?! Учитывая их положение в школе — высокопоставленные хулиганы, — они могли, конечно, и обидеть, и оскорбить не так уж мало народу... Девочка, которую соблазнил и бросил Юрка? Учительница? Пионервожатая? Но тогда при чем тут вся Компашка?

Или... Карен намекал на групповуху. А вдруг это запоздалое раскаяние кого-то из девочек, жертв Юриного обаяния? Или какой-то мальчишка, который Юрой — светочем и почти что богом — и преданной ему Компашкой был презираем и унижаем? А теперь решил взять реванш, отомстить?

Прямо скажем, все эти предположения страдают одним общим недостатком: с чьей бы стороны ни была месть, она слишком запоздала. На двадцать с лишним лет! Трудно поверить.

Но мало ли...

«Надо поговорить с Робертом, — подумала Лера. — Может, он что-то знает...»

С этой мыслью она и заснула.

Наутро она ее не забыла. Просмотрев список телефонов и адресов, который сделал для нее услужливый староста класса Миша Пархоменко, она набрала номер Роберта. Карен говорил, что он уже должен вернуться из командировки, и, если повезет...

Повезло. Боб откликнулся и даже, кажется, обрадовался, когда Лера предложила встретиться.

— Карен грозился организовать посиделку с тобой, но так пока и не организовал...

— Да, он что-то молчит... Но смерть Кости... Можно понять... — откликнулась Лера.

— Пусть мертвые хоронят своих мертвецов. Встретимся вдвоем — еще лучше! Жена и сын на даче, никто не помешает нам поговорить... — сказал Роберт. — Приезжай ко мне завтра, часикам к пяти, идет?

«Удивительно, — подумала Лера, — как будто это я любовное свидание назначаю, которое надо скрывать от жены!»

Но не ее дело вмешиваться в странные отношения, в которых ревнивые жены могут тебя агрессировать... ой, так не говорят, кажется, по-русски... ну, неважно! ...потому что их больному воображению мерещится, что всем без разбору женским особям на свете вдруг оказался потребен их муж, их собственность!

— Идет, — ответила она Роберту.

...Роберта Лера не узнала. Высокий рыхлый мужчина с наголо обритой головой, с бледным одутловатым лицом и большими мягкими руками, он смотрел на Леру с нескрываемым удивлением.

— Поделись секретом, отчего ты совсем не изменилась, а? — произнес он в виде приветствия, впуская ее.

Большая квартира, отделанная в стиле — она уже усвоила это словечко — «евроремонт». Словечко ее удивляло, но она попривыкла к странностям нового русского языка. Или нового русского мышления, в котором мифы о Западе совершенно советского (сейчас говорят «совкового») толка все еще не изжили себя. В самом деле, что за *ремонт* такой — всеевропейский? Ладно бы *стиль отделки*, куда ни шло. Но стиль *ремонта*? Это, позвольте, как?

Впрочем, эта мысль промелькнула в ее голове, не задержавшись. Не до лингвистических изысков ей было сейчас.

— Где ты предпочитаешь посидеть? На кухне? В салоне?

— Как тебе удобнее, Роберт.

Она никогда не звала его «Боб», даже в школе, и сейчас предпочла обращаться к нему так же, как и тогда: *Роберт*. Пожалуй, она только имя и помнила. Как ни напрягала Лера свою память, но ничего такого, что могло бы охарактеризовать мальчика по имени Роберт, на ум не приходило. Он держался Компашки, легко учился, хорошо одевался и...

И все. Иногда, когда Компашка особо духарилась, доводя очередную училку до белого каления, он вступал в хор и бросал со своего места реплики и замечания... Но это уже вслед Юре, в свите у Юры...

— О'кей, тогда в салоне. На мягких диванах оно все лучше, чем на табуретках, верно?

В большой комнате, которую Роберт назвал салоном, обнаружилась стойка бара, отделанная красной кожей, за которую он и направился. Лера согласилась выпить немного мартини для поддержания атмосферы.

Некоторое время он рассуждал о страсти русских к жизни на кухне, подчеркивая, что этот варварский пережиток он в себе изжил, а Лера, слушая его, удивлялась.

Она любила эти московские кухни, со времен своего детства любила; и не видела никакого греха в том, чтобы именно там сидеть с семьей или с друзьями. На московских кухнях всегда было уютно... Почему Роберт этого стесняется?

Американцы не стесняются ничего. Они живут, не задаваясь вопросами о том, соответствуют ли они какому-нибудь идеалу, пусть даже выдуманному. Они само-достаточны и само-довольны. А русские — нет. Им нужно себя мерить каким-то эталоном, пусть даже таким дурацким, как *евроремонт*...

«Но ведь именно в этом и есть особенность нашего, русского менталитета! — вдруг подумала Лера. — В том, что русскому человеку нужен *идеал*! Может, в этом и кроется ответ на вечную загадку русской души — в стремлении сравнивать себя, приравнивать к *идеалу*, к чему-то лучшему?

Другое дело, в чем видится это лучшее, этот идеал и эталон, — тут раздолье для ошибок, от смешных до трагических... Но это отдельная тема. Зато потребность приравнивать себя к идеалу есть действительно черта русского человека, отличная от менталитета западного, самодостаточного...»

Эти мысли потрясли Леру настолько, что на некоторое время она выключилась из разговора, прослушав то, что говорил Роберт.

— Лера? — позвал он, видя, что она впала в задумчивость.

— Извини, — улыбнулась она.

— Ничего. Так ты довольна своей жизнью в Америке?

— В общем, да... Собственно, ты не с той стороны заходишь, Роберт. Я не за жизнью в Америке уехала — за любимым мужчиной. Это разные вещи.

— Американский мужчина лучше русского?

— Я не сравнивала. Я просто влюбилась.

Лера испугалась. Не приведи бог, сейчас Роберт начнет, как Юра, тягаться с Америкой по всем статьям!

— Это похвально!

Она только молча брови вскинула.

— Ну, извини... Я просто порадовался, что ты вышла замуж по любви... У нас сейчас в России слишком много расчета. В дружбе, в любви — там, где это совсем неуместно! И в деловых отношениях тоже. Бизнес должен быть основан на человеческом доверии — ты это понимаешь, я думаю! А у нас он основан на мошенничестве. Только гляди в оба, кто первым тебя кинет: партнеры или чиновники, которым кто-то дал взятку большую, чем твоя!

— Роберт...

— Лера, мы ведь двадцать с лишним лет не виделись! И сейчас такое чувство, словно хочется переговорить обо всем... Мы с тобой в школе никогда не дружили, но двадцать с лишним лет, Лера! Это ведь много! С твоим приездом мы все обернулись назад. Всем захотелось понять: а чего же мы достигли? Что сумели сделать и что сумели понять за эти годы? Мне Карен рассказывал о встрече нашего класса... О том, как Юрка Стрелков доставал тебя разговорами об Америке... Это все потому, Лера, что нам хочется заявить о себе. Доказать, что мы состоялись. Доказать тебе — не потому, что ты Лера Титова, — в классе ты была особняком, кому-то нравилась, кому-то нет, а кто-то тебя и не замечал, как я... А потому, что ты из АМЕРИКИ! И нам всем вдруг захотелось доказать, что мы тут тоже не пальцем деланные. Комплекс неполноценности — извечный русский комплекс...

Роберт уже успел заглотить два стакана виски, лицо его светилось одухотворением, которое, видимо, посещало его в минуты принятия алкоголя.

Лера испугалась, что упустила время для разговора по делу, и теперь не знала, как перейти к тому, ради чего пришла. Она попыталась наверстать упущенное:

— Роберт... Извини, что меняю тему...

— Нормально, Лер... Никаких проблем. Я знаю, о чем ты, Карик мне сказал. Насчет всех этих смертей — ты об этом хотела поговорить?

— Тебе они не кажутся подозрительными?

Роберт запустил в глотку третью порцию виски.

— Лер... А ты мужу не изменяла?

— Нет. Почему ты спрашиваешь?

— И что, ни разу?

— Роберт...

— Он тебя хорошо трахал?

— Роберт, я нахожу неуместным этот разговор!

Лера встала, готовая немедленно уйти.

— Сядь. Проехали.

Он дернул ее за руку, принуждая сесть обратно на диван.

— Так ты считаешь, что они... подозрительные? Эти смерти?

— А ты нет? Не находишь их подозрительными?

— Я?!

Роберт заметно захмелел, и Лера попыталась догнать ускользающий его рассудок.

— Ты ведь был в Юриной компании. Может, что-то такое случилось, вы сильно обидели кого-то... И этот человек вам мстит теперь?

— Лер, ну ты... Ну, ты как скажешь... Мы же тогда детьми были...

— В детстве обиды воспринимаются особенно остро, Роберт. Я пока не знаю — это только одно из возможных объяснений, — но нельзя исключить, что четыре смерти не случайны и связаны с тем, что некто убивает наших одноклассников, входивших в компанию Юры...

— А что Юра?! Свет на нем клином сошелся, что ли? Пустобрех, болтун этот твой Юра!..

Лера хотела было сказать: «Он не мой. Он ваш, Бобик! Это вы ему в рот тогда смотрели, а не я...» Но никакого смысла в такой реплике не было. Роберт напился, причем опьянел он от не столь уж большого количества алкоголя, отчего Лера предположила, что выпивал он достаточно регулярно. Алкоголики быстро пьянеют — она это знала, читала.

— Роберт... Сосредоточься, прошу тебя... Это ведь серьезно! Четверо уже погибли, и теперь надо думать отчего!

— Инфаркт! Косит нас костлявая, износились мы, Лерка...

Он вдруг припал на ее плечо.

— Роберт! — она отпихнула его от себя.

— Да, я туттт! Чего кричишь? Думаешь, что пьян? А я не пьян! — Он посмотрел на часы. — У меня тут еще встреча деловая назначена!

— Роберт... Боб! Подумай, может ли кто-то из наших одноклассников вам мстить? За что-то такое... Не знаю... Но вспомни, — конечно, тогда это все было по-детски, — смягчила Лера, — не со зла, а так, ради самоутверждения... Но все же подумай: могли ли вы кого-то тогда так обидеть, что этот человек стал бы вам мстить спустя годы?

— Ты больная, — поднял он на нее покрасневшие глаза. — Больная. Двадцать... сколько? Двадцать четыре года спустя?!

— Неважно, сколько лет спустя! Главное, был ли такой человек? И чем вы его обидели?

— Ле-роч-ка! Иди-ка ты к черту, а? Знаешь, я тебя еще в школе не любил... И теперь, блин, не нравишься ты мне... Убирайся!

Лера посмотрела на Роберта с изумлением. Почему? Что его так задело в ней — тогда и теперь?

— Роберт, — сделала она последнюю попытку, — я пришла к тебе, чтобы предупредить о возможной опасности. Ты ведь сидел в классе прямо за Юрой и Ингой, и если я права, то и твоя очередь скоро, Роберт! Я пришла к тебе, чтобы попытаться избежать очередных смертей, понимаешь? Мне ничего от тебя не надо, я просто хочу...

— Пошла вон! — вдруг закричал он. — У меня нет времени с тобой тут лясы точить! Из Америки она приехала, блин! Распоряжается теперь! Да иди ты на х... со своей Америкой!!!

Лера молча поднялась. И тут же почувствовала его большую мягкую ладонь на своей левой ягодице. Вторую руку Роберт попытался просунуть меж ее ног.

Лера развернулась, залепила ему пощечину со всей силы и покинула квартиру Роберта.

Всю дорогу домой ее трясло. Ей хотелось позвонить Карену и сказать: и это твой лучший друг?!

Разумеется, она этого не сделает. Все взрослые люди, каждый отвечает за самого себя — и только за себя. Но боже, как же это мерзко! Мерзко, мерзко, мерзко!

И даже Данилы дома нет. И не придет. Он вознамерился пожить у какого-то друга. Он ей, Лере, видите ль, свободу предоставляет. И независимость. От себя! Нет, с ума сойти можно, они тут все какие-то чокнутые!

Хотя даже лучше, что Данилы нет. Иначе бы она не выдержала, расплакалась, а он бы снова говорил, чтобы она перестала об этом думать... И не дай бог снова бы посоветовал ей вернуться в Америку...

Может, и вправду уехать?!

...Когда Лера, погруженная в горестные размышления, отпирала дверь квартиры, ей послышался какой-то легкий шум. Она не поняла, какой именно.

Она хотела обернуться, но не успела: что-то обрушилось на нее.

Что-то тяжелое, такое тяжелое, что мозг ее взорвался ослепительными молниями, а затем погрузился в черноту.

Лера упала прямо на пороге отпертой двери и потеряла сознание.

* * *

...Казалось, что полушария мозга разламываются на две половинки, как спелый мандарин, и оранжевая боль брызжет соком из этого разлома.

Оранжевый туман в глазах все же стал понемногу рассеиваться.

Достаточно хотя бы для того, чтобы очертить глазами две фигуры, сидящие на корточках рядом с ней: одной из них был врач, о чем свидетельствовал белый халат, а второй — Данила...

Оба смотрели на нее.

— Ну, наконец-то! — произнес Данила и склонился к ней, с ласковым состраданием заглядывая в ее глаза.

— Я же вам говорил, что скоро придет в себя, — довольно хмыкнул врач.

— У меня что-то серьезное? — прошептала Лера.

— Надо рентген сделать, тогда и узнаем. Пока только огромная шишка, кровоточит немного. И сотрясение мозга, надо думать. Ну, давайте-ка в машину.

Они подставили плечи под Лерины руки и снесли ее вниз. У подъезда стояла машина «Скорой помощи». Леру положили на кушетку-носилки в фургоне, врач сел рядом с водителем, Данила возле Леры.

— Что со мной случилось, Дань?

— Я думал, что ты мне дашь ответ на этот вопрос!..

— Я не знаю. Я открывала замок, как вдруг что-то обрушилось на мою голову. Если это не землетрясение и на меня не рухнул верхний этаж, то... то кто-то меня ударил, получается... А как ты тут оказался?

— Соседка увидела тебя лежащей на пороге двери. У нее есть номер моего мобильного, она тут же позвонила. И врача вызвала.

— У тебя в квартире ничего не украли?

— Опа-на! А я не сообразил проверить. Когда тебя увидел, то знаешь... Не до того было!

Лера слабо улыбнулась.

— Моя сумочка где?

— Здесь.

— Дай мне.

Она положила ее себе на живот и открыла. Деньги оказались на месте. Документы тоже. И даже мобильный телефон, который ей дал Данила.

Они посмотрели друг другу в глаза и подумали одно и то же. Лера не сомневалась: раз все на месте, то целью была именно ее голова... И сейчас он скажет: уезжай, Лера...

Но он ничего не сказал.

И она тоже предпочла промолчать.

Обследования в больнице закончились. Череп цел, трещины нет, гематома только наружная. Надо радоваться, легко отделалась...

Врач дал ей в руки какую-то бумагу.

— На случай, если в милицию будете заявлять, — пояснил он.

— А надо? — Лера посмотрела на Данилу.

— Давай заявим...

В его голосе звучало такое сомнение, а она все еще чувствовала слабость и головокружение. Идти сейчас куда-то ей вовсе не хотелось. Хотелось лечь и выпить горячего чая...

Чай Данила принес ей на диван. Поставил возле нее небольшой поднос с чашкой, сахарницей и лимоном и сам сел рядом.

В квартире ничего не пропало, и ни одна вещица не была сдвинута со своего места, то есть в ней ничего даже не искали. Откуда, теперь уже категорически, следовало только одно: целью нападавшего была Лера. Именно она!

Данила молчал, и ей казалось, что он специально молчит, потому что единственное, что он мог

118   сказать, это «уезжай!»; но он уже знал, что она обидится, и потому молчал.

— Теперь ты веришь, что это не совпадение? — рискнула она заговорить о том, что занимало ее с тех пор, как сознание вернулось к ней.

— Лер... — откликнулся он не сразу. — Конечно же, я об этом подумал... Но, с другой стороны, какая тут связь? Тебя не убили, и у тебя не случилось инфаркта, к счастью. Только если...

— Только если это не предупреждение мне, — закончила за него Лера.

— А кто мог знать, что ты живешь у меня? Ты давала кому-нибудь мой адрес?

— Никому!

— А номер телефона?

— Только Вере... Хотя Карен видел его на своем определителе.

— А по номеру можно в интернете найти и адрес!

— И еще меня могли выследить! Сегодня я навещала Роберта, это тоже наш одноклассник... Знаешь, он очень странно себя повел. Правда, в тот момент я подумала, что он просто опьянел, но...

— Но?

— При желании он мог это изобразить... Он вдруг стал меня выгонять, гадостей наговорил...

— И ты предполагаешь, что он мог выследить тебя?

На мгновение такое предположение Лере самой показалось абсурдным. Но...

— А знаешь, когда он вдруг завелся? Когда я заговорила о том, что в прошлом, в школе, они, Компашка, могли кого-то сильно обидеть... Да! Именно в этот момент он вдруг переменился! Слышишь, Дань?! И как будто оказался пьяным... а может, он совсем им и не был! Он даже... Он даже ущипнул меня... Это для того, чтобы я поскорее ушла! Потому что не хотел говорить на эту тему! Я была права, Дань! В этом во всем что-то есть! Он хотел прекратить этот разговор, он мне сказал, чтобы я убиралась в свою Америку... А потом пошел за мной, выследил и ударил! Чтобы я сделала выводы и убралась наконец!

Данила смотрел на нее сосредоточенно, словно взвешивал каждое ее слово, проверял каждую ее догадку. И чем больше взвешивал, тем больше мрачнел.

— Да, но если ты права, Лера... и инфаркты эти имеют криминальный характер, то, выходит, этот Роберт и есть убийца?

Мурашки пробежали по спине, оставляя на коже холод. Лера уставилась на Данилу с ужасом.

— Я была сегодня у... убийцы???

— Нет, погоди. — Он провел ладонями по лицу снизу вверх, откидывая назад упавшие на лоб пряди. — Бред какой-то. Мы сочиняем кино.

— Дань, — Лера отчего-то заговорила шепотом, — но смотри, все складывается: никто не знал моего — то есть твоего — адреса, и только Роберт мог меня выследить, пойдя за мной от самой своей квартиры! И его странная реакция на те слова о Компашке... Все сходится! Кому нужно так усиленно избавляться от меня, кроме убийцы? Который понял, что я готова доискаться до истины? Это он, Роберт!!!

— Ты забыла Карена. По номеру телефона он мог узнать твой адрес.

— Но Карен, наоборот, выяснял для меня подробности у врача, у судебного эксперта, который проводил вскрытие Костика! Если бы он был убийцей, то зачем ему мне помогать?!

Голова ее, и без того страждущая, разрывалась

120 от всех этих вопросов. И неизвестно, что бы она еще напридумывала, если бы не звонок ее мобильного, донесшийся откуда-то из прихожей.

Данила сходил на звук, выудил телефон из кармана ее куртки и принес Лере на диван.

— Лера... У Боба инфаркт... — Голос Карена звучал напряженно. — Лера, я знаю, вы с ним собирались встретиться сегодня. Ты с ним встречалась, с Робертом? Он был еще жив? У него не было сердечного приступа?

— Если ты говоришь, что он был ЕЩЕ ЖИВ, то, значит...

— Да.

Голос Карена прозвучал совсем тихо.

— Карен... Прости, я тебя правильно поняла?..

— Он умер. Да. Инфаркт.

Лера сделала над собой усилие, — поскольку мысли ее забежали далеко, очень далеко, и не так-то просто было вернуть их обратно, — и ответила на заданный вопрос:

— Он был жив, когда я уходила. И никаких проблем с сердцем. Он был жив и, я бы даже сказала, весьма резв, Карик...

Данила смотрел на нее во все глаза. Что в нем было замечательно, что в нем отчаянно нравилось ей: его лицо всегда отражало его эмоции. Адекватно, как у детей.

— Роберт умер... — ответила Лера на его немой вопрос.

— Когда?!

— Сегодня, Дань... После моего ухода... Инфаркт. Инфаркт, опять инфаркт, слышишь?!

— Лер...

— Вот именно!

— Погоди... Тут вот еще что... — И с этими словами он протянул ей скомканный клочок бумаги.

— Что это?

Данила показал глазами: читай, мол!

Лера развернула клочок. *«Никакой милиции, или ты труп»* — вот что было выведено на нем крупными печатными буквами.

Данила унес поднос с чашками, вернулся и сел рядом с ней. Взял ее руки в свои, сжал. Потом поднес к губам и принялся целовать кончики ее пальцев, торчавшие из его ладоней, глядя немного исподлобья ей в глаза.

— Откуда эта записка, Дань?

— Когда я доставал сотовый из кармана твоей куртки, она выпала...

— То есть мне ее сунули в карман... Когда я была без сознания?

— По всей видимости...

Они помолчали.

— Я не возьмусь тебя убеждать, — заговорил Данила, — что было бы лучше, если бы ты уехала домой. Ты опять неправильно меня поймешь и обидишься. Но прошу, пообещай мне больше не заниматься поисками и расспросами. Ты уже большая девочка, правда? И понимаешь, что это очень опасно, да? Сегодня тебя ударили по голове, а в следующий раз что будет?

— Но как же тогда, Дань? — тихо произнесла она без протеста. — Оставить так? Я не могу... Давай тогда все же обратимся в милицию!

— А как же эта записка?

— Но не следит же за мной убийца каждый день... Он не узнает! А в милиции должны заняться этим делом! Ведь сейчас уже пять инфарктов... Плюс

122 записка с угрозой! Это должно на них произвести хоть какое-то впечатление!

— Лерка, ты безумная. Ты не знаешь, следит ли за тобой убийца. Ты не знаешь, будет ли хоть какой-то толк от милиции, в чем лично я сомневаюсь. Лера, ты не в Америке... Прошу тебя, уймись!

Он все медленно целовал ее пальчики, по одному, не сводя с нее глаз, словно каждым поцелуем ставил печать «Утверждаю», словно призывал ее согласиться.

Ей соглашаться не хотелось. Но она отдавала себе отчет в том, что Данила прав. Все слишком рискованно... Ударил ее, конечно, не Роберт, раз он умер... Следовательно, убийца бродит где-то рядом. Совсем рядом. И он знает, где она, Лера, обитает...

Надо Юре позвонить! Он обещал за два дня управиться, а два дня уже прошло!

Она осторожно вытащила ладошку из рук Данилы.

— Мне Юра обещал узнать через свои каналы, были ли замечены следы уколов на телах первых трех погибших... — словно извиняясь, проговорила она.

Данила ничего не ответил. Только немножко отодвинулся.

Юрин мобильный долго не отвечал. Лера нажимала кнопку повтора до тех пор, пока не услышала, с облегчением, его голос.

— Юра, тебе удалось узнать? — чуть не закричала она в трубку. — Я ведь жду от тебя звонка, мы договорились... А ты не звонишь!

— Дело в том, — откликнулся Юра, — что я сейчас не в Москве. Пока ничего не удалось выяснить, к сожалению. Мне пришлось срочно уехать.

— Надолго?

— Не могу сказать. Инга нуждается в лечении, я повез ее в Австрию...

— В Австрию? — опешила Лера. — Инга? С тобой?

— Она ведь моя родственница теперь, ты забыла? Я женат на ее сестре.

— Да, конечно... А что с ней?

— Она больна! — ответил Юра таким тоном, который пресекал дальнейшие расспросы.

Лера поняла намек и настаивать не стала.

— Юр, Роберт умер... И снова от инфаркта!

— Лера, я надеюсь, что ты меня поймешь: семья имеет для меня первостепенную важность, и здоровье Инги, сестры моей жены, требует моего полного участия и времени!

Иными словами, поняла Лера, Юра решительно не желал заниматься загадочными смертями их одноклассников. Проще говоря, он послал Леру и все ее изыскания к чертовой бабушке!

— Успехов в лечении... — сказала Лера и разъединилась.

Данила смотрел на нее вопросительно. Она не забыла, как он от нее отодвинулся, когда она решила позвонить Юре...

Он за нее боится. В этом все дело! Лера потянулась к нему, обняла за крепкую шею.

— Данька... — выдохнула она ему в ухо. — Данька-а-а!!!!

— Что, моя хорошая?

— Дань, вот почему убили Роберта... Я-то боялась, что следующим будет Юра, если считать по членам Компашки... Он ведь сидит пятым, а шестой — Инга. Но они сбежали! В Австрию, якобы лечиться!

— Почему ты так решила? А вдруг вправду лечиться?

Лера покачала головой.

— Дань, все может быть «вдруг»: и инфаркты вдруг, и Инга заболела вдруг... Но когда инфаркты соответствуют порядку расположения за партами Компашки, и когда этот порядок нарушается из-за «болезни»... Нет, это уже не *вдруг*!

Данила смотрел на нее довольно мрачно.

— Убийца перескочил через них, понимаешь?! И потому следующей жертвой стал Роберт... А не я, между прочим, заметь! Это означает, что убийца охотится за Компашкой! И еще это означает... Слышишь, Данила? Это означает, что Юра и Инга что-то знают!

— Да отчего же?!

— Да оттого, что сбежали!!!

— Лера!!! Я не хочу, чтобы ты играла в частного сыщика! Если ты не поверила записке, так вспомни, что тебя сегодня по голове шарахнули! Потрогай свою шишку!

— Дань, но что мне делать?! Моих одноклассников кто-то убивает, понимаешь ты? Что мне делать, скажи!

Некоторое время Данила вглядывался в нее напряженным, почти страдальческим взглядом.

— Хорошо, — произнес он наконец, — идем в милицию. Прямо сейчас!

— Но ты же сам говорил, что...

— Это пятая смерть, верно? Причем в порядке расположения Компашки за партами, так? Думаю, что этот довод припрет их к стенке... И заставит пошевелиться! Пойдем, Лер, такими делами должна заниматься милиция, а не ты!

Лера понимала: Данила пытается изо всех сил оградить ее от возможных бед. Он боится за нее. Да она и сама за себя боялась: новый удар по голове получить совсем не хотелось, прямо скажем. И записка недвусмысленно предупреждала ее об этом!

Но милиция, Данила сам сказал, не захочет вешать на себя такое сложное дело. «Висяк», так это называется, кажется...

Данила схватил ее за руку и потянул.

— Пошли, Лер, пошли в милицию!

Она поднялась с дивана и, ведомая его рукой, направилась в прихожую. Надела туфли, сняла с вешалки куртку...

— Кис! Кис! — вдруг вскричала она.

Данила невольно обернулся через плечо в поисках объекта, которому адресовалось Лерино *кискис*. Не найдя, посмотрел на нее совершенно оторопевшим взглядом, даже руку ее выпустил.

Лера рассмеялась.

— «Кис» — это *Кисанов*, Лешка Кисанов! Он теперь частный детектив! Вот кто мне нужен!

ЧАСТЬ 3

Кис

На этот раз Леша Кисанов сидел прямо напротив нее, в кабинете, за своим столом. В прошлую встречу она смотрела на него больше в профиль, за рулем машины, а сейчас отлично видела его анфас и смогла как следует разглядеть.

Лера испытывала чувство, похожее на раздвоение, обнаруживая детские черты в лице человека, ставшего давно взрослым. Она его видела одновременно маленьким пацаном и большим мужчиной, и казалось, что два среза времени наложились друг на друга, как две фотопленки, выявляя изменения.

Леша Кисанов, славный Лешка, друг детства, мой маленький рыцарь... И тебя тронуло время своей мягкой и неумолимой лапкой — вон на висках проседь, и твой мужественный подбородок обрамляют две морщины. Они тебя не портят, Лешка, — они тебе идут!

Но... раньше их не было.

И у меня раньше не было этих, пока еще незаметных, морщинок у глаз...

Время. Хронос[1]. Бог-хронофаг[2], пожирающий своих детей. Никто не сбежит от него, никто...

---

[1] Х р о н о с — в эллинистической мифологии бог времени.

[2] Х р о н о ф а г — пожиратель времени. В данном случае автор имеет в виду древнегреческого бога, дарующего время и отнимающего его у людей.

В отличие от Леры Алексей Кисанов рассматривал подругу детских лет с неостывшим изумлением. Она уехала в Штаты давно, очень давно, чуть не четверть века прошло. Уехала, как канула! Куда-то далеко и будто навсегда. Он даже вспоминать о ней перестал. И вот сидит напротив! Почти не изменилась, почти та Валерка, с которой они однажды целовались в подъезде. Чудеса! Словно вчера расстались. Словно такое большое время, как *почти четверть века*, не миновало с тех пор...

Некоторые события обладают свойством не стираться в памяти. Они просто погружаются в нее, как в вату. Так упаковывала мама после Нового года елочные игрушки: в желтоватую вату, перестеленную слоями поверх хрупких стеклянных игрушек, в большой картонной коробке. И казалось, что следующий Новый год еще не скоро — чуть не в конце жизни!

А он глядь и снова подоспел! И снова достается коробка, и извлекаются из пожелтевшей ваты елочные игрушки, такие же блестящие и нарядные, как тогда, и ничего им за год не сделалось, не потеряли они своей радостной красы!

Вот и Валерка радовала его своей непотускневшей красой. Глядя на нее, Алексей ощутил себя юным. Ну почти...

Она рассказывала — Кис делал пометки, не перебивал.

— Ну, ты же не станешь меня уверять, что все это совпадения? — с надеждой спросила Лера, закончив повествование.

— Мне не раз случалось, Валерка, выстраивать такие красивые, логичные версии, в которых при ближайшем рассмотрении события оказывались абсолютно не связанными между собой. Пока все, что ты рассказала, — в отсутствие фактов — суть домыслы. Но настораживающие, согласен. Особенно мне не нравится нападение на тебя. Оно действительно похоже на предупреждение... Вот что, Валерка: прекрати свои вылазки. Затаись! Глупо так подставляться, Данила твой прав!

— Кис... А это действительно предупреждение? Я хочу сказать, что... в смысле, что это не покушение? Меня не хотели убить, как ты считаешь? Только предупредить?

— Скорее всего. Пока больше сказать не могу, нужно сначала разведать подробности. Но если основываться на том, что ты мне рассказала, то почерк убийцы — провокация при помощи каких-то средств инфаркта. А тебя по голове огрели. Не убили, а предупредили. Тем не менее не расслабляйся. Сиди тихо! Это реальная угроза, Лера. В следующий раз с инфарктом могут обнаружить *тебя*, поняла?!

— Поняла...

— К тому же убийца — если, конечно, ударил тебя он, что еще надо установить, — знает, где ты обитаешь. Поэтому никаких лишних телодвижений. Если в голову мысль какая-то придет — звони мне, не вздумай сама ее проверять!

— А вдруг он меня выследил сегодня? — широко распахнула глаза Лера. — Тогда он знает, что я обратилась к тебе!

— Во-первых, это не страшно, во-вторых, вряд ли он предполагает, что ты после вчерашнего нападения сунешься куда-нибудь. Он уверен, что его предупреждение вполне внятное и достаточное. Иначе бы он выбрал другой способ тебя убедить... Ты сказала, что у Роберта намечалась вчера встреча после тебя?

— Во всяком случае, так сказал он. Может, это

был всего лишь предлог, чтобы выгнать меня? Или он хотел мне показать, что не пьян и вполне способен заниматься делами?

— Думаю, что действительно была назначена. Более того, с убийцей!

— Откуда ты знаешь?

— С Данилой никто не знаком, и адрес его никому не известен, верно? Значит, тебя могли только выследить. А для этого нужно было пойти за тобой. Когда ты встречалась со всеми одноклассниками, ты еще жила в гостинице. Да и повода ты не давала интересоваться тобой, поскольку свои расспросы в тот момент еще не начинала.

— Погоди... Выходит, он шел к Роберту с намерением убить его? И увидел меня, когда я от Роберта выходила? Ты это хочешь сказать?!

— Похоже, что именно так... Убийца шел к Роберту, увидел тебя и заинтересовался тобой, решил выследить. Скорей всего, он уже что-то знал о тебе, иначе бы не заинтересовался. Если исходить из твоих же гипотез, что убийцей является кто-то из ваших бывших одноклассников, то слухи о твоих подозрениях могли распространиться достаточно широко. Кому ты о них говорила?

— Карену, Юре... Роберту тоже, но он уже знал до нашей встречи о моих подозрениях от Карена... И еще Мише, старосте, но ему я совсем обтекаемо сказала!

— А «сарафанное радио» работает! Один трепанул другому, другой — третьему, и пошло-поехало. Дотекло и до того, кого твой повышенный интерес напряг...

— А как он мог меня узнать?

— Валерка, ну ты же почти не изменилась! Если следовать твоей же гипотезе, что убийцей является кто-то из ваших бывших одноклассников, то он

130 тебя легко опознал! Увидел тебя выходящей от Роберта и изменил свой план: решил сначала тебя выследить. Или даже не столько выследить, сколько напугать, чтобы ты перестала путаться под ногами. Жаль, что мы не можем исследовать теперь, чем он тебя ударил. Рану на голове врачи «Скорой» обработали: если и была какая частичка, то вряд ли сохранилась...

— А действительно, чем? — вдруг озадачилась Лера. — Ощущение было такое, что дубиной. Или кирпичом.

— С дубиной он вряд ли разгуливал по улице, кирпич оставил бы много крошек в волосах... Если он только не обернул его чем-то. Покажи-ка шишку.

Лера пригнула голову, и Алексей осторожно развел ее светлые волосы.

— Думаю, что камнем. Скорее всего, подобранным на ходу. Он ведь не ожидал тебя увидеть, его слежка за тобой была экспромтом... Ты никого не видела на лестничной площадке?

— Нет, в этом-то все и дело!

— У Данилы подъезд на кодовом замке?

— Да! Но я его сама не открывала, дверь придерживала какая-то женщина, там дети выходили, я и воспользовалась...

— А за тобой кто-нибудь вошел в подъезд?

— Не знаю. Я не обернулась, мне ни к чему. Просто пошла наверх...

— На каком этаже живет Данила?

— На четвертом.

— Лифт?

— Нет, пятиэтажка.

— Значит, твой преследователь воспользовался тем, что дверь в подъезд оказалась открыта. И отправился по лестнице вслед за тобой. И пока ты искала ключи, он тебя догнал. Случай представился весьма подходящий: вы одни, ты спиной... Можно сказать, ему повезло.

— А почему я шагов не слышала?

— Так он же шел *за тобой*, а не просто так! Отчего старался ступать бесшумно.

— А потом он вернулся к Роберту?

— Судя по всему...

— Вернулся... Может, даже извинился за опоздание... И убил его?!

— Голова у тебя варит хорошо, Валерка. Даже с шишкой, — улыбнулся Алексей. — Все, двигай домой, мне подумать надо. Обещаешь, что никуда соваться не будешь?

Лера скрепя сердце пообещала.

Уже прощаясь, Лешка вдруг поинтересовался, зачем она взялась распутывать эти смерти. Лера задумалась. А и вправду, зачем?

— Нехорошо ведь, когда людей убивают!..

— Нехорошо, — согласился Кис. — Но у большинства в таких случаях срабатывает инстинкт самосохранения, и они стараются держаться подальше от опасных ситуаций. А ты в пекло полезла! У тебя нет инстинкта самосохранения, Валерка?

— Есть, конечно. Но почему-то кажется, что со мной ничего не может случиться плохого.

— Известное заблуждение, — кивнул Алексей. — И крайне опасное. Запомни это.

— Запомню... И еще у меня это вызывает какой-то восторг. Не смерти моих одноклассников, конечно, а загадка. Тут ведь загадка, правда? Так вот, страшно хочется ее разгадать! Понимаешь?

— Еще как, — усмехнулся Алексей. — Сам такой...

* * *

Данила заметно повеселел, услышав, что Лера пообещала детективу вести себя смирно и больше никакими расспросами не заниматься. Казалось, что он избавился от огромной тяжести, которая давила его последние дни. И Лера спрашивала себя, отчего она ему не верила, отчего думала, что он хочет спровадить ее, что устал от нее, и прочие глупости, когда (и сейчас это очевидно!) он просто боялся за нее?!

Прожив двадцать с лишним лет с мужем, которого она выучила наизусть, чьи мысли и движения души она угадывала раньше, чем он осознавал их сам, Лера отчего-то думала, будто знает *мужчин*. Теперь же выяснялось, что знает она лишь собственного мужа и что другого мужчину нужно изучать заново.

Впрочем, задача изучать Данилу ей казалась весьма увлекательной...

Он привлек ее к себе, и Лера с удовольствием поддалась его рукам, прильнула, уткнувшись носом в шею, вдыхая его запах. Данила запустил пальцы в ее волосы, некоторое время ворошил их, а она терлась щекой о его бородку.

— Сегодня суббота, завтра воскресенье, почти полных два выходных, Лер! — прошептал он. — Хочешь, пойдем куда-нибудь? В кино? В театр? Погуляем в парке? Или, хочешь, махнем на море? Я возьму на работе отгулы, денька на три, хочешь?

* * *

Алексей Кисанов был несколько расстроен. Отказать Валерке, подруге детства, он не мог. Но выходные — какое сладкое слово, вы-ход-ны-е!!! — он намеревался провести с семьей, с Александрой и двумя их малышатами. И вот, нате вам, дельце выпало...

Валерка пыталась настоять на оплате, но не будет же он брать деньги с девчонки, с которой целовался на просторном лестничном пролете их общего старого дома на Смоленке! С той пацанки, которую он по праву старшинства и великодушия вел, смущенную и растерянную, под своей охраной к подъезду после того, как она разорвала трусишки на горке во дворе...

Нет, конечно. Наши добрые дела и наши чувства, пусть и давние, нас обязывают!

Саша это поймет.

Он позвонил ей и объяснил ситуацию. Пообещал управиться как можно быстрее.

И она поняла.

Она всегда его понимала...

Валерка была абсолютно права в своих сомнениях. Он бы рассудил точно так же. И нападение на нее служило весьма острой приправой к этим сомнениям. Призыв не обращаться в милицию вкупе с угрозой — расхожий штамп в таких делах. Насколько она, угроза, реальна, сейчас трудно судить, но... Вопрос: не заявлять в милицию — о чем? О нападении на Леру? Или о подозрительных инфарктах?

Алексей не знал, хорошо ли осведомлен и умен ли убийца, и может ли он понимать, что мало чем рискует, если Лера заявит о нападении. Зато вот если Лера заявит об убийствах...

Доказать их нелегко, и то если в рядовом районном отделении возьмутся. НО! Для убийцы тут есть определенный страх... Да, страх! Ведь до сих пор никто не заподозрил за этими инфарктами насильственной смерти, не уделил им пристального внимания. И если бы не Лера, так никто и никогда бы не обнаружил общий знаменатель всех смертей: школьный класс и порядок парт. Теперь же эти дела свяжутся между собой в одно, и тогда...

Тогда — даже если сейчас от доводов Леры в милиции отмахнутся, — тогда *следующее* убийство вызовет самое пристальное внимание следствия!

Вот чего боится убийца! Чтобы не связали пять смертей и чтобы не помешали ему действовать дальше!

Иначе бы не было смысла писать Лере эту записку.

Стало быть, следующее убийство он уже замышляет!

Ну что ж, хоть пока это и не проверенные домыслы, но все же логичненько так выстраивается. И первым делом следует выяснить, что за инфаркты такие приключились с пятью мужчинами, которым едва перевалило за сорок.

За годы работы частным сыщиком Алексей обзавелся нужными связями. Он мог, когда того требовало дело, попасть к разного рода экспертам, врачам, психологам и еще ко множеству других специалистов, чье мнение было бесценной помощью в его работе. И сейчас Алексей задействовал свои знакомства в среде патологоанатомов и судебных экспертов. Следовало узнать, где проводились аутопсии тел и что было зафиксировано судебно-медицинскими экспертами.

— Нет, это не срочно, — говорил он в трубку. — Это суперсрочно!

Последний труп — погибший вчера Роберт — находился еще в морге, и на нем Алексей особенно настаивал. Точнее, не на нем, а на тщательном осмотре тела в поисках следов укола и некоей субстанции в крови, которая могла бы спровоцировать остановку сердца.

Затем он запустил интернет и в окошко поиска ввел имя «Юрий Стрелков». Прочитав уйму ссылок, которыми пестрел рунет, но так и не найдя ответа на свой вопрос, он снова позвонил жене.

— Саша, няня пришла? Тогда, прошу тебя, выкрой полчасика, мне нужна твоя помощь... Есть такой депутат Юрий Стрелков. Разузнай у коллег, не намечаются ли какие-то изменения в его карьере. В интернете ничего нет, или мне не повезло, но, скорей всего, никаких официальных заявлений пока не сделано. Только ваша журналистская братия могла успеть пронюхать. Если там вообще что-то есть, конечно...

В отличие от Валерки Кис никогда не ограничивался одной гипотезой. И сейчас он вполне допускал, что Юра Стрелков, как сказала Лера, решил *смыться*. Однако совсем необязательно потому, что боялся стать следующей жертвой. Но потому, что все убийства могли оказаться делом его рук!

— Я тебе сразу скажу, — усмехнулась она. — Он создает новую партию. Свою.

Ну конечно, она ведь журналистка! И хоть не занимается напрямую политикой, — Александра писала обычно проблемно-аналитические статьи об общественных недугах, — но, разумеется, была в курсе множества вещей.

— Интересно, а как ты угадал, что в его карьере должны случиться перемены? Ты переквалифицировался в ясновидящие?

— Нет, я скромный, я только в ясномыслящие пока мечу, — улыбнулся Алексей. — Ход мысли у меня простой. Я тебе уже говорил, что одноклассники Леры умирают от загадочных инфарктов, за которыми стоят, похоже, убийства. Понятно, что в школе приключилось некое неприглядное происшествие. И сегодняшние убийства могут объясняться либо местью, либо стремлением убрать свидетелей. Я проверяю в данный момент вторую версию. Но отчего убийца прождал столько лет? Единственным логичным ответом будет такой: оттого, что он, собственно, ничего не ждал. Он испугался *только сейчас*! И испугался потому, что находится в преддверии каких-то событий, которые вознесут его на новую ступень карьеры. Выставят его на всеобщее обозрение. И теперь он опасается, что все участники давнего происшествия в школе могут поддаться искушению и вывалять его в грязи, чем поломают ему все честолюбивые планы. А то и шантажировать начать. Сама знаешь, любителей попакостить из зависти или поживиться за чужой счет у нас предостаточно. Ну вот, а на роль такого человека подходит только Стрелков.

— Когда ты объясняешь, все выглядит так просто!

— Логика вообще простая вещь.

— Ага. Особенно когда ею владеешь, — усмехнулась Саша. — У тебя еще много работы, Алеш?

— На сегодня все, уже еду домой!

Позднее отцовство сделало Алексея словно зорче. Беря на руки двух малышей, их близнецов, он не то что чувствовал, а едва ли не воочию видел, как очерчивается светлый круг, который включает в себя их четверых, прочно соединяя их и в то же время обосабливая от мира. Они сами были маленьким миром, радостным и наполненным любовью.

Раньше ему казалось, что ничего не может быть сильнее той любви, которая связывала его с Сашей.

Просто потому, что сильнее не бывает, ну дальше некуда, в природе не существует.

А оказалось, что существует. Когда любимая женщина — мать твоих детей. Эта любовь оказалась настолько мощной, что иногда бывала нестерпимой, как боль. М-да...

Так или примерно так размышлял Алексей по дороге домой. Ответов на свои запросы по инфарктам он скоро не ждал — вольно ему было взывать, что дело «суперсрочное», у нас срочно ничего не делается... Да к тому же сегодня суббота. Он и сам по выходным старался не работать — с тех пор, как они с Александрой поженились и стали жить вместе, он их яростно охранял, свои выходные. Свою *семейную* жизнь. Стаж ее был совсем крошечным, еще и года не прошло, но она многое изменила в его понимании вещей...

* * *

Ход его мыслей был прерван телефонным звонком. Вопреки его благодушно-скептическим рассуждениям, что ничего в Расее-матушке *срочно* не делается, звонила врач-патологоанатом, его приятельница, к помощи которой прибегнул Кис всего час назад с просьбой узнать заключение о вскрытии Роберта.

Как выяснила приятельница, судебный эксперт, проводивший вскрытие тела Роберта, обратил внимание на след укола в локтевой сгиб. В крови, однако, никаких субстанций не обнаружено. Тем не менее врач, озадаченный свежим следом от укола, заново исследовал тело покойного, умершего от инфаркта, и нашел два небольших пятнышка на затылке, похожих на ожоги. Точно квалифицировать их он затрудняется...

Зато Кис, кажется, не затруднился бы! У него сразу мелькнула мысль о том, чему могут соответствовать два маленьких пятнышка!

— Можешь договориться, чтобы я прямо сейчас в морг подъехал? — попросил он приятельницу.

Она обещала, и Алексей снова позвонил Александре, чтобы сказать, что едет он, увы, не домой...

Судебно-медицинский эксперт оказался весьма красивой молодой женщиной, которой так не шел морг. Специфический фартук (в пятнах крови) перетягивал потрясающе тонкую талию, а над воротником халата царила длинная гибкая шея, увенчанная изящной гордой головкой.

— Это обо мне вам говорили. Алексей Кисанов, — представился он.

— Я поняла. Мила.

Она улыбнулась, и Кис хотел было протянуть руку, но вовремя увидел, что она в резиновых перчатках. Так что процедуру знакомства пришлось свести к минимуму.

Они прошли в зал, и Мила откинула простыню с тела Роберта.

— Вот, смотрите!

Она повернула тело на бок и указала на заднюю часть головы. Алексей склонился, рассмотрел два крошечных красновато-коричневых пятнышка в нижней части затылка, чуть смещенных вправо.

— Действовал правша, — констатировал он. — Электрошокером.

— Электрошокером?

— Это аппарат для самообороны — во всяком случае, так он позиционируется на рынке, хотя прекрасно служит и для нападения. Посылает разряд тока в тело жертвы, парализуя его на время от одной минуты до тридцати...

Врач посмотрела на него с уважением. Может, оттого, что его знания превосходили ее собственные.

— Вы не можете ошибаться? — на всякий случай уточнила она.

— Видите ли, Мила... Поскольку я детектив *частный* и не располагаю всякими службами, как наша доблестная милиция, то мне приходится обычно во все вникать самостоятельно. Со следами электрошокера мне приходилось сталкиваться в практике, и должен вам сказать, что они весьма характерны. Так что ошибка маловероятна. Вы сделали анализ тканей вокруг этих ожогов?

— Да. Они получены при жизни и за некоторое время до смерти. Количество лейкоцитов на это указывает.

— Отлично! Это очень важно.

— Но я... Простите, я не сталкивалась... О чем это говорит?

— О том, что человек получил электрический разряд и оказался вырублен на некоторое время.

— И?

— И... Вы, как я понял, нашли след от укола?

— Смотрите. Вот он.

— Свежий?

— Да, получен незадолго до смерти...

— Раньше или позже, чем ожоги?

— Это трудно установить.

— Хорошо. У нас есть укол. Какие выводы?

— О том, что был произведен укол, — пожала плечами очаровательная докторша. — Но в крови я не обнаружила никакой подозрительной субстанции! Возможно, он просто сдавал кровь на анализ в этот день?

Она была совсем молоденькой, недавно со студенческой скамьи, наверное, поэтому на нее скидывали субботние дежурства. И поэтому она была так добросовестна. И так неопытна.

— Мила, вы сказали, что укол был сделан незадолго до смерти, так? А в лабораториях, как правило, берут кровь по утрам. Тогда как время наступления смерти может быть никак не раньше...

Алексей мысленно прикинул: Лера встречалась с Робертом в пять. Пробыла она у него примерно полчаса. Если догадки детектива верны, то убийца увидел Леру выходящей от Роберта, что переменило его планы, и он отправился за Лерой следить. Ударил ее по голове, затем вернулся к Роберту... Это еще примерно два часа.

— Никак не раньше половины восьмого вечера, верно?

— Верно! А откуда вы знаете?!

— Работа моя такая, знать. Так что из вены ничего у этого человека не брали, наоборот, в вену что-то ввели. Что, как я думаю, помогло случиться инфаркту. Например, дигиталин, следов которого уже не осталось в крови.

Мила кивнула: это она в институте проходила.

— Но зачем тогда убийца — если действовал, конечно, убийца, как вы говорите, — применил электрошок?

— Скажите, легко ли сделать укол в вену?

— Если есть навык, то нетрудно.

— Допустим, навык есть. Но нужно сначала резиновым жгутом руку перетянуть, так? Затем попасть иглой в вену. А дальше на поршень шприца надавить и ввести некую субстанцию... Это же не секундное дело?

— Нет. Несколько секунд займет.

— А жертва этого укола, она же сопротивляться

будет? Мужчина крупный, — кивнул сыщик на тело Роберта, — он бы не дался! Он бы попытался как-то нейтрализовать убийцу! Следы борьбы есть?

— Нет. Под ногтями чисто, синяков, царапин и иных повреждений не наблюдается.

— Тогда, Мила, нам остается сделать один вывод: человек не сопротивлялся уколу! Стало быть, его нейтрализовали *сначала*. При помощи электрошокера.

— Логично!

Кис усмехнулся. Он почитал себя мастером логики, и практика подтверждала это, отчего комплименты по поводу *логичности* в свой адрес воспринимал с некоторым умилением, как хохму. Типа того, что яйца выставляют оценки курице.

— Логично, — согласился он вслух с хорошенькой докторшей. — Надеюсь, что вы запишете в отчете о вскрытии ваши соображения? — Детектив великодушно сделал ударение на слове «ваши». — Значит, так: некто применил электрошокер, чтобы нейтрализовать возможное сопротивление жертвы. После чего сделал укол. И содержимое шприца вызвало смерть.

— Да, но как же... Я ведь ничего не нашла в крови!

— Поищите еще, Мила! Мало ли. На основании вашего отчета я постараюсь устроить так, чтобы по поводу этой смерти было начато следствие, и тогда этим трупом займутся более опытные криминальные эксперты. Но если вы заинтересованы в своей карьере, то у вас есть день-два, пока я не обернусь, чтобы найти эту причину *самой*. Я не спец, подсказать вам не могу, что искать и где. Но ясно одно: причина криминальная. Инфаркт чем-то спровоцирован, и свидетельство тому — укол! Ищите, Мила!

Алексей старательно подстегивал профессиональное самолюбие молоденькой докторши: он прекрасно отдавал себе отчет, что без ее заключения, в котором хоть как-то могло прозвучать подозрение на убийство, тело просто уйдет к родственникам. Роберта похоронят, ищи-свищи потом доказательства!

— Я постараюсь, — пообещала ему Мила.

От нее Алексей вышел в некоторой задумчивости. Речь шла о последнем из пяти умерших одноклассников Валерки, и даже если Мила сумеет точно установить причину смерти, — криминальную причину! — то это будет всего лишь *один* криминальный труп. Но тогда, чтобы от одного случая дойти *до цепочки* убийств, потребуется эксгумация. И для нее нужны веские причины, очень веские!

Строго говоря, этот отдельный случай вполне достаточен для того, чтобы заподозрить все пять смертей Лериных одноклассников в неслучайности. Для него, частного детектива! Но не для неповоротливой машины под названием «правоохранительные органы».

А для нее у нас пока на руках ничего нет. Смерть не могла наступить от электрошокера — он не орудие убийства, и два точечных ожога не являются способом убийства. И след от укола всего лишь след от укола, где шприц не есть орудие убийства и не способ убийства, если не доказано, что в вену введено смертельное вещество!

Найдет ли его Мила?

* * *

Остаток субботы он провел с Александрой и малышами, дав себе полвыходного и стараясь выбросить из головы мысли о деле. Но с утра в воскресенье снова поехал на Смоленку, в старую свою квартиру, где располагался его офис. Там, в кабинете у компьютера, ему привычно хорошо думалось.

Ритуально сделал рокировку на рабочем столе: нехилую кружку с кофе — направо, пепельницу, — налево (чтоб не перепутать и не стряхнуть пепел в кофеек), включил свой компьютер, закинул ноги на соседнее кресло, а руки — за голову. Как ни ворчал он, как ни посылал жалобы к равнодушным небесам на собачью эту работу, а любил он ее, работу эту! Паскудную, отнимающую уйму времени и нередко душевных сил, да, но любил!

Компьютер изволил наконец загрузиться. Подумав в очередной раз, что нужно почистить стартовые файлы — или приставить к этому делу Ваню, бывшего своего ассистента, — Кис открыл папку, которую завел вчера, после разговора с Лерой. Тут находились его заметки по следам вчерашнего разговора и сканированные фотографии ее класса.

Перечитал и вновь подтвердил свое вчерашнее впечатление: Лера права! Шанс на то, что смерти, соответствующие порядку парт в выпускном классе, не имеют под собой ничего общего, почти равен нулю.

Слово «почти» Алексей вывел за скобки, поставил его, так сказать, в «спящий режим». Мало ли что, может, придется к нему и вернуться! В его практике случалось иногда, что совпадения, даже настораживающие, оставались всего лишь совпадениями, при этом логика, как заклятый враг, выстраивала на них красивую теорию. Красивую и насквозь ложную, которая годилась потом разве для мусорной корзинки Windows.

Но пока он соглашался с рассуждениями Валерки, что дело нечисто. Кто-то помогал бывшим одноклассникам умереть от инфаркта. Да приплюсуем к этому факт нападения на Леру, который довольно внятно читался как предупреждение.

Вариантов здесь — в этом он тоже соглашался с Валеркой — могло быть два: либо убийца изводит одноклассников по принципу их *местоположения за партами*, либо по принципу их *принадлежности к Компашке*.

Но если бы принцип заключался именно в порядке размещения за партами, то следующей жертвой стала бы Валерка, сидящая сразу за Костей, четвертой жертвой. И физическая возможность для этого имелась: Леру выследили. Однако ее не убили, а ударили: дали понять, чтобы не мешалась под ногами.

Следующей же жертвой стал Роберт. Он тоже входил в Компашку. Сидел он, правда, в среднем ряду, сразу за Юрой и Ингой, но они свалили за границу. Что надо проверить, к слову! У Юры имелся прямой и конкретный мотив, и детектив не удивится, если обнаружит, что «заграница» окажется ложью, а на самом деле Стрелков притаился где-то и торопливо убирает намеченные жертвы, пока его никто не прижучил! И, между прочим, в этом случае инфаркт по вполне понятным причинам обошел самого Юру. Равно как Ингу, бывшую его подружку, а ныне сестру жены... как там? Свояченицу, что ли?

Более того, Лера встречалась с Юрой и, без сомнения, насторожила его! До сих пор все убийства прошли как по маслу, никто не заподозрил за «естественной» смертью криминальную. Если бы не приезд Валерки и не ее жажда разыскать бывших одноклассников, никто бы никогда не свел разрозненные факты воедино и не задумался над ними!

И еще деталька: Юра точно знал, что Лера пытается что-то расследовать! Кроме него, знали староста, Карен... И все, кажется. А они даже не из Компашки. Так что угрожать Лере была и причина, и прямой интерес именно у Юры! Только если он в самом деле не уехал.

Посему первым делом следует установить, не фикция ли отъезд Стрелкова! А там уж будем крутить в уме другие версии...

Алексей раскрыл записную книжку, нашел заветный телефончик одной очень милой особы, работающей в Шереметьево-2. Ему уже случалось просить ее о помощи, и она охотно откликалась, тем более что детектив никогда не забывал выразить свою благодарность в каком-нибудь пустячке типа французских духов, купленных непременно во Франции — другим девушка не доверяла.

— Юрий Стрелков и Инга Арефьева. Когда туда и когда обратно?

Милая особа обещала разузнать, и детектив со спокойной душой вернулся к своим размышлениям.

Итак, со смертью Роберта становится очевидно: инфаркты косили членов Компашки по порядку их местоположения за партами!

И тогда — если пока оставить в стороне версию с Юрой Стрелковым в роли злодея — убийцу нужно искать среди тех людей, которым Компашка досадила. То есть разматывать версию мести. Уж почему он взялся сводить счеты спустя двадцать четыре года, другой вопрос. Психических отклонений так много в этом мире. Куда больше, чем представляет себе рядовой обыватель, увы!

Тем не менее на почерк маньяка это не похоже. Здесь криминальные смерти маскировались под естественные, под инфаркты. Маньяк же никогда не маскирует свои убийства. Наоборот, он их афиши-

146 рует. Он оставляет знаки, он заявляет о себе! Он дорожит своим авторством и жаждет признания.

Что же случилось такого в школьные годы, что кто-то решил извести Компашку двадцать четыре года спустя?!

Лера сказала, что не имеет ни малейшего представления. Кис ей, безусловно, верил. Если бы имела представление, то либо не стала к нему обращаться, не желая разглашать секрет, либо сказала бы правду. Но тогда с какой стороны потянуть за ниточку? И где она, эта ниточка?

Он открыл на экране фотографии выпускного класса. Чистенькие, опрятненькие семнадцатилетние ребятки. Все лица кажутся наивными, даже презрительный прищур Юры и высокомерная усмешка Инги. Детские игры! Теперь, с высоты возраста, они видны как на ладони. Меж тем среди этих лиц и нужно искать убийцу, на совести которого уже пять смертей.

Алексея серьезно занимал вопрос: можно ли вычитать в лице убийцы его сущность? После последнего его громкого дела с маньяком[1], — когда он смотрел в *совершенно нормальное лицо* человека, готового безжалостно отправить на тот свет немало душ, — Кис спрашивал и вопрошал: можно ли *заранее* прочитать на лице отклонения? После того дела он жадно выискивал материалы об убийцах — те, в которых имелись фотографии, — и вглядывался в них в надежде опознать фатальные черты.

Что ж, в некоторых они имелись. Если не прямо кричащие «убийца!», то хотя бы свидетельствующие о нездоровой душе. Лично он бы, Алексей Кисанов,

---

[1] См. роман Татьяны Гармаш-Роффе «13 способов ненавидеть», издательство «Эксмо».

с такими лицами ни за что не стал бы иметь дела. А вот иные — стали. Сначала иметь дело стали, потом жертвами стали... Потому что никто не учит нас читать по лицам.

Но ведь не все лица выдавали убийцу, далеко не все! Некоторые были совсем нормальны, некоторые даже приятны.

Алексея это приводило в отчаяние. Он пустился читать материалы по физиогномике, но то, что ему попалось, его не удовлетворило. Одни утверждения и без всякой теории были очевидны, другие сомнительны, третьи просто глупость. Нет, не порадовала его эта наука.

Вот и сейчас, рассматривая детские лица, Кис пытался опознать в них будущего убийцу. И не мог!!!

На следующей парте за Юрой и Ингой, рядом с Робертом, сидела девочка, которая, по словам Леры, в Компашку не входила. Учителя рассадили шебутных учеников по принципу, ведомому им одним, главное, поближе к учительскому столу. Зато в ряду у стенки сидел на первой парте еще один мальчик из элиты — Лера пометила жирной красной точкой каждое лицо, относящееся к Компашке. Звали его Максим Фриман. Он — следующая жертва?

Навестить его? Если какой грешок был, он вряд ли скажет... Люди не любят чувствовать себя виноватыми и стараются забыть — или оправдать — свои поступки.

Можно предпринять и другой ход: встретиться с Кареном. Но похоже, что он отошел от Компашки еще в девятом классе и не знает ничего... Следует ли из этого, что некие события случились в десятом классе? Когда Карен уже не состоял в клане Юры

Стрелкова? Или все же в девятом, а Карен морочит Лере голову?

Кис снова уставился на фотографию — на этот раз за девятый класс, — отыскал Карена: он сидел тогда рядом с Робертом, тогда как в десятом сидел с какой-то девочкой на предпоследней парте. Значит, сказал правду?

Кис принялся просматривать другие фотографии за десятый класс. Их было несколько: три, на которых зафиксированы ученики за партами; одна торжественная, выпускная, на память, где каждое лицо было заключено в овал — полет дизайнерской мысли! Да несколько снимков с выпускного бала.

Выпускной бал ничем не заинтересовал детектива, он разве только улыбнулся, увидев сияющую от счастья Валеркину мордаху. Овальное художество тоже не представляло для него ценности. Другое дело снимки, на которых ученики были запечатлены за партами!

Они были разными: две первые — цветные, тогда как самая последняя, на которой внизу были указаны фамилии всех учеников в порядке парт, — черно-белая. Нет сомнения, она сделана школьным фотографом. А вот две другие...

Кис открыл на экране первую из них. Это был любительский снимок — форматом меньше, чем стандартно-торжественная черно-белая, сделанная школой. Качество довольно низкое. Скорее всего, снимал кто-то из родителей. Причем из родителей Компашки. Цветные фото тогда были не то чтобы редкостью, но все же и не правилом. Цена цветной пленки «кусалась» в те годы. В принципе, можно было бы предположить, что кто-то из учеников — из элиты — сделал этот снимок, но за партами не имелось пустых мест.

Минуточку, минуточку... А ведь на черно-белой

два места в классе пустовали! Хм... Глянем на вторую цветную... Ага, здесь тоже два места свободны! Кого же это у нас не хватает? И почему?

Он распечатал фотографии, положил их перед собой, вооружился фломастером и принялся играть в детскую игру «Найди различия». И вскоре с задачкой справился: по сравнению с первой цветной фотографией не хватало одного мальчика и одной девочки. По «художественному» фото, где снизу были указаны имена всех учеников, он установил, что мальчика звали Зиновий Шапкин, а девочку — Люда Козлова.

Кроме того, и на второй цветной фотографии, где эти двое уже отсутствовали, школьники сидели в том же порядке, что и на последней, черно-белой. В том самом, который соответствует порядку смертей. А вот на первом цветном снимке — иначе.

Означало ли это что-нибудь? Содержало ли в себе намек на какое-то событие? Связаны ли между собой эти два факта: уход двух учеников из класса и пересадка за партами? Причем нужно учитывать, что, по словам Леры, пересадка была вызвана поведением Компашки: достали они учителей, как она выразилась.

Но она могла не знать, *насколько* достали...

В мозгу детектива немедленно связались эти два факта и выстроилась если не версия, то ее завязка: Компашка третировала этих двоих ребят, довела их до ухода из класса (или вообще из школы?), после чего нервы учителей не выдержали. И Компашку рассадили иначе, поближе к учительскому столу, в качестве дисциплинарной меры.

Но Алексей понимал, что пока это не более чем его домыслы. Все следовало проверить, каждый пункт! Действительно ли доводили этих учеников? Куда они ушли? Совпадает ли по времени дисциплинарная мера в виде пересадки за партами с уходом этих ребят? А то, может, у них просто родители переехали на новое место жительства, а он тут уже горы нагородил...

Он посмотрел на часы: за полдень перевалило. Леру он вряд ли разбудит в такое время, даже в выходной.

Рука его уже потянулась к телефону, как вдруг он передумал. Нужно еще повнимательнее изучить фотографии. Возможно, возникнут новые вопросы, не звонить же каждые полчаса Валерке! Тем более что сам он ей строго-настрого велел больше не заниматься сыщицкой деятельностью.

Нет, сначала выжмем максимум из этих фотографий! А потом уж примемся задавать вопросики.

Итак, главный на данный момент вопрос: связаны ли между собой эти два факта: уход двух человек из класса и пересадка учеников?

Вопрос очень даже правомерный и правильный, но тут суперважна хронология событий, а у Алексея ее не имелось... Подскажут ли ее фотографии?

Черно-белый снимок, сделанный школьным фотографом... Обычно такие фотографии делаются в конце учебного года. Надо будет проверить, но пока можно принять за отправную точку, что это последняя по времени фотография за десятый класс. А эти, цветные, сделаны, скорее всего, в течение учебного года.

Алексей снова открыл снимки на экране, увеличил. Ничто в одежде учеников не указывало на время года. Тогда все носили одинаковую школьную форму в любой сезон, за исключением праздников и жарких месяцев.

Хотя...

В первое цветное фото попала часть окна, а за ним угадывались ветки дерева, еще с листвой. Кроме того, на снимке имелась учительница, платье которой можно было назвать скорее легким. Это ничего не доказывало — она могла прийти в теплом пальто, к примеру, — но в сочетании с листвой выходило, что фото сделано никак не позднее начала октября. По той простой причине, что позже деревья выглядят голыми.

Зато на втором цветном снимке ветки дерева за окном были голыми. Поздняя осень, зима или ранняя весна — неизвестно. Учительницы на нем не имелось, отчего и дополнительной подсказки не имелось.

Но ясно одно: к началу октября класс еще состоял из тридцати учеников, о чем свидетельствовало первое цветное фото, и раньше, чем распустились деревья, класс уменьшился на двух учеников. И в этот же отрезок времени ребят пересадили, о чем свидетельствовало второе цветное фото.

Интересно, можно ли разыскать учителей школы? Да существует ли еще сама школа? Нужно это выяснить!

Он все же позвонил Лере на мобильный. Задал несколько занимающих его вопросов.

Хех, втуне...

Голос ее был рассеянным. Судя по фону, она находилась в каком-то шумном месте.

— Лешка, я так, по памяти, не скажу... Перезвоню тебе вечером, можно?

Нет, вы видели? Как будто это ему нужно! Он жертвует своим драгоценным выходным, занимается ее, Валеркиным, делом, а она уже расслабилась и развлекается!

«Эй, — сказал он себе, — эй! Ты за дело взялся? — Взялся!

Ты так сам решил? — Сам!

Ты Валерку просил не встревать? — Просил!

Чего теперь возникаешь? Чем недоволен? Что Валерка расслабилась? Так это нормально. Она передоверила это дело тебе. И теперь у нее чувство, что гора с плеч. Это потому, что ты ее гору взял на свои. Но ведь взял же? САМ!

Так теперь не ворчи!»

Кис еще до вечера прокручивал в уме оба варианта: месть кого-то из обиженных Компашкой, — либо уничтожение свидетелей. Причем второй вариант указывал почти однозначно на Юру Стрелкова. Тогда как первый оставлял невспаханное поле догадок.

Версия с Юрой была практически безупречной. Он ныне метит высоко, и весьма! Он откололся от партии, в которой еще недавно состоял, играя в ней не последнюю роль, создав новую, свою! И он тоже может в предчувствии своего нового взлета и новой — на порядок большей! — публичности, когда он окажется под массированным прицелом прессы, нынче убирать свидетелей грехов ранней юности.

Надо сказать, что в таком раскладе грехи должны быть особо неприглядными.

Дело за малым: доказать, что Стрелков никуда не уехал.

Ну что ж, осталось подождать до завтра.

Если же это не Юра, то туго придется детективу. В обоих вариантах вырисовывалось некое происшествие, которое было одинаково невыносимо вспоминать как для пострадавшего (который нынче мстит), так и для обидчика (который нынче избавляется от свидетелей). Но о подобном событии никто, никто не станет рассказывать, вот в чем фокус! Не говоря уж о том, что пятеро его участников мертвы...

И как же это событие обнаружить? Как?!

* * *

Лера прорезалась только в понедельник утром.

— Лешка, я не забыла, честно! Я позвоню сегодня нашему старосте, он наверняка помнит подробности! Или, хочешь, я дам тебе его телефон и предупрежу о твоем звонке?

Голос ее был полон ленивой неги. Со всей очевидностью, мысли ее витали далеко от тех происшествий, которые волновали ее столь недавно...

Алексей выбрал последний вариант. Записав номер бывшего старосты класса, Миши Пархоменко, он тут же созвонился с ним и, не откладывая дела в долгий ящик, условился о встрече.

Время, которое оставалось до встречи со старостой, Алексей посвятил разговорам с судебными экспертами.

Первый звонок был Миле.

— Я ничего не нашла... — с сожалением проговорила она. — Проделала кучу анализов, но никаких посторонних субстанций в крови Роберта не обнаружила...

Не обнаружила так не обнаружила. Ничего не попишешь.

Второй звонок Алексея потревожил его давнего и надежного советчика, еще со времен Петровки, который по роду деятельности был судебно-медицинским экспертом, а по призванию — философом. Дмитрий Львович давно вышел на пенсию, но Кис знал, что на его знания и опыт можно полностью положиться.

Говорить с ним по телефону о деле было бы неуважением. Дмитрий Львович не принял бы ни денег, ни подарка за свои советы, и минимум вежливости и почтения к нему Алексей мог выказать лишь самоличным визитом, даже если вопрос был на две минуты.

К счастью, Дмитрий Львович оказался свободен и согласился уделить сыщику «две минуты». Алексей купил в булочной ванильные сухарики, которые старый судебный эксперт всегда любил, и отправился в гости.

Разумеется, «две минуты» — это две минуты о деле, но беседа со старым судебным медиком имела свой ритуал, куда более долгий, и ему необходимо было следовать.

Алексей не часто беспокоил его своими вопросами, а стало быть, не часто с ним и виделся. И теперь ему предстояло дать подробный отчет обо всей своей жизни, протекшей со времени их последней встречи.

— Женился? Это дело хорошее! — говорил Дмитрий Львович, обмакивая ванильный сухарик в чай. — А помнишь, я всегда говорил тебе, Леша: такого парня, как ты, бабы на руках носить должны! А ты все спорил со мной!

— Да я не спорил.

— Ну, не верил... А я тебе говорил: найдется та, которая тебя оценит так, как ты того достоин. А ты ведь не верил, признай!

— Было дело, — соглашался Кис.

— А видишь, прав я оказался... И деток у вас двое, ты сказал?

— Двое, близнецы. Мальчик и девочка.

— Еще парочку нужно!

Алексей не возражал. Пустое это дело, он давно усвоил, — возражать Дмитрию Львовичу.

— Я через эти вот руки, — Дмитрий Львович вытянул вперед кисти, которые, постарев, не потеряли своей красоты: крупные, сильные ладони с длинными и мощными пальцами, — столько смертей пропустил! Столько детей безвинных, столько женщин красивых в детородном возрасте, которые могли бы украсить население Земли своим потомством... Никто так не чувствует таинство жизни, чтоб ты знал, как прозектор! Вскрывая человеческое тело, ты постигаешь его совершенство! Знаешь, Леша, если б я, когда молодой был, понимал то, что понял только с долгим опытом, я бы сам не меньше чем с пяток деток в этот мир пустил... Надо его восстанавливать, чинить его надо! Но я тогда не знал, и одну только мы с супругой моей дочь родили... Неправильно это! Ты, Леша, пока молодой, делай детей! У тебя хорошее потомство будет, твои гены!

«Молодой». Алексей, которому перевалило за сорок пять, для ударного плана по деторождению полагал свой возраст не самым подходящим.

...Прошло с полчаса, не меньше, прежде чем Дмитрий Львович позволил Алексею заговорить о деле. Сыщик изложил суть вопроса: что может выглядеть похоже на инфаркт, естественную смерть, но при этом быть спровоцировано чем-то?

Дмитрий Львович с ходу выдал перечень веществ — Алексей едва поспевал записывать, — которые могут очень быстро разлагаться в крови, через час-два.

— Обычные растительные яды, способные вызывать паралич мышц, — в том числе и сердечной мышцы, — отпадают. Экзотические яды тоже отпадают. Их следы остаются в крови, в тканях, в печени. С другой стороны, добыть их не так-то просто! Хотя и кардиостимуляторы, убийственные в больших дозах, достать непросто! Ты бы с этой стороны поискал, Леша: со стороны связей с аптеками. У кого из твоих подозреваемых имеются такие связи?

— Дмитрий Львович, в нынешнее время не нужны связи — дал взятку и получил то, что нужно! И предлог благовидный найдут: мол, рецепта нет, некогда к врачу сходить за ним, сделайте любезность, выручите...

— А вот еще, Леша, — задумчиво проговорил Дмитрий Львович, — вот какой финт мог убийца твой учинить: ввести в вену воздух. Пузырь воздуха блокирует легочную артерию и вызывает картину, весьма похожую на инфаркт! В городском морге вскрытие делали, говоришь?

— В городском.

— Там судмедэксперты, конечно, да не те! Не наша братия, на криминал натасканная! Могли и пропустить.

— А на такой случай, если вдруг «пузырь воздуха», не существует разве стандартной процедуры исследования?

— Существует, как не существовать! Водой надо залить грудную клетку и, прежде чем резать, прокол сделать... Потому как если разрежешь, так пузырь уйдет, а потом искать поздно... Но так то ж теория! В рядовом городском морге из трупов очередь, родственники нажимают, начальство прижимает, холодильников не хватает. Да в основном у них идет бытовуха или мирные смерти, приключившиеся дома. Не до процедуры им! Получили труп с подозрением на инфаркт — ну и никаких лишних мыслей. И никаких лишних процедур. Сколько я желчи изводил, бывало, когда мы забирали труп из городского морга...

Дмитрий Львович пустился в воспоминания. Алексею пришлось прервать старого эксперта: время поджимало, пора было ехать на встречу со старостой.

...Михаил Пархоменко оказался жизнерадостным староватым мальчиком. Кис вспомнил старую игрушку: гуттаперчевую рожицу, у которой сзади имелись четыре отверстия, чтобы вставить пальцы и затем, шевеля ими, придавать рожице различные выражения. Об этом он думал, глядя на Мишу, бывшего старосту.

Выслушав серию искренних соболезнований умершим, обойму бодрых фраз о готовности сотрудничать со следствием в лице Алексея Кисанова и вязанку пространных пафосных рассуждений о падении нравов, Алексей наконец достал фотографии.

— Михаил, где-то в середине года ваши учителя пересадили учеников вашего класса... С чем это связано? Кто принял это решение? Директор? Классный руководитель?

— Уже не помню. Осерчали наши учителя, довела их Компашка, — вот и пересадили!

Алексей рассчитывал на более конкретный ответ, но да делать нечего. Он указал пальцем на два лица:

— Что вы знаете об этих учениках? Почему они ушли из вашего класса?

— Людочка Козлова... Ее семья переехала в другой район. Хорошая девочка, отличницей была.

— А вот этот, Зиновий Шапкин?

— Зина... Мы его так все звали... А что, вы действительно подозреваете, что кто-то из наших бывших одноклассников мстит сегодня за старые обиды? И что эти смерти не случайны?!

— Я пока ничего не подозреваю. Просто собираю информацию. Так что насчет Зины?

— Не знаю, куда он исчез... Или не помню?

Миша посмотрел на детектива так, словно тот мог ему дать подсказку. Его ожидания, естественно, не оправдались, и Миша, чуть подумав, продолжил:

— Над ним немного издевались в классе. В смысле, Компашка наша издевалась. Но, по-моему, ничего такого особо обидного. Он мальчишка был самолюбивый, вечно что-то пытался вякнуть поперек Юрки Стрелкова. Но не получалось у него. Шика не хватало, блеска. Так, жалкое гавканье. «Ай моська, знать она сильна, что лает на слона!» Понимаете, о чем я?

— Понимаю. А что значит «издевалась»?

— Ну, срезали его, когда он высказывался на уроках.

— Били?

— Нет, что вы, они же все интеллектуалы у нас, из Компашки! Рук никогда не распускали. Да и вообще у нас директор держала всех в кулаке. Драк не было почти совсем. А если случались, то ЧП! Сразу к директору на ковер и угроза исключения. А школа наша на хорошем счету была, за нее многие держались. Ой, вспомнил! Зину вроде из школы исключили. Такой слух ходил.

— За что?

— А вот не знаю. Учителя ничего не говорили.

— Ну, может, морду набил кому-то? Разве за это исключали?

— Зина? Да куда ему, смотрите, — староста ткнул пальцем в фотографию, которую принес с собой на встречу детектив, — какой щуплый... Нет, драчуном он не был. Он все пытался умом блеснуть, но очень, как бы сказать, настырно, что ли... Все время лез вперед. Да и ума не особо у него водилось. Вроде и не дурак, но и не то чтоб умный... Зануда, одно слово, знаете таких? Если кто-то его соглашался слушать, то он немедленно распускал хвост и начинал критиковать современное прогнившее общество номенклатуры — слышал звон, что называется. Тогда это словечко гуляло по «левым»... Причем он недвусмысленно намекал на ребят из нашего класса как на его самых типичных и ничтожных представителей.

— И как реагировал Юра и остальные?

— А Юра его так легко, даже изящно, с юмором опускал каждый раз... Все смеялись. Зина от этого еще больше заводился, снова лез на рожон и снова получал щелбан. Словесный, имею в виду.

— Думаете, он за это ненавидел Юру?

— Ненавидел? Не знаю... Скорее завидовал. Хотел быть, как он. Или хотя бы дружить с ним, войти в Компашку.

Алексей задумался. При таком раскладе Зина не тянул на мстителя... Либо там было что-то еще?

— Мог ли Юра или кто-то из Компашки унизить Зину так сильно, что у него возникло желание мести?

Староста только головой покачал осуждающе: эк вы, мол, детектив, неужто Зину подозреваете в этих смертях?

— Допустим, Зина был влюблен в какую-то девочку, а Компашка его унизила на глазах у нее?

— Да Зину каждый день унижали на глазах у всего класса! Хотя он сам лез и сам виноват. А девочка... Не помню я. Двадцать четыре года ведь прошло!

— Его адреса у вас нет, как я понимаю?

— Нет. Я остальных-то с трудом разыскал, и то благодаря тому, что в выпускной вечер обменивались адресами и клялись в вечной дружбе... Где родители все еще живут, где у новых жильцов нашелся номер телефона прежних... Некоторые оставляют координаты новым жильцам своей квартиры — мало ли что... Да в прошлый классный сбор ребятки наши уточнили свои адреса и адреса тех, кто не пришел, но с кем они не потеряли связь... Но Зины не было ни на прошлой встрече, ни на выпускном — он ушел от нас где-то в начале весны, кажется. В школе его адрес сохранился, возможно. Хотя хранят ли они архивы?

— Я поинтересуюсь. Михаил, вы уверены, что не было никакого события, которое объяснило бы исключение Зиновия из школы? Сами говорите, двадцать четыре года прошло, вы могли и забыть...

— Знаете что? Я завтра позвоню нашим, поспрашиваю. И насчет девочки, и насчет исключения из школы... Хотя с ним, по-моему, никто не дружил, вряд ли он доверял кому-то свои секреты... Но вдруг?

* * *

...Школьное здание навеяло на Алексея легкую ностальгию — он учился в похожем: красный кирпич с белой лепниной, вход под белыми колоннами. Сразу вспомнился запах мастики, которой натирали паркет в коридорах, занозистые деревянные перила, гулкий спортивный зал со снарядами (он, Кис, был на них лучшим!) и торжественный актовый с тяжелым малиновым бархатом занавеса на сцене... И испещренный двойками дневник, чуть не по всем предметам, кроме математики да физики. Ну и физкультуры, конечно, — «физ-ры», как ее называли. А, да, и «гроба» — гражданской обороны: он стрелял лучше всех по мишеням!

И еще он вспоминал, поднимаясь по лестнице на второй этаж и ища кабинет директора, замечания красными чернилами по поведению в дневнике.

И строгие папины разборки дома. И молоденькую училку, в которую был немножко влюблен. И другую, мегеру, которую отчаянно боялся. И светлые косички с бантиками, маячившие прямо перед ним весь урок, — как невыносимо хотелось их дернуть. Он, собственно, не особо сопротивлялся желанию, отчего и дневник его расцветал красным. Он забыл, как звали девчонку, но помнил ее косички!

Директором оказался мужчина лет сорока — ясно, что двадцать четыре года назад его в этой школе не было. Только если в качестве ученика.

...Директор сожалел. Тех учителей уже нет — осталась у него в коллективе лишь парочка женщин, которые в ту пору были начинающими, со студенческой скамьи, и вели младшие классы.

— И все же, — настаивал Алексей, — я бы хотел с ними переговорить!

Директор выразил готовность поспособствовать и предложил дождаться перемены, в которую он самолично проводит детектива в учительскую и представит дамам.

Такой расклад Киса полностью устраивал, а в ожидании перемены он изъявил желание получить адреса покинувших школу учителей.

— Сожалею, — развел руками директор, — но и здесь я вряд ли сумею вам помочь. Дело в том, что в середине девяностых школу пытались отобрать, — я тогда еще здесь не работал, но эту историю знаю, — какая-то фирма позарилась на наше здание... Устроили ночью пожар, а потом хотели здание отбить под предлогом инвестиций в капитальный ремонт. Сами знаете, какой беспредел тогда творился. Школа долго стояла закрытой, некоторые учителя вышли на пенсию досрочно, — невостребованы в то время они были, и зарплаты все равно крошечные; иные нашли новую работу... В огне сгорела часть школьных архивов, а другие выбросили, считая, что они уже никому не пригодятся... Что-то, кажется, передали в РОНО, но и у них неважно обстояли дела, их помещения тоже оттяпывали, хоть и по кускам... Боюсь, теперь все эти бумажки не найти!

Алексей понимал, что директор говорит правду. Разбойные девяностые, лихие, бандитские... Они прошлись по многим его друзьям и знакомым, близким и менее. По жизням прошлись, по судьбам. Некоторые так и не оправились.

— Но хотя бы прежнего директора координаты у вас сохранились? Должны сохраниться, вы ведь дела принимали, было что обсудить, думаю?

Директор согласился и полез в ящики своего стола.

Он долго в них копался, ворошил бумаги, открывал и закрывал очередные ящики. Ничего не обнаружив, он нажал на селектор и призвал секретаршу. Строгая дама — молодая, но очень строгая! — возникла на пороге.

— Телефон и адрес прежнего директора нашей школы?

Она кивнула и исчезла. Появилась через три минуты, и Алексей записал под ее диктовку координаты бывшего директора. Точнее, директрисы. Той самой, которая держала школу в кулаке, как выразился староста Миша.

Подоспела перемена, и Алексей в сопровождении директора направился в учительскую, из которой слышался смех. Обстановка... нет, *атмосфера* учительской поразила его. В ней не было ничего от его детско-школьных воспоминаний, приправленных страхом перед *училками*: там находились модно одетые, ухоженные женщины и несколько мужчин. Во времена Киса мужчин в школе было раз-два да обчелся: физрук да учитель труда.

Похоже, что они обменивались впечатлениями от только что закончившихся уроков и при этом смеялись. Надо же! В его времена учителя почему-то не смеялись...

...Увы, две дамы, которым директор представил сыщика, ровным счетом ничего не знали о событиях двадцатичетырехлетней давности. Или запамятовали?

Меж тем исключение из школы в десятом, выпускном классе — дело очень серьезное! И раз Зиновия исключили — значит, причины были вескими. Если эти две учительницы, тогда начинающие, не сохранили об этом даже смутного воспоминания, то, выходит, в школе предпочли молчать?

Ну что ж, посмотрим, как обстоит с памятью у Софьи Филипповны, директорствовавшей в те годы.

— ...Юра Стрелков? Конечно, помню! Я помню всех своих детей!!!

Всех — не всех, но Софье Филипповне было явно приятно похвастаться тем, что и за восемьдесят она не утратила ясность памяти и духа.

Они расположились за круглым столом, покрытым скатертью с бахромой, в единственной комнате ее квартиры. В чашках дымился чай, к которому прилагались мармелад и халва. На свободном стуле спал старенький серый кот, одно ухо которого было лысым.

— Блестящий мальчик! Отличник! — Софья Филипповна энергично тренькнула ложечкой, словно для пущей убедительности своих слов. — И родители такие уважаемые люди! Отец у него дипломатом был! Хотя доставлял нам Юра немало хлопот. Но я его любила. Он сейчас видный политический деятель, вы знаете?

Кис кивнул. Он нарочно зашел с беспроигрышной карты, с Юры: такими учениками директора всегда гордятся. Отличник, из престижной семьи, да и сам стал престижным. Престижным бывшим учеником. Которого взрастила вверенная директору школа.

От этой сладкой темы он потом осторожно переберется на Зиновия, на его исключение из школы. Этим событием директор вряд ли гордится, так что тут нужно не шуршать, а легкими шажками подбираться, аккуратненько...

— В нем и тогда наблюдались задатки! — продолжала Софья Филипповна. — Он был лидером не только класса, но и всей школы! Такой талантливый ученик надолго запоминается, чтоб вы знали! Ему все прощалось. Наш баловень, если хотите...

— *Прощалось?..*

— Вы мне так и не сказали, молодой человек, — поджала вдруг губы Софья Филипповна, — почему вы расспрашиваете?

Директор, даже выйдя давно на пенсию, до сих пор блюла реноме своей школы. Ничего не попишешь, старая закалка, воспитанная советской властью, когда в любой момент могли обрушиться на голову начальственные окрики РОНО вкупе с районными комсомольскими и партийными комитетами. Со всеми вытекающими неприятными последствиями. И потому, понимал Алексей, даже сейчас Софья Филипповна будет хранить старые секреты, уже не грозящие взысканиями по партийной линии.

Привычка сильнее нас, тем более привычка, сложившаяся за многие десятилетия карьеры...

— Дело в том, что вскоре начнется... э-э-э... политическая кампания Юры Стрелкова. И мы, его политические сторонники, — Кис врать не умел и не любил и с трудом додумывал на ходу начатую фразу, — хотим собрать отзывы его учителей. Раз Юру все любили, то это только к лучшему! Значит, отзывы будут исключительно положительными. Очень пригодится для его кампании!

— Почему «учителей»? — ревниво обиделась она. — А мой отзыв, что же, для вас ничего не значит? Я Юру сколько раз выгораживала, от нападок защищала! И отец у него был такой уважаемый человек, дипломат, и мальчик сам был очень одаренный, как не помочь!

«И сколько ценных подарков вам сделал его уважаемый отец и дипломат, дорогая Софья Филипповна, чтобы вы помогали одаренному мальчику при малейшей его неприятности? — подумал Алексей. — Дипломат, по тем временам возможности у него были отнюдь не рядовые. В эпоху закрытых границ и тотального дефицита даже упаковка импортных колготок стоила целое состояние! А уж директору полагалось поболе, чем колготки...»

— От чьих нападок? — спросил он с простодушной улыбкой (легче, Кис, легче!). — Учеников или учителей?

— Учителей, конечно. *Некоторых*, — спохватилась она. — Юра очень умный был мальчик, но, на свою беду, шутить любил. К тому же, понимаете, в такой семье вырос... Образованнее иных наших преподавателей был... Случалось, на него обижались.

— Он и сейчас образованней многих будет, — польстил любимцу директора детектив. — И чувство юмора сохранил. Его политические противники тоже обижаются. Таков удел людей неординарных, не правда ли? Одноклассники, наверное, тоже не все от него в восторге были?

— Не все.

Голос ее сделался суше, и Алексей пошел на попятный. Спрашивать сейчас про Зиновия Шапкина было бы неосторожно. Он вытащил фотографии, указал на учительницу, которую запечатлел первый цветной снимок.

— Это их классный руководитель, преподаватель русского языка и литературы. К слову, она Юру обожала! Непременно навестите ее, она вам много хорошего расскажет о Юре!

— А я вот смотрю, — вкрадчиво произнес детектив, — ребяток всех пересадили в течение учебного года... Это с чем-то связано?

— Возможно, они просто в другом кабинете находятся? Знаете, они могли в разных кабинетах рассаживаться по-разному!

Хм, такая мысль не приходила в голову Алексея. Некоторое время он изучал снимки.

— Да нет, Софья Филипповна, это все тот же кабинет. Смотрите: на стенках портреты писателей.

— Ну, я такие мелочи помнить не могу. Классному руководителю виднее, как рассаживать учеников. Я в подобные вещи не вмешивалась, у меня поважнее дел хватало, как вы понимаете!

— Разумеется. Так в целом Юру все любили, правильно я понял? — вернулся он к приятной для директора теме. — А на завистников обращать внимание не будем. Поможете мне разыскать его учителей, Софья Филипповна?

Софья Филипповна купилась на его нехитрый прием и пустилась, гордясь своей несостарившейся памятью, перечислять учителей. Детектив записывал. Адресов у нее не сохранилось, но это не беда, Алексей разыщет их через своих друзей в милиции...

Закончив, он все же рискнул спросить о Зиновии Шапкине.

— Не помню такого!

Алексею показалось, что директор отреагировала излишне поспешно. Он внимательно посмотрел на нее. Лицо Софьи Филипповны сделалось неприступным, окаменело, даже морщинки разгладились, — надо думать, именно этим начальственным выражением она держала в страхе в былые времена учеников и учителей.

— Ну как же, — любезно ответил он. — Его еще исключили из школы в десятом классе. Наверное, ЧП — чрезвычайное происшествие — какое-то случилось?

— О чем вы? Откуда у вас такие сведения? Если бы у нас было ЧП, я бы запомнила. Но я никакого ЧП и Зиновия... Как вы сказали?

— Шапкина, Шапкина!

— ...не помню, — закончила фразу директор так, словно поставила жирную точку в разговоре.

Э-э, нет, рано нам точку, Софья Филипповна!

— Об этом мне рассказали его одноклассники.

— Не понимаю, молодой человек, вы пришли ко мне, чтобы получить хорошие отзывы о Юре Стрелкове? Тогда при чем тут Зиновий?

— Я подумал, что раз было ЧП, то, возможно, Юра как-то себя проявил — может, даже геройски...

— Не было никакого ЧП!

Ладно, не было так не было. В конце концов, староста ведь сказал, что «ходили слухи». А слухи — не факты...

Он проглядывал список учителей, составленный под диктовку, размышляя, о чем еще спросить Софью Филипповну.

— Здесь все? — спросил он, складывая листок.

— Все.

И она отвела глаза. Всего лишь на какое-то мгновенье, но этого хватило Алексею, чтобы снова раскрыть список.

— По-моему, — проговорил он, изучая названия предметов, — здесь не хватает... Не хватает... Сейчас, минуточку... Учительницы истории и... и... как это называлось? Обществоведения?

— Разве? А по-моему, я продиктовала всех!

— Ну, смотрите сами.

Софья Филипповна поправила очки и устремила глаза в листок. Алексей был уверен, что она просто старалась выиграть время, чтобы придумать, как выкрутиться. Он ждал, великодушно предоставляя бывшей директорше эту возможность.

— Ах да... — заговорила она. — Я ее пропустила, наверное, потому, что она уже не работала с этим классом... Почти.

Честность не позволяла ей солгать, хотя со всей очевидностью ей очень этого хотелось. Алексей решил помолчать: хороший способ дать проговориться собеседнику.

И впрямь, помучившись в тишине, Софья Филипповна добавила:

— Она уволилась из нашей школы, Юрин класс до аттестата не довела...

— Не довела? — Алексею срочно потребовалось уточнение, и он поднажал: — А сколько времени она проработала с этим классом?

— Не помню точно...

— Ну, скажите примерно!

— А почему вы расспрашиваете о ней?!

— Я же вам сказал: хочу расспросить учителей о Юре!

— Ну, по правде говоря, она проработала чуть больше, чем до середины выпускного класса...

Эврика! Предчувствие не обмануло детектива!

Не зря он мучает бедную директоршу! *Зиновий был исключен как раз примерно в то же время!* Совпадение?! Посмотрим, посмотрим...

Он изготовил ручку.

— Этого достаточно, чтобы она помнила Стрелкова, я полагаю, — покладисто улыбнулся он. — Диктуйте.

— Анна Ивановна Деревянко... — неохотно произнесла директор. — Но я вам настоятельно не советую к ней ходить! Она не любила Юру и ничего хорошего вам не скажет! А вам ведь хорошее нужно, так?

Кис согласно кивнул.

— Ну вот, а Анна Ивановна... Она у нас парторгом школы была. На особом положении, если вы понимаете, о чем я. Ее ученики боялись и не любили. Да и учителя тоже, по правде сказать.

— С Юрой у них вышел какой-то конфликт?

— Да нет, ничего особенного. Юра у нас большой шутник был. А она шуток не понимала. Такие бывают, знаете, люди — без чувства юмора... Которые всех меряют одной линейкой и очень любят про мораль рассуждать.

— Прекрасно знаю такую породу, — кивнул детектив.

— А Юра ее не боялся. Дерзил, посмеивался на уроках... Ну и еще там вокруг него сложилась группа приятелей, так называемая Компашка, — и они тоже.

— А вам это нравилось, не так ли? — хитро посмотрел на нее Кис.

— Не без того, — усмехнулась Софья Филипповна, и ее щеки порозовели, — пожалуй, от удовольствия. — Помните, у Маяковского: «Которые тут временные? Слазь! Кончилось ваше время!» Так вот,

170 Юра давал ей недвусмысленно понять, что ее время заканчивается. Время *парторга*.

— Сильно она вас доставала? — догадался Алексей.

— У нас с ней шла тихая война, если хотите. Она пыталась под знаменем партийных лозунгов укрепить свое влияние в школе, подорвать мой авторитет... В общем, тянула одеяло на себя. Как вы понимаете, я допустить этого не могла! Но бороться с ней было непросто. Парторг, одно слово.

Юра, выходит, меньше всего заботясь об интересах директора, лил меж тем воду на ее мельницу...

— И в конечном итоге вам удалось ее уволить? Вам подвернулся повод... И вы им воспользовались! Да, Софья Филипповна?

— Вовсе не так! Она сама ушла. По собственному желанию!

— Как же она решилась на подобное? Выпускной класс — ответственный класс! Бросить учеников посреди года? Тем более такой морально ответственный человек, как парторг? — с несколько ироничной улыбкой поинтересовался Кис.

— Не помню, — заявила Софья Филипповна.

— А все-таки странно, что посреди года... — попробовал надавить детектив.

И был не прав, потому что Софья Филипповна немедленно отпарировала с суровостью в голосе:

— Вы о Юре пришли расспрашивать? Или вы меня обманули? Вы хотите о нем плохое найти? Вы из его оппозиции?

«О, какие грамотные у нас старики пошли», — порадовался Кис и поспешил ретироваться, заверив директора в лучших намерениях по отношению к любимчику и баловню всей школы Юре Стрелкову.

Все равно он узнал достаточно.

* * *

...Лера не захотела никуда ни лететь, ни ехать, ни идти — жалко было терять время! Она бы вообще предпочла не выходить из квартиры, чтобы быть рядом с Данилой, чтобы не упустить ни одной драгоценной минуты их общения, их близости. Особенно теперь, когда напряжение ушло и она вновь ощутила ту радостную свободу и полноту чувств, которой так пленилась в Тунисе...

Однако в обсуждение их планов вмешался телефонный звонок: друзья звали Данилу «с подругой» на дачу, на закрытие дачного сезона. И тут Лера не устояла: соблазн оказаться на подмосковной даче был слишком велик.

Шашлыки в саду и чай из самовара. Вечером костер на участке из опавших листьев, терпкий дым. Толстый хозяин с длинными волосами и окладистой бородой — непременные атрибуты философа, неизменные от поколения к поколению. Гитара, терзая которую хозяин извлекал тройку аккордов и пел под них песни собственного сочинения с острокритическим содержанием, где небесталанная игра слов вполне заменяла глубину мысли... Восемь человек, включая их с Данилой, одетых в толстые куртки, — вечера были холодными, особенно за городом, — внимали ему и смеялись, подхватывая особо удачные остроты.

Лера будто вернулась в детство. Когда-то у них тоже была дача, и тоже самовар и шашлыки, и кто-нибудь из друзей ее родителей непременно пел под гитару, и толстый бородатый философ читал свои рассказы, и тоже острокритического содержания. С той несущественной разницей, что «острокритическое содержание» тогда было направлено против коммунистов, а теперь против «задемократившихся» новых политиков...

Тогда, в Лерином детстве, это самое содержание было важным, наиважнейшим, а дача не представляла никакой идейной ценности: она служила лишь местом для дружеской посиделки. Теперь же стало ясно: именно дача была непреходящей ценностью, подмосковная дача с ее ритуалами шашлыков-самовара-костра, с дымом и комарами, с ее неповторимой атмосферой...

Навернулись слезы. Ностальгия по утраченной родине? Или по навсегда ушедшему детству?

Их с Данилой приняли естественно и легко как пару. Его друзья не задавали лишних вопросов. Раз он пришел с ней, значит, так и должно быть. И Лере это понравилось.

И еще, никто не приставал к ней с Америкой. Никто не сравнивал, не критиковал, не толкал пафосные речи, никто ничего не пытался ей навязать. Просто они сидели поздним сентябрьским вечером вокруг костра, во дворе подмосковной дачи, слушали песни, рассказывали анекдоты и какие-то истории, смеялись, смотрели на огонь, и Данила обнимал ее за плечи.

Бородатый философ жил хоть и не шикарно, но отнюдь не плохо — во всяком случае, на каждую пару гостей в его деревянном доме нашлась отдельная комнатенка, хоть и малюсенькая. Центрального отопления в доме не имелось, а печь не смогла прогреть два этажа, и потому Лера согласилась хлебнуть водки, перед тем как в два часа ночи разойтись по «опочивальням».

Это она правильно сделала. Комнатка была ледяной. Пахло горьким дымком, пробравшимся со двора. Простыни оказались сырыми и холодными, зато одеяла были навалены щедро, все старенькие и не очень чистые... Но ничего, утешила себя Лера, зато простыня выглядела свежей.

Она успела замерзнуть, пока раздевалась, — два глотка водки ничем не помогли — и бросилась под одеяло, словно в прорубь нырнула. У нее зуб на зуб не попадал.

Данила подоткнул вокруг Леры одеяла, сам присел на край кровати. На нем еще были джинсы, но свитер и майку он уже с себя стащил. Лера тронула ледяными пальчиками его грудь: он был горячим, словно находился на пляже, под яростным солнцем Туниса, а не в студеной избушке Подмосковья!

— А почему ты не замерз?

— А нужно было? — засмеялся он, нашел ее ладошку и сунул себе под мышку. — Грейся! Дать тебе еще водки?

— Я опьянею, ты что!

— Крепче спать будешь.

— А мы собираемся спать?..

— Ну, если тебя сначала разморозить, то, может, еще на что-нибудь сгодишься!.. Давай другую руку! — Данила вытащил из-под одеяла и сунул себе под мышку ее другую ладошку

— Фу, как ты сказал! — Она сделала обиженную рожицу и, выпростав руку, царапнула его коготками по плечу. — Как будто собираешься приготовить меня на ужин и съесть!!!

— Почему «как будто»? Я стрррашно люблю маленьких девочек на ужжжин! Вот сейчас проверим, согрелась ли ты, и тогда...

Он запустил руку под одеяло. Лера со смехом отодвинулась.

— Ах, так? Не уйдешь, и не надейся!

Он просунул руку поглубже и грозно пошарил ею недалеко от ее тела — так взрослые играют с маленькими детьми, делая вид, что никак не могут поймать.

На Леру напал смех, и Данила приложил палец к губам: мол, разбудишь всех.

— Так приятно подурачиться... — произнесла она шепотом. — Я лет двадцать, наверное, не дурачилась... Данька, почему с тобой так легко?

— Я не знаю, Лер... Может, потому, что мне нравится все, что ты делаешь. А ты это чувствуешь, и потому тебе легко. Быть самой собой. Это ведь так приятно! Но так редко удается...

— Тебе тоже редко удается?

Данила посмотрел на нее. В свете ночника его глаза поблескивали — ей показалось, что немного лукаво.

— Мне, наверное, чаще.

— И как у тебя это получается?

— Я меньше думаю о том, как нравиться другим.

— И даже мне?

— Ты меня не так поняла. Я *хочу* нравиться, как все нормальные люди. Но я хочу нравиться *таким, как я есть*. А большинство людей, особенно женщины, стараются подать себя в каком-то лучшем свете... Поэтому они пребывают в постоянном напряжении. И редко бывают самими собой.

В голове у Леры сразу закрутились разные мысли, захотелось сразу и расспросить подробнее, и поспорить...

Некоторое время они смотрели друг на друга молча. Лера думала о том, что ее желание любовной близости вдруг сбилось желанием продолжить этот разговор, но Данила явно был настроен на сексуальную волну, и ей не хотелось так резко менять программу.

Хотя...

— Тогда, следуя твоей теории, я должна быть сама собой и не бояться показаться тебе эгоисткой? И сообщить, что мне хочется продолжить разговор прямо сейчас? И что ты мне на это скажешь?

— Как что? Спасибо скажу!

— За что? — удивилась Лера.

— Ты меня спасла, — ответил он серьезно, хотя глаза его посмеивались. — Представляешь, если бы тебе удалось меня обмануть, я бы сделался насильником! Заниматься любовью с женщиной, которая в данный момент этого не хочет, есть насилие!

Лера вглядывалась в его смеющиеся глаза и не понимала, он серьезно говорит или шутит.

— И... И что мы будем делать?

— Как что? Сейчас оденемся и пойдем вниз. Посидим на террасе, чаю себе горячего сделаем и пофилософствуем всласть!

— Ты серьезно?

— Серьезней некуда! Давай, давай, вылезай из-под одеяла, одевайся!

— Дань...

— Или ты передумала?

— Да нет, я просто...

— Ты будешь вылезать из-под одеяла?

— Да....

Честно говоря, Лера уже не хотела ничего обсуждать! Она хотела, чтобы... О господи, она сама не знала, чего она хотела! И как тут быть «самим собой», когда не знаешь, кто ты сам есть и чего тебе нужно?

— Погоди, я помогу тебе одеться... А то холодно... А, вот, смотри, нашел твои трусики. Сейчас наденем... Где там твои ноги? — Он снова шарил руками под одеялом, и Лере показалось, что он с трудом удерживается, чтобы не рассмеяться. — Вот, нашел!

Его ладонь крепко обхватила ее лодыжку.

— Это правая или левая, не пойму? — озабоченно спросил он и провел пальцами по ступне, выясняя форму.

Ей стало ужасно щекотно, и Лера принялась брыкаться и хохотать.

— Ты мешаешь процессу! — строго заявил Данила. — Ну-ка верни ногу! Верни, кому сказал!

Она снова попытался поймать ее за щиколотку, она снова смеялась и отбивалась. Тогда он поймал сразу обе ее ноги, но тут выяснилось, что ее трусики он безнадежно потерял под одеялами...

В общем, до философии в ту ночь дело так и не дошло.

Наутро вся дачная компания посматривала на них, пряча улыбки. Слышимость в избушке оказалась чересчур хорошей, и, похоже, они сильно развлекли дачный народ. Лера, чуть смущаясь, отводила глаза и розовела под взглядами, Данька улыбался ей глазами и пару раз сумел шепнуть, чтобы она не «зависала», — тут все свои...

И все же она себя чувствовала неловко — до тех пор, пока хозяин-философ не прогремел басом: «Ух, ребята, ну и завидую я вам! Да чего там, мы тут все завидуем!»

Компания грохнула от хохота. И Лера вдруг расслабилась. Вокруг были действительно друзья. Данилы, конечно, а не ее, но...

— А я завидую Даниле, — отважилась она. — У него есть такие друзья, как вы!

— У тебя нет таких? — спросил кто-то.

Лера мысленно проиграла подобную ситуацию в приложении к тем, кого они с мужем называли друзьями в Америке, и покачала головой...

И никто, ни один человек не стал ей говорить, что в Америке дружить не умеют, никто не стал ей советовать немедленно перебраться в Россию, потому что только тут все самые лучшие и всё самое лучшее, — «белые и пушистые», как теперь говорят! И Лера была им за это безмерно благодарна...

Утром в понедельник Данила ушел на работу, а Лера позвонила Лешке Кисанову — обещала еще вчера, но совсем об этом забыла, ой! Поговорила с ним кое-как, не сумев скрыть блаженную негу, которая одолевала ее после выходных, и переадресовала его к старосте Мише.

Потом долго слонялась по квартире, не зная, чем себя занять. Постепенно она заскучала. Данила на работе, а она, перестав играть в следствие, чувствовала себя оставшейся не у дел. Когда время перевалило за полдень, она не выдержала. В конце концов, она дала обещание больше никуда не ходить, да, но вовсе не обещала *не думать* о странных смертях своих одноклассников!

О чем она и сказала Лешке Кисанову, который, заслышав ее вопросы, тут же принялся ворчать.

— Ты мне просто скажи, что успел накопать за это время! Я имею право быть в курсе, ведь я же первая обнаружила связь между ними!

Но Лешка был уклончив: боялся ввязывать ее, понятно. И все же Лере удалось вытащить из него кое-что: проговорился он о следе от укола в вене Роберта и об электрошокере!

А это означало, что Лера с самого начала была права и что инфаркты вовсе не инфаркты, а убийства!!! И значит, у них есть причина. Которая ведет в прошлое, без сомнения.

«Нужно еще раз поговорить с Кареном», — решила Лера. Некоторые из оброненных им фраз ее занимали. А именно о групповом сексе, которому, похоже, предавалась Компашка.

— Лер, не припирай меня к стенке! — Карен уже наверняка пожалел о вылетевших в прошлую встречу неосторожных словах и теперь держал круговую оборону. — В девятом классе это только начиналось, я по любопытству поучаствовал раза два, вот и все!

— А кто там еще участвовал?

— Это не мои секреты, не мне об этом и рассказывать!

— Понимаешь, Карик, я вдруг подумала: а вдруг это одна из тогдашних девочек мстит?

— Зачем ей? Ведь все было добровольно!

— Ты уверен?

— Абсолютно!

— Но ты ведь в десятом с ними уже не дружил! Можешь и не знать!

— Лер, вспомни Юрку. Сколько девок готовы были лечь под него! Кого ему было нужно насиловать, зачем? Он их даже трахал лениво... Как он говорил, «если женщина просит»...

— Хорошо, пусть, но вдруг кому-то из них сегодня стало так стыдно.

— Лера, не смеши, а?

— Карен, но ведь Роберта кто-то убил! И, между прочим, у него тоже нашли след от укола, как у Костика!

— И что с того?!

— Да то, Карен, что моя идея о том, что инфаркт у наших ребят был спровоцирован, — верна! И что не сердечные это приступы, а убийства!!! И следующим, между прочим, сидит Максим! Ты же с ним приятельствовал, он же входил в Компашку, так? А дальше сидит Дима Щербаков, с которым ты до сих пор дружишь! Уже два твоих друга умерли, Боб и Костик, — ты хочешь потерять третьего?

— Лера, это запрещенный прием!

— Тот, что ниже пояса? А что мне делать, Карен? Ты мне не оставляешь выбора! Ты хочешь быть рыцарем по отношению к чужим тайнам, и я это понимаю, но какие рыцарские учтивости, когда тут людей убивают! А твою совесть не будет мучить очередная смерть?!

— Блин! — с досадой, совсем не по-рыцарски произнес Карен. — Хорошо, слушай. Только я мало знаю, имей в виду...

— Карик, хочешь, встретимся? При встрече лучше, может?

— Лучше по телефону. Смотреть в твои честные глаза и рассказывать все это... Лучше уж по телефону! Хотя я не вижу там ничего криминального... Но да ладно. Руководила всем Инга.

— Инга?!

— Да... Сначала она развлекалась с Юрой. Потом кое с кем из нашей Компашки. Потом она решила всех объединить... Не знаю, зачем ей это было нужно. Хотя сексуальные потребности у нее были повышенными, прямо скажем, уже в те годы... Настоящая нимфоманка!

Лера не стала спрашивать, уж не на себе ли Карен изучил Ингины наклонности. Какая разница, в конце концов...

— Но я думаю, — продолжал он, — что своей западной раскованностью она еще создавала определенный имидж и даже авторитет среди парней. Они не относились к ней как к распущенной девчонке — наоборот, как к «передовой». В своем роде идеолог

180 и пропагандист «сексуальной революции» в масштабах отдельно взятой компании.

— Что и объясняет то презрение, с которым она смотрела на остальных. Мы были для нее «отсталые»!

— Можешь не сомневаться. Это Инга в школе помалкивала, а на наших «сейшн» она в выражениях не стеснялась. Потом, — продолжал Карен, — один и тот же состав ей прискучил. Она решила «обновить кровь» — это ее выражение... Они долго думали, кого из Юриных поклонниц позвать, пока Инга не придумала...

Он умолк, и Лера поторопила его:

— Что?

— Устроить естественный отбор. То есть брать деньги... — нехотя выговорил Карен. — С девчонок, которые мечтали переспать с Юрой...

— Ничего себе... Юра в роли проститутки? А Инга — сутенерша?!

— Юра — потрясающий пофигист. Не знаю, насколько хорошо ты его представляла, но ему все по фигу было. Инга придумала игру, и Юре, пресыщенному уже в те юные годы, она показалась забавной. В деньгах он не нуждался, они шли Инге.

Они оба помолчали. Первой прорезалась Лера.

— Карик... Хорошо, пусть так. Инга вербовала Юриных поклонниц... Подкладывала их под него за деньги, так? И, как я поняла, не только под него... Так? Ты сказал — групповуха...

— Это было условием. И условия диктовала Инга. Хочешь Юру — получи в придачу еще парочку любителей.

— И девочки соглашались?!

— Лер... Тяжелый разговор у нас... Неприятно вспоминать... И тебе рассказывать об этом неприятно. Но ты же сама просишь. Так уж не обессудь! Ты мне сказала тогда в машине, что они просто в Юру влюблялись. Так вот, дорогая моя Лера, они не просто влюблялись. Или просто не влюблялись. Им хотелось того же, чего и многим другим, даже мальчишкам. Зину помнишь? Зиновия Шапкина?

— Ну, в общем да...

— Помнишь, как он из кожи лез, чтобы Юра и Компашка обратили на него внимание?

— Ты чего, он ведь их все время критиковал!

— Тягался с ними и критиковал, верно. Но на самом деле заветной мечтой его было оказаться с ними в одном кругу. Приблизиться к светилу нашему небесному Юре. Быть с ним на равных!

— Ну, может, и так... И даже скорей всего так, если подумать. А при чем тут девочки?

— При том, что то же самое происходило с ними. Они мечтали попасть в элиту! *Элита* — слышишь, как звучит?

— Да ну, Карен, перестань. Дешевка это все!

— А они и были дешевкой! После оплаты комиссионного сбора Инге они сами с визгом счастья бросались в этот разврат. Им хотелось *соответствовать*. Быть такими же продвинутыми. Такими же элитарными...

— Ладно, пусть. — Лере было неприятно это слушать, и она порадовалась, что не узнала такие подробности до классного сбора. Среди «девочек», которые пришли на встречу, были наверняка участницы тех забав, и как бы смотрела на них Лера, знай она все это до встречи? — Я не хочу никого осуждать, Карен, это их дело... Только скажи: на твой взгляд, было ли что-то в тех отношениях, что могло объяснить сегодняшнюю месть? Кого-то из обиженных Компашкой?

— Не вижу ничего криминального в этом прошлом. Девчонки добровольно шли на условия, ко-

торые ставила Инга, — я имею в виду групповуху...
В смысле, что, соглашаясь на Юру, они соглашались и на других... Да еще и платили... Но, Лер, их
никто не заставлял! И, насколько я знаю, ущерба
никому не вышло. Никто не забеременел — наша
продвинутая Компашка уже тогда пользовалась презервативами...

— И ты? — не выдержала Лера.

— Тебя интересует, пользовался ли я презервативами? — опешил Карен.

— Нет, — смутилась Лера. — Я имею в виду, что
ты тоже с этими девчонками...

— И я. Но это было в девятом классе, тогда все
только начиналось, к концу года. Попробовал из
любопытства, но быстро оказалось, что мне противно этим заниматься... В десятом я от них отошел.
И больше ничего добавить не могу.

— Карик, я хочу, чтоб ты знал: я очень благодарна тебе за то, что ты мне это рассказал! Наверное,
это было непросто...

Карен не ответил. Лера только слышала его отдаленное дыхание в трубке.

— Я тебя не осуждаю, — добавила она. — Я не
считаю себя вправе... Мы все ищем расширения
границ своего опыта, в конце концов...

— Ты очень точно сказала: *расширения границ
своего опыта!*

— Вы ведь были тогда подростками. Такое
стремление им свойственно...

Лера, растя сыновей, начиталась книжек по психологии тинейджеров и сейчас была абсолютно искренна. Но Карен не принял ее задушевный тон.

— Лерочка, спасибо тебе за индульгенцию, —
съязвил он. — Но знаешь ли, я в ней не нуждаюсь!
Я привык свои счеты сводить сам с собой!

Лера удивилась его неожиданному выпаду. Видимо, Карен хочет сказать, что пересмотрел свои юношеские закидоны и ее комментарии оказались неуместны. По той простой причине, что те давние истории он вынес на суд собственной совести.

Что ж, понятно. У взрослых людей — у мыслящих людей — вырабатывается собственная система оценок поступков, своих и чужих. И ее, Лерины, оценки — пусть даже толерантные — Карену не потребны. Он сам себя простит — или сам себя осудит. Другие судьи ему ни к чему.

— Извини.

— Не зависай. Проехали.

— Только скажи: может, дело не в групповухе, а в чем-то другом? Видишь ли ты какую-нибудь другую причину для большой обиды? Такой, которая могла бы сегодня послужить мотивом для мщения?

— Нет, Лера, нет! Скорее всего, причину нужно искать позже. В десятом классе. Когда я уже отошел от Компашки, в силу чего не могу быть тебе полезен...

Ладно, хорошо. Лера была склонна верить Карену. Значит, в десятом классе... Но что же там было?! Она не имела ни малейшей идеи, вот в чем загвоздка!

И все же она сочла нужным проинформировать Лешку Кисанова об этом разговоре.

— Групповой секс?! — удивился он. — Надо же, Лер, я всего-то на несколько лет старше тебя, старше вас. Но в мои времена мы и слов-то таких не знали!

— Леш, не забывай, что наша Компашка была очень *продвинутой*. (Лера быстро усвоила это словечко, тем более что оно являлось калькой с английского.) У Юры, Роберта и Димы родители работали за границей. В те годы — помнишь? — это было примерно так же, как если бы они летали на Марс...

184 И привозили оттуда совсем иное мировоззрение...
А оно передавалось и детям. Вряд ли осознанно,
специально, просто дети впитывали его помимо
воли, из родительских разговоров, из отношения к
вещам, из разных запрещенных книжек, начиная от
политических опусов и кончая «Камасутрой»... Разумеется, в полном варианте, по-английски... А у
остальных членов Компашки родители даже если не
были дипломатами, то принадлежали к тому слою,
которому были доступны и зарубежные поездки, и
всякие западные книжки, фильмы... Волны западной «сексуальной революции» доходили до России с
трудом и с опозданием, но все же доходили. До особо привилегированных. Хотя эти несколько лет разницы между тобой и мной тоже сыграли свою роль.
Я о таких вещах уже слышала в свои школьные
годы. Только не подозревала, что они, эти вещи,
происходили совсем рядом со мной... Но я о них
уже слышала, понимаешь?

— Да, Валерка... Разница не в годах, а в эпохе.

— Мы попали под агонию советской власти...

— А мой выпускной класс — на тот период, когда казалось, что она навсегда, во веки веков, аминь!

— В том-то и дело... Тем не менее Карен меня
заверил, что ничего такого, что могло вызвать мщение спустя годы, в нашем девятом классе не было.
Никаких беременностей, они пользовались презервативами. И все добровольно. Если что и было, то,
видимо, только год спустя, в десятом. Когда Карен
уже отошел от Компашки.

— А что-то было?

— Нет, он не знает. Только предположил, что
могло быть, раз кто-то сегодня мстит... Хотя... вдруг
тебе пригодится: в девятом классе этим делом заправляла Инга. Так сказал Карен.

— В каком смысле?

— Это была ее идея... И именно она, по его словам, служила «пропускным пунктом»: подбирала девчонок, которые рвались в объятия Юры. И даже брала с них за это деньги. Обеспечивая одновременно их согласие подчиниться условиям Компашки. То есть условиям групповухи.

— Ты Карену веришь?

— Да, Лешк.

— Ладно. Я буду думать.

— Эта информация полезна?

— Пока не знаю. Буду думать, говорю....

Информация, которую ему скинула Валерка, не показалась Алексею важной. Во всяком случае, в том виде, в котором он ее получил. В самом деле, баловались продвинутые детки продвинутыми развлечениями, но ведь по обоюдному согласию! Представить себе некую взрослую женщину, которая бы вдруг воспылала мстительным желанием наказать своих давних соблазнителей? Причем, если верить информации, полученной от Леры, в те школьные годы девчонки были готовы даже платить (!) за это деньги! Ладно, пусть Инге. Они, скорее всего, не знали и не интересовались, кому именно шел «комиссионный сбор». Они платили его за доступ к Юре — божеству старших классов... Искать среди них сегодняшнюю мстительницу?

Ну, разве только кто-то из них тронулся умом.

Или Карен не совсем верно представил факты?

Или в десятом классе — в том самом, когда Карен отошел от Компашки, когда пересадили весь класс, а Зиновий Шапкин покинул школу, равно как и учительница по истории и обществоведению, — случилось что-то куда более серьезное...

«Ладно, — сказал себе Кис. — Навестим-ка мы

сначала ту самую учительницу. Как бишь ее звать? А вот как: Анна Ивановна Деревянко, преподаватель истории и обществоведения».

***

На следующий день он без труда получил от бывших коллег из милиции адреса бывших Юриных учителей, среди которых его больше всего интересовал адрес Анны Ивановны Деревянко — учительницы, покинувшей школу во второй половине учебного года. Но прежде чем отправиться к ней, он счел более разумным переговорить о ней с Лерой и со старостой класса.

— Честно говоря, ее ненавидели в классе. Даже пару раз ее уроки срывали... А она, конечно, ненавидела нас! Особенно Юру. Он открыто издевался над ней на уроках, постоянно сыпал какими-то фактами, которых она не знала... Ну и Компашка тоже. Им ведь были доступны заграничные книги, он много знал, к примеру, о Троцком, которого у нас тогда едва упоминали на уроках по истории СССР... А Анна Ивановна была человеком ограниченным и «жестоковыйным», как называл ее Юра. Они ее прямо-таки артистично опускали, мне даже иногда ее жалко становилось. Я сама тогда была настроена очень «анти», хотя блистать, как Компашка, знаниями не могла — у меня тоже не было к ним доступа... Тем не менее ее предмет я терпеть не могла — и поучаствовала в срыве урока обществоведения однажды, но иногда мне становилось чисто по-человечески ее жалко... Может, еще потому, что она не умела достойно отвечать... Она бесилась, делалась красная, стучала указкой по партам и кричала, что Стрелков и компания аттестатов не получат... —

рассказала Лера. — Знаешь, я бы вот как сказала: Анна Ивановна не старалась *заслужить* авторитет — она его *требовала*! По определению, как член партии и парторг. А Юра и Компашка плевать на ее статус хотели...

Зина? Не помню, Лешка... По-моему, он в этом никак не участвовал...

Эх, память девичья!

Староста оказался куда более обстоятелен.

— Ну, как вам сказать, она была человеком, конечно, недалеким, но, к ее чести, нужно заметить, что придерживалась коммунистических идеалов искренне... — Миша Пархоменко, как положено старосте, старался рассудить объективно. — Она в них верила! И в свой предмет верила. Тогда как мы уже чувствовали, что ее предмет морально устарел, что пришел конец марксизму-ленинизму... Конечно, часть класса вела себя вежливо, учили задания — это же был класс выпускной, аттестат всем нужен! А наш шикарный Юра вместе с Компашкой над ней издевались. Конечно, они могли себе позволить и похулиганить, ведь они всегда были прикрыты родителями! Которые могли замять и загладить любую проблему...

Анна Ивановна не знала, как реагировать на Юру. Она парторгом школы была, привыкла, чтоб перед ней все по струнке. И вдруг нашла коса на камень! Юра ее не боялся и не уважал, ну и Компашка тоже, вдохновленная, так сказать, его примером. Высказывались на уроках в том духе, что приводимые ею факты не соответствуют истории. И ссылались на труды видных ученых и специалистов. Да не просто ссылались, а так, знаете, с шиком: в таком-то году такой-то исследователь написал в своей такой-то работе следующее... И шла цитата по памяти. Конечно, у них был доступ к такой литературе, о которой Анна Ивановна и слыхом не слыхивала...

Мы, та часть класса, в которую входил я, дисциплинированные и нормальные ученики, даже не думали тягаться ни с Юрой, ни с учительницей. Только наблюдали, как они препираются. Она терялась и злилась. Она этого всего не знала, ей нечем было крыть. Компашка всегда побеждала в словесных перепалках...

Пару раз они даже срывали ее уроки. В первый раз, помнится, Юра чуть не весь класс подбил, они в кино пошли вместо урока... Софья Филипповна, директор наш, страшно нас отчитывала потом. Особенно, конечно, досталось мне, старосте, хотя я с ними не пошел, остался в классе.

Юру вызывали к директору. Я знаю, потому что со мной проводила беседу комсорг. Директор-то его, Юру, любила, но Анна Ивановна, наверное, поставила вопрос ребром. В общем, пригрозили ему исключением из комсомола за неподобающее поведение. И что, вы думаете, Юра? Он ответил: «Исключайте!» Кинул комсомольский билет на стол и рассмеялся!

А ведь в те годы это было страшно! По крайней мере для тех, кто хотел дальше учиться в престижном вузе. А Юра, конечно, метил в МГИМО. И его смелость вызывала одновременно и восхищение, и непонимание...

Теперь-то ясно — тогда, намного раньше всех нас, он уже точно знал, что школа на это не пойдет, чтобы не подмочить собственную репутацию. И точно! Директорша испугалась районного начальства, и вопрос об исключении из комсомола был снят. Юру оставили в покое. И он с Компашкой почти безнаказанно издевался и дальше над учительницей обществоведения...

На следующий раз Компашке уже не удалось подбить столько народу, но все же полкласса смылось с урока. Анна Ивановна снова отказалась проводить занятия. Хлопала дверью, стучала указкой по столу, бегала жаловаться к директору, но директор уже была сломлена небрежным заявлением Юры о готовности выйти из комсомола... На это школа не могла пойти, вы же понимаете! А родителей его вызывать — тоже цирк. Они защищали сыночка, Юру! Да и то, до них не доберешься, они же постоянно пребывали в разъездах по заграницам! Вот так и выходило, что управы на него не было. И ничего ни ему, ни Компашке не сделали за второй срыв урока, представляете?

Анна Ивановна еще пуще зверствовала, грозила им запороть аттестаты, выведя двойки за год... Но Юра был уверен, что директор ей этого не позволит! Это ведь тоже вопрос репутации школы. В РОНО бы директоршу нашу съели! И Юра оказался снова прав, так как учительница эта вскоре ушла из школы... Выходит, они ее выжили! Директор в этом конфликте выбрала Юру, надо думать.

А знаете, Алексей Андреевич, если бы не вы, если бы не ваши вопросы, я бы вряд ли оглянулся назад! Теперь вот вспоминаю благодаря вам и смотрю совсем другими, взрослыми глазами! И теперь-то все как на ладони видится...

...Зиновий Шапкин? Кажется, он в срыве уроков не участвовал. К слову, насчет *девочки*. Некоторые ребята припомнили, что ему вроде бы нравилась Инга. Смотрел он на нее постоянно якобы. Но она не про его честь была. Если Юра у нас был король, то она королева... Нет, не в том смысле, что Юра был в нее влюблен или она в него... Они держались вместе как скорее, знаете, коммандос. Два элитных стрелка. Инга так поставила себя в классе и в самой Компашке — как царственная особа... Влюблены в нее были ребята или нет, не знаю, но немного поклонялись ей, если вы понимаете, что я имею в виду...

И вот еще что: вы просили узнать насчет исключения Зиновия из школы. Так вот, никто не знает почему...

После этих двух телефонных разговоров Алексею понадобилась пауза. Усевшись за свой любимый компьютер, он набросал несколько записей в файле, который назвал «Одноклассники Валерки», после чего закинул ноги на кресло для посетителей, руки за голову и принялся размышлять.

Итак, конфликт Компашки — а особенно Юры Стрелкова! — с учительницей обществоведения Анной Ивановной Деревянко был нешуточным. За ними, за Компашкой, стояли номенклатурные родители, имеющие высокую степень влияния на школу, на директора. А за ней — статус парторга. Что тоже немало, но все-таки поменьше потянет...

С другой стороны, их десятый класс пришелся на восемьдесят третий — восемьдесят четвертый годы. Тот самый, в который умер Андропов, сменивший дряхлого Брежнева, и был возведен на пост генсека не менее дряхлый Черненко. Балаганный год! Он раньше, чем Горбачев, объявил о начале новой эпохи.

«Левый» Юра Стрелков и вся их Компашка — они перемены не просто ощущали, как все, а, скорей всего, *знали*! Знали, что следующим генсеком прочат Горбачева или Ельцина, — от осведомленных родителей. И представляли, чего ждать от новых назначений. Предчувствовали, что скоро, очень скоро их родители развернутся по-крупному. И политически, и финансово.

А при таком раскладе они могли натворить дел, без сомнения.

Только при чем тут Зиновий Шапкин?! Которого Юра открыто презирал, в Компашку не брал...

Исключили меж тем именно Зину! Козел отпущения? Он не был прикрыт ни родителями, ни директором. И что мог он сделать такого, этот *зануда*, как назвал его староста? Из-за чего его не просто исключили из школы, но и держали в строжайшем секрете причины исключения?!

Это весьма интриговало сыщика. И посему, дождавшись вечера (бывшая преподавательница обществоведения еще работала, как выяснилось, хотя уже давно не в школе: ушла секретаршей в строительный трест), он отправился прямиком по нужному адресу. Это был его излюбленный ход: явиться незваным-непрошеным гостем, без звонка и прочих вежливостей. Что позволяло ему застать свидетеля или подозреваемого врасплох, не готового соврать на прямые вопросы. И если даже правды не скажет, то лицо его, реакции выдадут многое. Очень многое!

За годы работы частным сыщиком Алексей Кисанов стал заправским психологом. Он умел читать по лицам и угадывать за словами их тайный смысл.

На что и теперь понадеялся.

Но он малость просчитался.

Дверь ему открыла довольно крупная женщина, стройная, подтянутая, но при этом внушительная и ростом, и высокой грудью, и широкими бедрами.

192 Лицо ее нельзя было назвать некрасивым, но и красивым тоже никак: и черты его, хоть и располагавшиеся вполне гармонично, были тяжелыми.

Белая полупрозрачная блузка (под ней просматривались контуры лифчика) и тугая серая юбка только подчеркивали ее формы. Алексей невольно подумал, что этот стиль одежды, смахивающий на пионерскую форму («белый верх, темный низ»), сохранился у нее со времен школы...

Он ожидал и голоса такого, под стать внешности, — *крупного*. Но он оказался неожиданно высоким и слабым.

— Я не понимаю цель вашего визита! — тонко и нервно проговорила она после первых вопросов детектива. — Весь этот класс состоял из одних подонков, поэтому я и ушла из школы! И с тех пор в школах не работала. Эти жеребцы, без малейшей совести и морали, без всяких мыслей в голове, они учуяли, что пришло их время. Время отсутствия всяких идеалов! — выкрикнула она. — Они были тупы и безжалостны, и тот факт, что Стрелков взлетел сегодня на вершину политической карьеры, очень характерен для того, что происходит в нашей стране! Сегодня у власти люди без совести, без принципов и идеалов! Они безжалостны и еще немало горя принесут России!

— Анна Ивановна, я понимаю вас... Я немного разобрался в том, что такое Юра Стрелков и образовавшаяся вокруг него так называемая *Компашка*. Но сейчас меня не Юра интересует. Прошу вас, поймите: пять человек из этого класса умерли один за другим, и смерти их соответствуют порядку их расположения за партами. Есть основания считать их не случайными. И я пришел к вам за помощью. — Кис старался говорить мягко и проникновенно, в надежде, что у женщины с принципами найдется простой человеческий отклик на эти слова. — В последнем, десятом классе произошли три события, которые плюс-минус совпадают по времени: учеников в классе пересадили, Зиновия Шапкина исключили из школы, а вы — вы уволились в разгар учебного года. И я бы хотел узнать почему.

В ответ она взвилась, наградив нелестными характеристиками и Юру, и всю Компашку, и Зиновия, и заявила, что ей нечего добавить к сказанному.

Лицо ее покрылось красными пятнами, и Алексей легко представил, как это выглядело двадцать четыре года назад: так же покрываясь пятнами гнева, Анна Ивановна орала на неугодных учеников, не вписывающихся в рамки марксизма-ленинизма, неприятным тонким голосом, и лупила указкой по партам. Что, без сомнения, делало ее смешной в глазах таких школьников, как Юра.

Но это ни на шаг не приближало его к ответу на вопрос, почему был исключен из школы Зиновий.

— И все-таки, Анна Ивановна... За что исключили из школы Зиновия? Что он сделал такого, что его выгнали из последнего — выпускного — класса?

— Понятия не имею! Он такой же подонок, как Юра и все остальные! — Голос ее окончательно сорвался в визг, и детектив понял, что правды не добьется.

В общем, облом. Хотя и это уже немало! Анна Ивановна что-то скрывала. Стало быть, имелось что скрывать!

Придется ему навестить Зиновия Шапкина. Он, конечно, тоже правды не скажет...

Что-то и впрямь нерядовое должно было в школе случиться, коли, несмотря на нешуточную огляд-

194 ку на РОНО и всякие центральные комитеты, Зиновия из нее исключили!

Именно поэтому Зиновий не скажет... Или все-таки скажет? Видно будет. Пока требовалось простейшее: где да с кем он проживает.

Кис еще днем воспользовался дружескими связями и запросил у бывших коллег помощи. И сейчас, вернувшись на Смоленку в свой кабинет, открыл почту. Так и есть! Адрес Зиновия Шапкина упал в ящик. Спасибо, братцы!

Он посмотрел на часы. Время чуть перевалило за восемь — еще не поздно, можно попробовать навестить Шапкина. И Кис завел свою «Ниву», благо ехать было недалече: во времена школьного детства Лерины одноклассники обитали в районе их школы, что логично.

С тех пор большинство сменило адреса, но Зина Шапкин проживал ровно там же, где и двадцать четыре года назад: в окрестностях школы. А школа находилась в окрестностях метро «Смоленская», отчего и ехать было недалече.

Однако на звонок в дверь никто не ответил. Разобравшись в расположении квартир четырехэтажного старого домишки, затерявшегося в переулках, Алексей вышел из подъезда и высчитал окна Зиновия. Квартира была двухкомнатной, он знал, — стало быть, кухня и хотя бы одна комната выходят на фасад. Одно окно горело, скорей всего кухонное. Во втором из-за занавески пробивался мерцающий голубоватый свет: телевизор. По сведениям, Зиновий жил теперь один, а еще не так давно с матерью, скончавшейся около четырех месяцев назад. Отчего же он не открывает, интересно? Ну, хоть бы спросил «кто там?»...

Алексей посмотрел в бумажку и набрал номер телефона Зиновия. Результат был аналогичным: нет ответа. Он снова вернулся в подъезд — способов попадания в запертые подъезды у детектива имелось множество, но в данный момент удачно подвернулся выходящий оттуда жилец. У двери Зиновия он долго вслушивался. В квартире, похоже, царила тишина. Сказать точнее мешали шумы, доносившиеся из-за соседских дверей: это было время вечернего досуга и вечерней домашней работы — у кого-то орал телевизор, у кого-то шумела стиральная машина, у кого-то плакал ребенок...

Кис раздумывал. Причин молчания могло быть, в теории, несколько. Человек мог принимать ванну или душ или просто сидеть в туалете, проклиная нежданный-незваный звонок. Мог он также и отсутствовать, оставив на кухне свет. Было правильным подождать хотя бы с полчасика, использовав его на размышления, но...

Но дома его ждали Александра и малыши. С одной стороны, он и сам по ним скучал, и ему не терпелось сбросить с себя все дневные деловые заботы и погрузиться в родные руки, запахи, атмосферу любви и уюта. С другой стороны, его, мужа и отца, ожидали по вечерам едва ли не с таким же нетерпением, как Деда Мороза в Новый год. А это обязывало!

Но работа, помимо увлеченности ею (особенно в таких случаях, как сейчас, когда ему выпало дело-головоломка!), также накладывала обязательства! Причем иногда очень суровые! Когда случится следующий «инфаркт»? И сумеет ли он его предотвратить?! Особенно если учесть, что у него пока в руках пусто, ни одной зацепки, ничего точного и достоверного. Одни догадки да домыслы...

Он сел в машину, закурил. Надо позвонить Саше. Она поймет. Она всегда его понимала...

Телефон заиграл в его руке. Александра.

Она несколько сухо поинтересовалась, где он находится на данный момент.

Время приближалось к девяти. Если он прождет еще полчаса, то...

— Уже еду домой, — сообщил он, бросив последний взгляд на окна Зиновия. — Еду, Саша.

И все дорогу размышлял, как же сделать, как устроить так, чтоб ни семья не страдала, ни работа?

Но в сутках всего лишь двадцать четыре часа. Так мало...

«Как разрешить эту проблему?! Если кто знает, подскажите мне!!!!»

Домой он приехал с несколько виноватым видом. И в то же время с решимостью найти какой-то компромисс.

— Саш, я все понимаю... — начал он с порога.

— Я тоже, — усмехнулась она.

— Ты о чем?

— О том, что ты снова влез в «сапоги-скороходы», — пожала она плечами.

Шуточка эта была пущена с легкой руки его ассистента Вани и прижилась между своими. Означала она крайнюю степень его увлеченности делом: «Кис в сапогах».

Александра была права.

— Саша, давай так... Как только я закончу это дело, мы с тобой поедем в отпуск. На какие-нибудь чудесные острова. Он нужен и тебе, и мне!

— А дети?

— С детьми!

— Тогда на чудесных островах мне будет точно так же не до отдыха, как и дома!

— Хорошо, возьмем с собой няню!

— Алеш, но...

И она умолкла.

— Что? — требовательно спросил Алексей.

— А то... Что отдых на островах не решит нашей проблемы...

— Сашенька, какая у нас проблема? Ты только скажи, скажи прямо! Ты устаешь, я понимаю... И няня не может взять на себя всех забот... Давай еще заведем домработницу?

— Алеша, ты не с той стороны немножко... Мне тебя не хватает. ТЕБЯ. И ни няня, ни домработница мне тебя не заменят!

Она постояла мгновенье, затем повернулась и направилась на кухню. Алексей не стал ее догонять — отправился в ванную мыть руки и думать.

Детей не было слышно. Им вообще с близнецами повезло, на редкость спокойные оказались детки. Он решил заглянуть к ним попозже — поцеловать румяные щечки — и направился на кухню. Александра уже накрыла на стол. Салат из свежих овощей с оливковым маслом, горстка его любимых черных маслин в пиалке, корзинка с хлебом. И одна тарелка. Для него.

— А ты?

— Я уже поужинала, Алеша... Пора купать детей, я не могла тебя ждать. Выпью с тобой чашку чая, пожалуй... А ты что будешь? Минералку? Сок? Или тебе тоже чаю налить?

Она направилась к холодильнику, пряча от него глаза, но Алексей ее перехватил.

— Брось все. Сядь.

Она послушалась.

— Только обещай не перебивать. А то я не справлюсь с мыслью... Она и так ускользает, — улыбнулся он.

Саша кивнула, давая понять, что молчит, обещает. Глаза ее еще были влажными от навернувшихся слез, но в них уже засияло любопытство. Вот за это он ее любил: к мыслям у нее был такой же жгучий интерес, как у ребенка к сказкам.

— Вот что, Саша... Тебе не любви моей не хватает — в ней ты ведь не сомневаешься, правда? — а моего присутствия! И почему? Потому что сейчас твой мир замкнулся до детей и домашнего быта. Даже если ты ухитряешься писать статьи, то из дома почти не выходишь. Тогда как ты привыкла быть в гуще событий, посещать различные мероприятия и светские тусовки. Ты стала немного задыхаться... Дети, дом — все это требует твоей любви, отдачи. От *тебя*. А я — тот человек, который отдает *тебе*. И когда меня слишком долго нет рядом, у тебя возникает ощущение, что...

Он запнулся в поисках слова.

— Не ищи, — сказала Саша. — Я поняла.

— Спасибо. Тогда продолжаю... Дети немного подрастут, пойдут в ясли, и ты снова начнешь заниматься своей работой в полную силу. Представь сейчас: надо ли мне будет просить тебя, чтобы ты больше внимания уделяла мне или малышам? Нет, конечно, нет! Ты *сама* будешь стараться, разрываясь при этом на части! Потому что делать выбор между любимым делом и любимыми людьми трудно и не хочется. Значит, в какой-то раз будешь подвигать семью, в какой-то раз — работу. Жить в абсолютной гармонии невозможно... Но не-абсолютная гармония тоже ведь неплохо, а, Саша? Вспомни, как мы раньше жили: скучали друг по другу и были при этом счастливы...

Александра поднялась и обошла стол. Алексей подвинулся вместе с табуреткой, принимая ее на колени. Она обхватила его за шею и проговорила куда-то за ухо:

— Я ведь и сама это все знаю, Алеш... Поэтому

всегда тебя отпускаю. Но потом мне без тебя плохо... И ничего не могу поделать с собой... Иногда хочется плакать только потому, что тебя рядом нет...

Он прижал ее покрепче к себе.

— Это усталость, Сашенька. И небольшая депрессия на ее фоне. Как ты сама часто говоришь: нехватка энергии. Потому что расход ее у нас слишком большой, на детей, на быт, — особенно у тебя. У нас сейчас трудный момент. Давай просто постараемся его пережить. Мы взрослые умные люди, все понимаем и потому...

Александра соскочила с его колен.

— Ешь, голодный небось? Я пока приготовлю ванну детям, а ты подтягивайся. Ты же знаешь, как они любят плавать с тобой!

Саша, следуя какой-то методике, купала детей в большой ванне, где они плавали по очереди, придерживаемые папой.

Полтора часа спустя дети спали, пора было и родителям укладываться. Александре пришлось пожертвовать своим любимым ночным образом жизни и ложиться рано, следуя распорядку дня малышей. Она ушла в душ, а Алексей посидел на кухне, покурил, еще немного подумав о деле, потом решительно прогнал все мысли и направился в ванную.

— Ты что делаешь? — изумилась Александра, когда он бухнулся к ней в ванну.

— Я тебя пришел мыть. Ну-ка, подставляй спинку...

...Он мыл ее, потом она его, потом они толкались вдвоем под душем, смеясь, брызгаясь и прижимаясь скользкими от воды и геля телами друг к другу.

— Знаешь, о чем я подумал? — произнес Алексей, когда, устав от любовных ласк, они оторвались друг от друга. — Существуют два вида любви. Один —

это любовь как *отношение*. Вот я люблю тебя, думаю о тебе, забочусь и всякое такое. И ты об этом знаешь. Именно *знаешь*, я это слово хочу выделить. Но одного знания мало... А есть любовь как *чувство*. Это когда не вообще знаешь, а чувствуешь! Тогда она течет от одного к другому, и для ее передачи нужно прикоснуться. Обнять, погладить, нежно или страстно — неважно, в разные моменты по-разному. Но обязательно нужно прикосновение! И тогда вопросы не возникают, и сомнений нет, и слова не нужны: все чувствуется само!

Голова Александры покоилась на его груди, он лица ее не видел, но все равно знал, что она улыбнулась. Она всегда чуть-чуть улыбалась, когда он пытался сформулировать мысли в области тонких материй. Но Алексей не обижался. В их семье она была мастером облекать мысли в слова, а он только мастером выстраивать их между собой в цепочку.

— Согласна, — она подняла голову, и он убедился, что не ошибся. — Полностью с тобой согласна! И что из этого следует?

— Как, ты еще не поняла? Что мы должны чаще заниматься любовью, что же еще! И тогда ты перестанешь чувствовать, что тебе меня не хватает! Наоборот, меня станет так много, что будешь радоваться, когда я не дома!

Александра только фыркнула в ответ и снова устроила голову у него на груди. Если и чаще, то уж точно не сегодня...

* * *

Кто это сказал, что секс не интеллектуальное занятие? Очень даже интеллектуальное!

Во всяком случае, с утра мысли Алексея прояснились и выстроились совсем в ином порядке, куда более рациональном.

В самом деле, вместо того чтобы ходить по несговорчивым или отсутствующим очевидцам (или участникам) глубоко законспирированного события, не лучше ли отправиться прямиком к тому, кто является самым заинтересованным в помощи следствию? А именно к следующему кандидату на «инфаркт»!

Он сидел на первой парте первого ряда от стенки и являлся кандидатом по той простой причине, что если считать не вообще по ученикам, а исключительно по членам Компашки, то он был на очереди. Звали его Максим Фриман. Лера с ним не встречалась, на последний классный сбор он не явился, манкировал. По словам старосты, ныне Максим ни с кем из класса не общался, — во всяком случае, на приглашение прийти на встречу отреагировал раздраженно, заявив, что «детские сопли» не входят в сферу его интересов.

Стало быть, высок шанс на то, что ничего не знает об «инфарктах», и Кис сумеет его огорошить и расколоть.

По телефону детективу удалось напустить таинственности, заинтриговать и даже несколько напрячь Максима, в силу чего встреча была назначена безотлагательно, в обеденный перерыв.

Алексей не знал, где и кем работает Максим Фриман (понадобится — выяснит!), но осторожничал мужик ощутимо. Местом для разговора он выбрал машину детектива: спросил ее номер и модель и назначил встречу.

Сии предосторожности навели Алексея на мысль, что он излишне зациклился на Юре Стрелкове, которому есть что терять с учетом его головокружительной карьеры. Но ведь и прочие члены бывшей Компашки могли занимать достаточно высокие посты, чтобы ныне опасаться за свое положение в случае, если будет извлечена на свет какая-то неблаговидная история! Конечно, ущерб репутации политика она нанесла бы куда более ощутимый урон, чем, допустим, репутации банкира, и все же нельзя сбрасывать со счетов остальных. И придется ему добывать информацию о Максиме Фримане и тех членах Компашки, которые еще живы...

Хотя если не считать Юру Стрелкова и Ингу, то в живых оставались всего два человека: Максим Фриман да Дмитрий Щербаков...

Алексей припарковал свою машину в условленном месте в условленное время. Максим Фриман пришел на встречу с удивительной точностью и постучался в стекло.

Кис окинул его взглядом бегло, но зорко. Довольно высокий брюнет, в черной шевелюре которого блестками посверкивает ранняя седина. Одет дорого и строго, костюм-галстук, безупречная белая рубашка с золотыми запонками. Похоже, в мире бизнеса он имеет высокий ранг. Лицо его, чисто выбритое, нездорово одутловатое, с мешками под глазами и бледной вялой кожей, ничего не выражало. Даже вежливой улыбки не мелькнуло на бледных тонких губах.

Алексей впустил его в салон, приметив на тротуаре легко вычисляемую фигуру охранника.

Машина мгновенно заполнилась удушливым запахом хорошего, но чрезмерно политого на голову гостя парфюма. Алексей достал фотографии, разложил на приборном щитке и, чуть отворачивая нос от собеседника, вкратце обрисовал ситуацию.

Лицо Максима оставалось непроницаемым и даже брезгливо-недовольным, но Алексей почувствовал, что тот напрягся. Слишком внимательно слушал, слишком прямо сидел.

— Как вы понимаете, — закончил детектив вводную часть, — на совпадения эти смерти никак не тянут. Но в таком случае весьма высока вероятность, что следующей жертвой намечены вы, Максим Львович.

Он не посмотрел на детектива, не повернул головы, его глаза все так же были устремлены на школьные снимки, но Алексей видел, как под кожей скулы подвигался вверх-вниз желвак.

— Вы смогли установить с точностью, что это не инфаркты? — сухо поинтересовался собеседник начальственным голосом. — Что это убийства?

— Нет.

— То есть вы это только *предполагаете*?

Последнее слово прозвучало с презрительным нажимом. Но Киса на понт не возьмешь!

— Для того чтобы окончательно убедиться в неошибочности моей версии, мне следует подождать, пока вас убьют, — ледяным тоном произнес он. — Точнее, пока вы не умрете от «инфаркта». Жалко только, что поделиться с вами этим доказательством я уже не смогу.

Наконец он был удостоен взгляда.

— И чего же вы от меня хотите? Только не говорите, что явились меня спасать!

— Отчего же не говорить? Это хоть и не основная, но все же моя задача.

— Имейте в виду, я вам платить не собираюсь!

— Странный вы человек, однако, — сказал Кис вслух, а мысленно сказал: «Козел!» — Я пришел вас спасать, а вы ведете себя так, словно я у вас чего-то прошу!

— А вы не просите?

Кис пожал плечами, выражая недоумение столь идиотским вопросом. Хотел бы попросить — уже бы попросил, разве не понятно?

— Только информацию, — произнес он вслух.

— Какую еще информацию?

— Ту, которая поможет мне вас спасти. Если сегодня кто-то убивает ваших бывших одноклассников, то, стало быть, в те годы что-то произошло. Некое событие, за которое либо мстят, либо устраняют его свидетелей.

— Ну почему же, — усмехнулся Максим с тоном знатока, — могут еще...

И вдруг он умолк. Помолчал и Алексей.

— Шантажировать? — наконец решил детектив уточнить неоконченную мысль собеседника.

— Корову либо на мясо растят, либо на молоко, — хмуро ответил тот.

— Вас кто-то шантажирует?

— Не говорите чушь!

— Максим Львович, вы явно знаете, что случилось в десятом классе. Тогда, когда вашу Компашку пересадили за партами. Тогда, когда ушла из школы учительница истории и обществоведения Анна Ивановна Деревянко. И когда исключили Зиновия Шапкина. Как эти события связаны между собой? Чем? И при чем тут ваша Компашка?

— А Стрелков, значит, сделал ноги... С Ингой, говорите?

— Это предположение. Сам он сказал, что повез Ингу в Европу на лечение.

— А что его жена?

— Я с ней пока не встречался. Но если та давняя история была настолько неблаговидной, что из-за нее сегодня кто-то сводит счеты, то вряд ли Стрелков рассказал о ней жене.

— Но она ведь сестра Инги! Вы ведь сказали, что он женат на ее сестре, так?

— Так, — кивнул Кис. — Но о неблаговидных историях обычно не рассказывают даже сестрам. Впрочем, эти встречи впереди. Пока я хочу услышать об этой истории от вас, Максим Львович.

— Да не было никаких историй!

Алексей не ответил. Ложь была очевидна. Максим испугался, Кис это чувствовал даже правым локтем.

— И «инфаркты» являются случайным совпадением? И вы не следующий кандидат в жертвы?

— Знаете что, уважаемый, я сам разберусь! Спасибо, что предупредили. Мне пора, дела ждут!

Он открыл дверцу машины, охранник сделал к нему шаг. Алексей пытался найти еще какие-то слова, какие-то аргументы, чтобы заставить его расколоться...

Максим уже выбрался из его «Нивы», когда детектив бросил в приоткрытую дверь:

— Вы последуете примеру Юры и сбежите за границу? Но тогда будут убивать других. Рядом с вами за партой сидит Дима, Дмитрий Щербаков... Вы отдаете себе отчет, во что обойдется ваше молчание?

— Да иди ты! — Дверца с силой захлопнулась, сопровождаемая парой крепких словечек.

— Мразь, — сквозь зубы проговорил сыщик, ударив кулаком по рулю.

Итогом было, — помимо чувства брезгливости, которое оставил в нем Максим, — ощущение, что никто ему ничего скажет. НИКТО!

Молчит бывшая директор школы, молчит бывшая учительница истории и обществоведения, молчит Юра (а его побег может быть расценен именно так!), молчит Максим. Скажет ли детективу что-нибудь Зиновий? Другие учителя? Жена Юры Стрелкова? Дима Щербаков, сидящий возле Максима на первой парте первого ряда? Как их расколоть? Какой у детектива в руках имеется инструмент для этого?

Да никакого, черт побери!

Он поехал к себе на Смоленку, в кабинет. Вчерашний разговор с Сашей и полночи бурной, нежной любви принесли умиротворение в душу. Он больше не дергался, не разрывался на части. И мог думать столько, сколько ему влезет!

Хотелось, однако, есть. Он направился на кухню, несколько повеселевшую с тех пор, как Алексей превратил свою квартиру в рабочий кабинет...

Нет, неправильно. Правильно вот как: с тех пор, как он взял в помощники Игоря! Именно с тех пор, как в квартире на Смоленке появился Игорь, новый его секретарь, — сначала приходящий, а с недавних пор, когда Ванька съехал, то новый его квартирант, — порядок на кухне был идеальный, а холодильник всегда заправлен едой.

— Игорь, — позвал Кис, — чего бы мне перекусить наскоро?

— В морозилке есть пельмени, которые вы любите, а также блинчики с мясом и с грибами, полуфабрикаты. А кастрюлька в холодильнике — это *соте*. Я потушил мясо с кабачками, баклажанами и помидорами. Вам разогреть?

— Если тебе нетрудно.

Игорь поражал детектива своими кулинарными

способностями. Точнее, даже не способностями, а желанием и умением готовить еду. Премудрость, которая никогда не давалась Алексею...

...Он так и не сумел очертить для себя характер своего нового секретаря. Все не хватало времени, и все Алексей казнился из-за этого. Красивый парень, казалось бы, лишь свистни он, и тут же пачками падут девицы к его ногам! Ан нет, Игорь до сих был один, а если и водились у него подружки, то не настолько серьезные, видать, чтобы волны их отношений долетели до детектива. И готовил он отменно, как заправский холостяк...

Игорь пришел на кухню, положил на тарелку кучкой соте, разогрел в микроволновке и подал Алексею.

— Спасибо... Поешь со мной?

— Я не голоден. Недавно перекусил, — улыбнулся Игорь.

Вот еще что любопытно: он был услужлив, ему нетрудно подать, к примеру, тарелку шефу, хотя Алексей никогда его об этом не просил. Однако в поведении Игоря никогда не мелькало подобострастия, напротив, он делал это так спокойно и легко, словно ему и в голову не приходило, что в этом жесте может оказаться что-то недостойное.

Недостойного в этом жесте, разумеется, ничего и не имелось. Однако подавляющее большинство людей, занимаясь по роду профессии обслуживанием, впадали в две крайности — либо хамили, либо оправдывались: мол, волею гнусных обстоятельств я должен тут вам прислуживать! Обе крайности являлись следствием одного и того же комплекса неполноценности, который Кис прозвал для себя «комплекс почтальона Печкина». Ведь всем известно, что Печкин был плохим оттого, что у него велосипеда не было...

Проще говоря, у людей, страдающих этим комплексом, не имелось никакого самоуважения, они измеряли себя лишь внешним своим статусом.

Игорь же уважал себя вне зависимости от наличия «велосипеда». Удивительно зрелое понимание вещей у столь молодого человека. Или талантливая игра?

...Вот как только он развяжется с этим делом, он непременно займется своим секретарем вплотную, пообещал себе Кис. Слишком он хорош, этот Игорь, чтобы быть правдой!

Утолив голод, детектив предался любимому своему занятию: размышлениям за рабочим столом.

...Понятно, что не сорванные уроки суть повод для мести сегодня — или для чего иного, типа шантажа.

К слову, Максим довольно странно себя повел. Шантаж ему пришел на ум!

Логический ряд, разумеется, правильный: постыдная история может стать причиной мести, равно как и причиной устранения свидетелей, но также и причиной для шантажа.

Шантажистом мог бы оказаться, к примеру, Зиновий Шапкин — ученик из бедной семьи, который вряд ли устроил свою жизнь с тех школьных пор и мог возжелать поправить свои дела за счет богатеньких одноклассников, если оказался в курсе некоего происшествия. Но в одном Максим прав: корову либо на мясо, либо на молоко. Если ее собираются доить, то ее не убивают!

А в нашей истории — убивают. Инфарктами.

Что же эти бывшие детки могли сделать такого, что вынудило учительницу уйти из школы?

Сегодня же вечером он сделает вторую попытку переговорить с Шапкиным. А завтра непременно навестит жену Стрелкова и Диму Щербакова. Но было бы лучше, чтоб детектив заранее знал, как к ним подобраться. Какой вопрос хитрый им задать, чтобы расколоть!

Где-то в той информации, которой он уже располагает, должна оказаться щель, хоть маленькая щелочка, в которую сможет просочиться его мысль, чтобы сдвинуть с места всю конструкцию...

Алексей мысленно перебрал все факты, все слова — медленно, тщательно, словно перетряхивал по вещичке, в надежде, что из груды выпадет шпаргалка.

И она выпала! На шпаргалку не потянет — так, махонькая зацепка для мысли. Но в его положении не до жиру, капризничать не пристало!

Из памяти он вытряхнул вот что: Анна Ивановна назвала всех «подонками». Всех: и Компашку, и Юру, и, что удивительно, Зину Шапкина! Который в нее не входил. Значит, что-то их объединило в ее глазах. Что же?!

Алексей снова побеспокоил Леру, но она ничего интересного не вспомнила. А еще говорят, что женщины наблюдательны! Но Валерка всегда была рассеянной, словно постоянно отвлекалась на свои какие-то мысли, и медлительной. Раззява, одно слово!

Затем он побеспокоил старосту Мишу. Впрочем, он столь охотно отзывался на вопросы сыщика, что слово «побеспокоил» тут не годилось — скорее детектив порадовал его своими расспросами!

Михаил Пархоменко, похоже, так и остался в

душе старостой и до сих пор с удовольствием и чувством выполнения гражданского долга отчитывался за свой класс.

Он вспомнил.

— Правда ваша, таки был какой-то очень короткий период, когда Юра подпустил Зину к своей царственной особе. И даже Инга стала с ним перекидываться парой слов. И улыбалась, что совсем невероятно. У Инги стиль был такой — никому не улыбаться, на всех смотреть вскользь и с презрением. К сожалению, я подробностей уже не помню... Просто сейчас вдруг всплыла сцена перед глазами, как Юра картинно выбрасывает вперед руку, подзывая к себе Зиновия, и Инга источает улыбку... А Зина идет к ним, вроде бы небрежно, но всем видно, что он с трудом сдерживается, чтобы вприпрыжку не побежать...

— Когда это было? В каком классе, в какое время года?

— Дайте подумать... Под конец наверняка... Да, точно, это уже после того, как они уроки обществоведения срывали. В десятом, значит. А, вот еще всплыло: как они уходили из школы всей гурьбой. Я в окно видел, как шли по школьному двору... И Зина чуть не в центре... Снег тогда уже начал таять. Весной, выходит.

— В чем же была причина их неожиданного сближения?

— Затрудняюсь сказать... Но наверняка они просто прикалывались над бедным Зиновием...

Кис не стал терзать дальше старосту, уже спасибо ему за то, что вспомнил о внезапной и краткосрочной дружбе между бедным «занудой» и блистательным Юрой.

Алексей вполне представлял себе, что Стрелков мог пригреть Зиновия Шапкина для забавы, точно усмотрев за его малоуспешными — если не сказать жалкими! — попытками соперничества с Компашкой и с Юрой лично всего лишь робкую мечту быть приближенным к элите. Не из жалости, конечно, — просто Юра решил завести себе новую игрушку. Мальчик для битья, придворный шут — вот чем был, без сомнения, Зиновий в глазах Юры.

Но важно то, что в какой-то момент они оказались вместе. И Анна Ивановна назвала обоих подонками, словно чем-то объединив.

Парторг обладала, судя по всему, крайне праведными и жесткими представлениями о морали, и для нее групповой секс, если она о нем прознала, мог стать основанием, чтобы обозвать подонками всех их... И даже факт полной добровольности участников не способен был смягчить ее приговор: ведь уже сам секс являлся в партийном мировоззрении пережитком капитализма! А уж такое разлагающее влияние буржуазной идеологии, как групповой секс, должно было вызвать в ней небывало воинствующий обличительный дух!

Что объясняет слово «подонки» и даже уход учительницы из школы: она вполне могла поставить перед директором вопрос ребром: или я, или Стрелков! А директор выбрала расчудесного Юру, у которого такие расчудесные родители...

Да, но убийства-то тут при чем?!

Кроме того, что же скрывает тогда Анна Ивановна? Если бы дело обстояло именно так, то есть если бы она прознала об их развлечениях и резко поставила вопрос перед директором, то она бы с удовольствием сейчас о нем рассказала детективу, чтобы отомстить всем подлецам и подонкам, и директору

заодно! Которая покрывала безнравственных богатеньких деток.

Но Анна Ивановна молчит.

Неужели?..

Она ведь еще назвала их «*жеребцами*»!

Мелькнувшая в мозгу догадка показалась совсем
бредовой. Не могла Анна Ивановна принимать участие в таких забавах добровольно, никак не могла!

Но если *не добровольно*... Тогда выходит, что...
Бред, чистый бред!

И все же Алексей позвонил своим на Петровку и
попросил пробить по полной сведения о Юре
Стрелкове и Зиновии Шапкине.

Опа-на! Как выяснилось, на Зиновия было заве-
дено уголовное дело, он был приговорен и отсидел
два года за... Таки да... Ну надо же... За изнасилование учительницы!

Причем жертвой изнасилования выступала не
кто иная, как Анна Ивановна Деревянко... А насильником — Зиновий Шапкин! Единолично. На Юру
Стрелкова в недрах милицейской справочной систе-
мы не нашлось ничего компрометирующего.

Теперь понятно, почему в школе это дело замя-
ли! И почему не могли в этом признаться детективу
ни директор, ни сама учительница. И почему никто
в школе не узнал истинных причин исключения
Шапкина. Подобный факт тщательно скрывался!
Сказать, что он позорил школу — да еще в советские времена, — это ничего не сказать!

Однако... Невероятно: эту учительницу терпеть
не могли в классе (да и в школе тоже), а Зиновий,
выходит, ее возжелал?

Кис вспомнил крупные формы Анны Ивановны.
Если бы не ее скверный характер, нашлись бы, без

сомнения, мужчины, которые польстились бы на такое тело. Но мальчик?!

Мальчишки влюбляются в учительниц, это хорошо известно, да, но только в других... Влюбляются в молоденьких начинающих училок, хорошеньких девочек, только постарше. Именно магия узнавания в ней, взрослой женщине, девочки, душа которой еще не потеряла признаки детства, делала такую училку одновременно близкой и далекой, желанной и недоступной.

Но Анна Ивановна была во всех отношениях слишком далекой от подростка — и внешне, и внутренне. И телом, и душой.

Или тут патология? Допустим, Анна Ивановна своим строгим и властным характером и (или) внешностью ассоциировалась у Зиновия с матерью. И он таким образом отомстил последней?

Или они сошлись на добровольных началах?.. Их — училку и дохлика Зину — объединила ненависть к Юре? Но нет, Анна Ивановна, парторг школы, которую побаивалась и недолюбливала даже директор, не стала бы искать поддержки у такого «зануды», как Зиновий Шапкин! И, главное, почему тогда речь идет об изнасиловании?

Что-то тут не так. Нет, так!!!

Алексей попросил бывших коллег выудить дело двадцатичетырехлетней давности из архивов, а сам пока открыл на экране фотографию класса и принялся снова изучать Зину на цветном снимке. Как мог он, субтильный, хрупкий мальчик — таких называют «замухрышка» — изнасиловать эту крупную и сильную женщину, которая в то время была на голову выше и в два раза шире мелкого Зины?!

Изнасилование — это взятие *силой*. А соотношение *сил* здесь было явно не в пользу Зиновия! Анна Ивановна его бы одним хлопком прибила!

Предположить, что Зиновий — ничем не примечательный, некрасивый, с мелкими чертами лица, закомплексованный мальчишка — мог *соблазнить* учительницу, которая отдалась ему *добровольно*, а затем возвела на него *поклеп*, — этого Алексей предположить тоже никак не мог.

Другое дело, если бы это был Юра! Вот он на фотографии — красивый, яркий блондин, харизматичный, уверенный в себе, как раз такой, какие нравятся женщинам... Особенно тем, которые испытывают дефицит мужского внимания — и не только внимания, будем называть вещи своими именами: дефицит сексуальной удовлетворенности.

Мысли о сексе, понятно, вытеснила *партийность*, но женское естество все же требует своего. Как и мужское, собственно. Человек, который в силу идейных заморочек лжет себе, убеждая, что смысл и цель его жизни состоит исключительно в служении великим идеалам (неважно каким, в данном случае пусть служение идеалам коммунизма, это ничего не меняет!), — такой человек может однажды взорваться. И самым нелепым и постыдным для него образом сдаться идейному врагу.

Наша природа — это самая большая правда о нас. И тот, кто душит ее в себе в угоду идеям, тот и оказывается наиболее уязвим. В самый неподходящий момент и с самым неподходящим человеком. Так священник влюбляется в путану. Так марксистка-ленинистка могла пасть перед чарами Юры Стрелкова.

Но никак не Зиновия Шапкина!

Меж тем биография Юры оказалась чиста, как слеза праведницы. А в колонии отсидел Зина. За изнасилование учительницы, ексель-моксель...

Догадки выстраивались в мозгу детектива одна бредовее другой. А что, если так оно и вышло, и учительница сблизилась с врагом номер один, Юрой, а Зиновий их застукал? Именно поэтому Юра потом приблизил к себе Зиновия: задабривал, чтобы тот не проболтался?

Допустим. Но при чем тогда изнасилование? Поклеп на Зину с ее стороны, чтобы избавиться от свидетеля? Но помилуйте, не такой же ценой... Дело даже не в судьбе бедного Зины, а в том, что не могла парторг *выдумать* изнасилование и заявить о нем в милицию! Не могло *такое* прийти в голову парторга в советские времена! Никак не могло...

А что, если Юра ее сам изнасиловал? Из мести, конечно же, не по влечению, а Зиновия подбил взять вину на себя? Что-то посулил... Или Инга, его подружка закадычная, нежно упросила Зину, пообещав, что будет ждать его из колонии? Может, оттого она принялась бедному Шапкину нежно улыбаться, о чем поведал староста?

Да, но и такой вариант не прокатит! Зину теоретически могли подбить на такое дело. Но парторг не дала бы произвести подмену! И отправить в колонию какого-то там невинного зануду, а не своего заклятого врага, Юру Стрелкова!

...Короче, понятно, что ничего не понятно. И, главное, вся эта история с изнасилованием ни на шаг не приближает Алексея к ответу на вопрос: кто убивает бывших Лериных одноклассников?

Хм. Пока что намечается единственный кандидат на данную роль: *Анна Ивановна собственной персоной*.

В самом деле, она ведь Компашку ненавидела люто!

Однако... Зиновий, выходит, куда больше провинился перед ней. А меж тем жив пока! В то время как «инфаркты» косят членов Юриной интеллектуальной банды...

Или это было на самом деле групповое изнасилование, с участием Компашки? Но каким таким образом туда затесался Зиновий?

Хотя совершенно очевидно, что именно после этого учительница покинула школу. Стало быть, случилось это именно тогда, весной, когда Зиновий уже был допущен к «телу» Юры Стрелкова. И Инги, его сподвижницы.... И посему вполне мог участвовать в подобном безобразии.

Но тогда бы парторг сдала их всех! А с особым наслаждением, конечно, Юру.

...Погодите-погодите, погодите-ка! А что, если сдать-то она сдала *всех*, да остальных, Компашку, родители выкупили? Взятками, связями, тут надавили, там нажали... И пошел Зина мотать два года один-одинешек, потому что у его родителей не было ни денег, ни связей...

Два года — маловато за изнасилование. Но он тогда был несовершеннолетним, вышел досрочно, а приговорили его, как следовало из дела, к трем...

В таком раскладе становится хотя бы понятно, почему бывший парторг решила его сейчас не трогать: он уже наказан. Зато остальные вышли сухими из воды, и жажду ее мести не утолили даже годы!

Впрочем, надо еще удостовериться в том, что Зиновий до сих пор жив...

Неприятный холодок протек по позвоночнику Алексея при воспоминании о вчерашнем глухом молчании квартиры Шапкина.

Ну, будем надеяться на лучшее и считать, что молчание объясняется причинами простыми и житейскими и что месть Анны Ивановны все же не пала на голову Зиновия.

Однако напрашивается все же вопрос: почему же она столько времени ждала? С риском, что жизнь разнесет ее обидчиков по городам и странам? И она уже никогда не доберется до них?

Тьфу-ты, ну-ты! Ну, никак не складывается хоть одна версийка, хоть одна чуток стройненькая да гладенькая, как ножка любимой женщины...

Не зря ему любимая женщина вспомнилась — она не замедлила позвонить и нежно, без напора, поинтересовалась, как у него дела.

Дела у него были хуже некуда, о чем он жене честно и поведал.

— Не торопись, Алеша! Мы тут сами управимся, — сказала Александра.

«Саша, Сашенька, ты даже не можешь себе представить, как я тебе благодарен за эти слова...»

Он ни на секунду не допускал мысли, что Александра лицемерит. Она не относилась к тому типу людей, которые делают добрые (якобы) жесты не осознанно, но просто уступают по мягкотелости. И потом жалеют о них и предъявляют запоздалый и нечестный счет.

И потому Алексей решил воспользоваться ее великодушием на все сто. ОПД Зиновия Шапкина выудят из архивов в лучшем случае завтра, а пока у него наличествует в распоряжении сегодняшний вечер, и имеет смысл предпринять новую попытку переговорить с ним!

Вчерашний сценарий повторился в точности: в квартире Зиновия Шапкина горело одно окно да мерцал слабый голубоватый свет, но на любые звонки, по телефону или в дверь, он не отвечал. Алексей легонько нажал на ручку двери: заперто.

На этот раз он ждать не стал. Мысль о том, что в квартире, может, лежит труп, которым стал Зиновий Шапкин после «инфаркта», послужила хорошим стимулом. Детектив достал универсальную отмычку, и хватило пол-оборота замка, чтобы дверь распахнулась.

Кис придержал ее рукой: дверь была такой же старой, как весь дом, и, видимо, перекосившейся, отчего неудержимо открывалась вовнутрь, рискуя грохнуть о стену, или что там за ней.

Бесшумно шагнув в коридор, он тихо затворил дверь за собой. И со всеми предосторожностями продвинулся в глубь квартиры.

На кухне, где горел свет, пусто, только очень грязно.

В следующей комнате, где работал телевизор, он увидел...

Так и есть! На смятой постели — простыни свисали с дивана, касаясь пола, — распростерлось тело мужчины без всяких признаков жизни. Может, в том виноват голубоватый свет экрана, но лицо его казалось покрытым трупными пятнами.

Алексей медленно приблизился, ожидая учуять запах разложения...

...И учуял запах, запах крутого перегара, замешенного то ли на чесноке, то ли на луке. В общем, тот еще запашок.

Зиновий спал глубоким пьяным сном.

Кис расслабился. Огляделся. Увидел настольную лампу на столе, включил.

Комната была ужасающе грязной и бедной. Единственной роскошью в ней оказался мерцающий экран — только, как выяснилось, не телевизора, а компьютера, который так не шел этой старомодной квартире, обставленной истлевающей мебелью чуть ли не шестидесятых годов...

Ну что ж, у детектива имелось время для того, чтобы все изучить и подумать. Зиновий не скоро проснется, это ясно.

Алексей посмотрел на него повнимательнее. Без сомнения, это он, Зина Шапкин. Только обрюзгший и растолстевший. Как часто случается с мужчинами астенического типа сложения, растолстел он особенно животом, который подушкой возвышался над узкой грудной клеткой. Дряблый второй подбородок стек на шею. Рот приоткрыт и издает мощный храп.

Однако он был выбрит, одет в дешевый костюм и рубашку, хоть и без галстука. По всей видимости, он все же ходит на работу. А по вечерам напивается.

Кис снова заглянул на кухню, где его предположения подтвердились. На столе стояла грязная тарелка с остатками какой-то еды, валялась шелуха от чеснока, заскорузлый кусок черного хлеба... Пустая бутылка водки на столе и еще батарея на полу.

По столу деловито прополз таракан. Приостановился, пошевелил усами, посмотрел на детектива и ввиду неподвижности последнего бесстрашно продолжил свой путь к тарелке. По-видимому, он подал какой-то сигнал сородичам, что-то типа: «Братва, налетай!» — потому как из-за борта стола вдруг показался еще один, за ним другой, а там и третий подтянулся...

Кис не стал изучать жизнь животных: это не входило в сферу его профессиональных интересов, а направился в другую комнату.

Она была чуть побольше, и, судя по всему, Зиновий ею не пользовался. Комната оказалась чистой, если не считать пыли, тускло отразившей электрический свет. Если учесть, что у Зиновия месяца четыре назад умерла мать, то можно заключить, что жила в этой комнате именно она, а Зина по каким-то причинам оставил все пока в сохранности. Возможно, из чувств к матери, возможно, просто по лени.

Детектив приоткрыл шкаф: так и есть, в нем находилась женская одежда. Простая и старомодная, она никакой иной женщине не могла принадлежать, кроме его матери.

Ладно, кое-что проясняется. Хорошо уже то, что чувак этот жив. С ним надо поговорить, да успеется. Пока что Алексея интересовал компьютер, столь неожиданный и даже неуместный в этом захламленном, бедном жилище алкоголика.

Он был довольно старым — на передней панели имелся дисковод под дискеты (таких уже не выпускают) и отсутствовали гнезда под USB (а именно такие нынче выпускают). Либо Зиновий его купил давно, либо купил подержанный.

Кис тронул мышку, и плавающие рыбки исчезли, открыв рабочий стол. Он быстренько пощелкал, просмотрел скудный список папок и документов, достал из кармана флешку — на задней панели обнаружился нужный вход — и перекинул все на нее. Затем открыл интернет, просмотрел историю посещений сайтов и закладки и, проделав ряд манипуляций, скопировал их тоже на флешку.

Покончив с компьютером, Кис растолкал Зиновия, заставил принять сидячее положение. Тот открыл мутные глаза.

— Уууу... Башка болит... Спать хочу.

Он даже не удивился тому, что в квартире находится посторонний. Да и понял ли, что в квартире, а не в его пьяном сне?

Алексей придвинул стул к дивану, на котором

сидел Зиновий. Выровнял накренившуюся тушку, надавил на плечо: сиди, мол, не падай!

— Ответь на вопросы, и я тебе дам спать. Ты изнасиловал учительницу?

— Какуюбля, учи...ль...цу...

Глаза его закрывались. Алексей снова тряхнул собеседника.

— Анну Ивановну Деревянко. Она вела у вас историю и обществоведение, вспомни! И ты за изнасилование попал под статью.

— Да е...л яихвсех!

М-да, тяжело будет добиться от Зиновия вразумительного ответа.

— Кого «всех»?

— Ссцуки...

— Зина, ты изнасиловал учительницу???

— Данахренонамненужна...

— А кто???

Он вдруг раскрыл глаза.

— Ты чего пристал, а? Никто ее не насиловал, иди в жопу! Спать дай!

— Зина, а за что ты сидел?

— Ссцуки...

— Кто??? Кто, Зиновий?!

Он снова стал заваливаться на бок. Детектив вернул его в вертикальное положение.

— Зиновий, скажи мне, кто?

— Даонибля...

— Компашка?

— Ссцуки...

— Ты их ненавидишь?

— Ссцуки...

По богатству словаря пьяный вдупель Шапкин мог бы конкурировать с Эллочкой Людоедкой.

— Это ты их убиваешь? Да?

— Дапошлионивжопу....

— Как ты их убиваешь?

Мутные глаза вновь приоткрылись, и Зиновий сделал попытку сплюнуть с особым тюремным шиком, но у него это не получилось. С перепоя слюна высохла, видать.

— Да я б их, бля, голыми руками передушил...

— Но ты не голыми... Ты иглой!

Произнеся эти слова, детектив вдруг задался вопросом: а каков же Зиновий в рабочее время? В состоянии ли сделать укол? Или у него с похмелья трясутся руки?

— Ты где работаешь, Зина?

— А чего? На работу пора?! — вдруг встрепенулся он.

— Нет, просто скажи, чего делаешь.

— В автосервисе... Если не пора, дай спать!

— Ты каждый день надираешься?

— Во, бля, пристал! Да отвяжись ты!

И Зиновий предпринял очередную попытку завалиться на подушку. Находиться в вертикальном положении ему было тяжело. Но детектив терпеливо вернул его на место.

— А вот ответь, и ляжешь тогда. Ты каждый день пьешь?

— А ты начальству скажешь? — Зиновий вдруг посмотрел на Алексея с некоторым проблеском мысли в глазах.

— Нет!

— Не каждый... Иногда...

— И руки тебя слушаются на работе?

— А чего им? Сами знают, чего делать...

— И шприц тоже слушается?

Зиновий тихо вздохнул и умолк, а еще через тридцать секунд раздался храп. Видимо, каким-то краем сознания усвоив, что ему не дадут лечь, он ухитрился заснуть сидя.

Алексей снова потряс его за плечи. Глаза его приоткрылись, и Зиновий слабо приподнял руку, указав на детектива.

— Ты откуда взялся?

— Пришел.

— А-а-а...

Зиновий явно считал, что он все еще спит. Что ж, тем лучше.

— Ты с иглой хорошо управляешься?

— А выпить принес?

— Принес, — соврал Алексей, догадываясь, что в таком состоянии человек вряд ли продолжит надираться, поскольку надрался уже под самую завязку. Все, о чем он мечтает сейчас, — это упасть обратно на диван и забыться тяжким сном. И за возможность это сделать он может много рассказать сыщику... Если управится с органами речи, конечно. — Так как с иглой, легко управляешься?

— А чего с ней, впрыснула, и вперед...

— И что ты впрыскивал, Зиновий?

Через несколько покачиваний и похрапываний Кис выдавил из него невразумительный ответ:

— Блин, топливо...

— Какое? Зиновий, отвечай!

Но Зиновий, громко пукнув, снова стал заваливаться на диван, на этот раз неумолимо.

Что он называл «топливом»?!

Поразмыслив, Кис решил попробовать вести дальнейшие переговоры в положении допрашиваемого «лежа». Он пересел на диван возле полуобморочной туши. Ухватил за щеку и несильно, но чувствительно ее ущипнул. Зиновий замычал.

— Ты учительницу изнасиловал, да?

— Какуюбляучилку...

— Анну Ивановну. Вспомни!

224 — Да, бля, я в гробу и в белых тапочках... Это все Юрка, ссцука!

Он вдруг открыл глаза, приподнял голову и уставился на Алексея.

— Ты кто?

— Детектив.

Зиновий помолчал, пытаясь сообразить, сон это или нет. Но голова его снова упала на подушку, он прикрыл глаза, и неожиданно кривая улыбка тронула его губы.

— Они мне заплатят за это, понял? Все! И Ингушка эта, блядушка. И Юрка. И все остальные! Они теперь все в моих руках!

— Это будет справедливо, — попытался подыграть Кис.

Под веками Зиновия образовалась щель.

— Они мне жизнь сломали! А ты кто?

Пьяный человек хорош тем, что врать не в состоянии. Но плох тем, что говорит крайне бессвязно и туманно.

— Детектив.

Зиновий замахал на него руками, словно пытаясь прогнать, но руки его тут же бессильно упали на постель.

— Слышь, ты мне про Юру скажи... Что Юра сделал? Это он изнасиловал учительницу? А ты на себя взял, да?

В ответ он услышал полуразборчивую, но очень длинную матерную тираду. Которая сменилась храпом, на этот раз крайне решительным.

Больше от него ничего не добиться, ясно. Кис счел, что пора уходить. Узнал он недостаточно, но он еще вернется — после того, как прочитает дело Шапкина, поднятое из архивов, и изучит содержимое его компьютера. Любопытно, чем он интересовался в интернете, этот опустившийся человек, которому компьютер не шел, как бомжу галстук-бабочка? Может быть, препаратами, способными вызвать инфаркт?

Тем не менее кое-что стало вырисовываться. Зина сказал, что с иглой управляется! И что «они», то есть Компашка, ему заплатят! И что в истории с изнасилованием он виновным считает Юру.

Что ж, завтра многое станет яснее. А сейчас домой, домой, домой!

* * *

Назавтра первым делом Алексей отдал Игорю свою флешку и поручил разобраться с файлами из компьютера Зиновия, а сам поехал в районное отделение милиции — ознакомиться с уголовным делом по изнасилованию.

Сел в уголке, чтобы никому не мешать, перелистал. И сильно озадачился.

В деле явно не хватало страниц. Кроме того, заявление Анны Ивановны Деревянко оказалось датировано позже, чем показания Зиновия Шапкина.

Она утверждала, что Шапкин ее изнасиловал. Причем единолично.

Он утверждал, что только ее «частично раздел». Причем по инициативе и при участии всей Компашки.

Медицинское заключение от врача-гинеколога, обязательное в таких случаях, в деле отсутствовало, но имелось другое, в котором были засвидетельствованы синяки на ее запястьях.

Кроме того, в деле лежало заключение лаборатории, свидетельствовавшее о том, что на юбке учительницы оказались следы спермы Зиновия Шапкина.

Но концом и делу венцом стало чистосердечное признание Зиновия Шапкина в изнасиловании учительницы Анны Ивановны Деревянко, которое он сделал спустя несколько дней после своего задержания. Он не только брал на себя изнасилование, но и никаких упоминаний о присутствии или участии Компашки в нем уже не оказалось.

Все это более чем настораживало. Разумеется, его, бывшего опера, не удивишь тем, что ОПД (оперативно-поисковые дела) велись небрежно, неразборчиво, что нередко утеривались целые страницы, а то и изымались под давлением разных телефонных звонков... Вот-вот, в этом и состоит вопрос: страницы утерялись — или были изъяты? И тогда — почему?

Собственно, телефонные звонки могли исходить только из одного источника: от родителей Юры и других членов Компашки. По той простой причине, что у них имелись рычаги давления в силу их «номенклатурности». Которых не имелось у родителей Зины Шапкина. Его отец работал на стройке, мать в типографии — какие уж тут «рычаги»...

Но Юра и Компашка к изнасилованию вроде бы не причастны, если верить «чистосердечному признанию». Только одно упоминание о нем в показаниях: «в квартире Юрия Стрелкова».

Почему не оказалось заключения гинеколога? При этом обнаружилось заключение о наружном осмотре, где констатировались синяки на запястьях. Партком сочла процедуру осмотра у гинеколога унизительной, а в милиции, считаясь с ее статусом, пошли ей навстречу? Поверили на слово идейной даме?

Маловероятно, но не исключено.

Или она сумела, пользуясь своим авторитетом

парторга, изъять медицинские заключения из дела? Но какой в этом смысл? Целомудрие старой девы?

Или все куда проще, и гинеколог не констатировал изнасилование, отчего эта бумажка оказалась лишней в деле, и ее «потеряли»?

Собственно, отсутствие констатации изнасилования еще не доказывает отсутствие самого изнасилования. Учительница могла не сразу обратиться в милицию, а когда ее отправили на осмотр, уже было поздно что-либо констатировать...

И почему ее заявление датировано числом более поздним, чем показания Шапкина? Ведь его должны были задержать и допрашивать на основании ее заявления, а не наоборот... Ясно, что она его переписала, составила новое. Датку только забыли «правильную» подогнать...

А где первое? И в чем отличия? И почему? На парторга тоже сумели надавить?

В общем, ерунда выходила какая-то. И Кис не знал, что с ней делать.

ЧАСТЬ 4

Блог

Игорь поджидал его в офисе с очень странным выражением лица. Оно вообще редко что-либо выражало, его лицо, — он видит себя непроницаемым сыщиком, вероятно.

Впрочем, Алексею без разницы, это девушкам загадка (или головная боль), а его Игорь устраивал. Всегда корректен, всегда пунктуален и исполнителен. Что еще нужно от секретаря?

Но потому-то странное выражение Игорева лица Алексея немедленно заинтриговало.

— Что там? — спросил он на ходу, направляясь в свой кабинет.

Он ни на секунду не усомнился, что выражение это связано с изучением содержимого компьютера Зиновия Шапкина.

— Зиновий посвящает свое свободное время в основном интернету, — рапортовал Игорь, следуя за детективом в кабинет. — Участвует в двух автомобильных форумах, я их просмотрел. Вы говорили, что он работает в автосервисе, и по его сообщениям на то похоже. Знает о машинах все досконально, Кроме того, часто посещает порносайты, бесплатные. На них интересуется только женщинами, никаких отклонений нет.

— Садись, — махнул рукой Кис, который уже забрался в любимое кресло. Ему не нравилось, когда перед ним стоят.

— Может, кофе сначала? Или сделать вам поесть?

Он вновь мельком подумал об удивительной черте Игоря: парень не просто умел, но и любил готовить! С тех пор как Игорь тут поселился, Алексей забыл о пельменях настолько, что иногда даже скучал по ним!

— Расскажи сначала.

— А вы голодны?

— Да, — удивился Кис. — А что?

— Я думаю, вам лучше поесть прямо сейчас. А то вы потом не оторветесь от компьютера.

— До такой степени интересно? — усмехнулся детектив.

— Да, — серьезно ответил Игорь. — Без всякого сомнения. Так что вы решили?

— Рассказывай!

— Кроме того, он записан в трех сайтах знакомств. Причем недавно. По порносайтам ходит давно, в форумах участвует давно, а вот на сайты знакомств записался всего пару месяцев назад. Вы говорили, что у него недавно умерла мать? Возможно, это связано: он почувствовал себя единоличным хозяином квартиры и стал знакомиться с женщинами.

— Подумывает о женитьбе?

— Если и подумывает, то пока абстрактно. В его документах есть черновики к некоторым сообщениям, которые он собирался разместить на сайтах знакомств. Видимо, боялся сделать ошибку и проверял сначала корректором.

— Что пишет?

— Выдает себя за другого. За богатого и успешного. И насколько я могу судить по вашим рассказам...

Алексей нередко посвящал своего секретаря в ход дел, по крайней мере тех дел, в которых не име-

230 лось секретности. Игорь был толковым малым, и иногда его реплики или вопросы помогали детективу выстроить ход собственных размышлений.

— ...насколько я могу судить по вашим рассказам, он присвоил себе биографию Юры Стрелкова. Во всяком случае, упоминает своего отца как дипломата и рассказывает о счастливом обеспеченном детстве. Хвастается, что был любимцем учителей, что все поголовно девочки в школе влюблялись в него, ну и так далее. Врет он неумело, жалобы на жизнь торчат посреди такого же неумелого хвастовства.

— Это и есть то самое «интересное»?

— Нет. Самое интересное я напоследок приберег. Может, все-таки сначала перекусите?

— А что у нас есть?

— Тефтели с гречневой кашей.

Перед тефтелями с гречневой кашей Кис устоять никак не мог. Но и самое главное узнать хотелось.

— Ладно, пошли на кухню. Но ты мне во время еды расскажешь! — нашел он компромисс.

На лице Игоря мелькнуло сомнение в удачности подобного компромисса, но спорить он не стал.

Они потоптались, накрывая на стол, затем Кис щедро насыпал в свою тарелку каши, обильно полил ее соусом, обложил тефтелями и поставил в микроволновку разогреваться.

Игорь в точности повторил проделанную шефом процедуру. Наконец уселись. И после того, как пара вкуснейших и острых тефтелек блаженно заполнила ноющую пустоту в желудке, Алексей вернулся к разговору.

— Зиновий Шапкин ведет блог, — сообщил Игорь в ответ.

— Блог? Он такой продвинутый пользователь?

— Пользователь он вполне рядовой. Но блог совсем несложная вещь. Там ведь все программа делает. Стоит только немножко вникнуть, на какие кнопки нажимать.

— Ладно, и что в нем?

— Вот это самое интересное и есть. Он там описывает свою школьную жизнь, одноклассников и... то событие, которое вас столь занимает: изнасилование.

— Изнасилование?! Учительницы?!

— Да. Учительницы обществоведения. Только это не совсем изнасилование...

— А что же?

— Алексей Андреевич, вам лучше самому прочитать. А то у меня язык не поворачивается пересказать.

Детектив внимательно посмотрел на Игоря: тот даже немного покраснел от смущения.

Что же может оказаться хуже изнасилования?!

Алексей вытер губы салфеткой, бросил ее на стол и чуть не бегом направился в кабинет.

— Вот, говорил же я вам: поешьте сначала... — донеслись с кухни слова Игоря ему вслед.

Кис нетерпеливо подергал мышку. У него не было никаких заставок, ни рыбок, ни зайчиков, — монитор просто гас, и все. Делался черным.

Экран засветился. Алексей набрал адрес, записанный Игорем на листке: http://hanter70.blogspot.com/

Придвинул кресло поближе и уселся читать.

Через некоторое время он поднялся, размял ноги и вернулся на кухню — доедать тефтели с гречневой кашей. Пришлось их заново разогревать, и было по-прежнему вкусно, но кусок уже не лез в горло. Прав был Игорь, прав, черт подери!

Изощренная фантазия номенклатурных деток

232 зашкаливала за пределы его воображения. Было от чего потерять аппетит....

Он доел только из уважения к стараниям Игоря. И, попросив приготовить кофе, поплелся обратно в кабинет. Где уселся, без всякого удовольствия, на свое рабочее место — перед компьютером.

Значит, вот такая была у них затея...

Мерзко, ничего не скажешь... Мерзко и изобретательно. Судя по записям в блоге Зиновия, вдохновителями и инициаторами были Юра и Инга. Инга даже, кажется, поболе... Откуда столько ненависти в девчонке оказалось? Хотел бы он понять. Просто так, для себя. К делу никакого отношения не имеет, но Алексею всегда было интересно проследить, как, из какой почвы вырастает неуемная жажда самоутверждения. Вырастает, развивается, крепчает мироощущение, в котором все люди становятся тебе соперниками и потому врагами. Мир оказывается поделен на две непримиримые зоны, два конфликтующих лагеря: если не ты их — то они тебя! И в этом мире, который представляется населенным одними врагами, о жалости не может быть речи... Некий извращенный инстинкт самосохранения: уничтожая (пусть только морально, неважно) других, ты словно постоянно *спасаешь* себя... И тогда ненависть кажется оправданной. Чуть ли не святым делом. Ведь ты спасаешь себя — что-то вроде самозащиты.

Ненависть как самозащита, хм...

Как следовало из блога Зиновия, действо это продвинутые старшеклассники (а именно Юра, самый продвинутый и имеющий очень продвинутых родителей!) засняли на фотопленку. И не только! Еще и на видеокамеру. В те времена в продажу (в

Европе, разумеется, но у дипломатов не было проблем привезти ее из-за бугра) поступили самые первые видеокамеры — громоздкие, тяжелые, записывающие на маленькую пленочную кассетку, и безумно дорогие.

Учительница обществоведения, стало быть, несмотря на угрозы Компашки предъявить всему миру фотографии, запечатлевшие ее в весьма... эээ... пикантном виде, скажем так, — все же обратилась в милицию. Партийно-идейный гнев ее был столь велик, что она пренебрегла угрозой!

Спрашивать ее об этом бессмысленно — не скажет. Да и ни к чему. Есть ее заявление в милицию, в котором она утверждает, что ее изнасиловали.

Меж тем Зиновий в своем блоге рассказывал совсем другую историю. И то, что он описывал, было абсолютно аутентично. Он был убогим, этот Зиновий, — и в силу своей убогости говорил правду. Вот почему Алексей верил каждому его слову — за вычетом его хвастовства, столь глупого и напыщенного, что оно без труда вычиталось из фактов.

Но отчего Анна Ивановна назвала *это* изнасилованием? Чтобы подвести ненавистных деток под более серьезную статью? Или ей было проще произнести именно это слово, вместо того чтобы описывать, что с ней сделали старшеклассники?

Опять же, она сама не скажет, да и неважно. Важно другое: что зачинщиками того безобразия оказались Юра и Инга. Но никак не Зина Шапкин!

Вот и стало понятно, почему парторг писала второе заявление в милицию: она убрала оттуда имена Юры Стрелкова и прочих членов Компашки! Номенклатурные родители надавили через свои каналы на милицию, а милиция на потерпевшую...

Кис отлично знал, как умеет милиция давить, если возникает надобность. Если возникает заинте-

234 ресованность, чтобы потерпевший изменил показания. Наверняка начали с того, что доказательств у нее нет и никто ей не поверит, — такие хорошие дети таких хороших родителей, как же можно, что вы! А дальше расписали, какие ужасы ее ждут, если будет настаивать: очные ставки, подробные описания, кто когда что... Да и отсутствием заключения об изнасиловании от гинеколога наверняка спекулировали. А его и быть не могло: физически она никак не пострадала, если не считать легких синяков на запястьях. Только косвенная улика в виде следов спермы Шапкина на ее юбке.

В общем, все сторговались: Шапкин, который в показаниях рассказал, как в реальности дело было (исчезнувшие из ОПД страницы!), позже взял вину на себя. Наверняка его уговорили: дело закрутилось, требовался козел отпущения! Родители продвинутых детишек денег дали, а Инга пообещала преданно ждать из колонии... И пришлось парторгу удовлетвориться возмездием лишь жалкому и ничтожному Зине. А заклятый ее враг Стрелков вкупе с Компашкой снова вышел сухим из воды. Снова морально победил — не только ее лично, но и ее идеалы!

Да, было от чего из школы уйти! Разумеется, она больше ни одного дня не могла смотреть в их наглые, торжествующие глаза. И вот теперь, спустя много лет, она мстит?

Это было бы абсолютно понятно, все понятно, кроме одного: зачем так долго было ждать?

Нужно проверить ее алиби. День и примерное время нападения на Леру и смерти Роберта у него есть. Остается узнать, чем занималась в это время Анна Ивановна Деревянко.

— Я обязана отвечать на ваши вопросы?

Анна Ивановна держалась прямо. Поверх неизменной белой кофточки на плечи ее был наброшен платок, завязанный узлом на груди, — хоть и синий с цветами, но сходство с пионерской формой только увеличивалось. Глаза ее смотрели колко, враждебно.

— Нет. Я ведь частный детектив, а не милиция. Но у меня имеются основания подозревать вас в убийствах.

— С какой это стати?

Он помолчал. Ему было неловко сказать: я знаю, что с вами сделали детки...

Неловко, мучительно.

Но Анна Ивановна вдруг стала заливаться краской. Лицо ее заполыхало, до самых корней волос.

Она поняла.

И теперь Алексею нет нужды объяснять. Что было ему только на руку. Но чувство неловкости мешало ощутить удовлетворение от выигранного первого раунда. Не рад он был тому, что его выиграл! Уж больно паскудно все это....

Она сделала попытку закрыть дверь и спрятаться с его глаз долой, забаррикадироваться в своей квартире от тех слов, которые он *не* произнес.

Но Алексей ей этого не позволил. Он придержал дверь — и держал ее до тех пор, пока бывшая учительница не опустила руки. И тогда он шагнул внутрь ее квартиры.

Не разговаривать же, в самом деле, о таких вещах на лестничной площадке!

— Если у вас есть алиби на этот день, то скажите мне о нем, Анна Ивановна. Иначе я буду вынужден поделиться моими подозрениями с милицией. А также тем, что стало основанием для этих подозрений...

— Как вы узнали? — спросила она, глядя в сторону. Пальцы ее затеребили концы платка на груди, и Алексею она вдруг показалась маленькой девочкой, школьницей, которую жестоко наказали за что-то, но она так никогда и не смогла понять за что...

— Один из ваших бывших учеников довольно подробно рассказал эту историю в своем дневнике в интернете, в блоге. Но он не называет вашего имени, если это может вас немножко утешить... Анна Ивановна, поверьте мне, я не любитель чужих секретов. И мне не доставляет ни малейшего удовольствия в них влезать. Я вам по-человечески сочувствую, и мне совсем не хочется причинять вам боль. Но кто-то убивает членов Компашки. И я должен узнать кто. Если это вы, будет лучше, если вы сразу признаетесь. Если это не вы, то дайте мне ваше алиби, и мы закроем тему.

— А если у меня алиби нет? — враждебно спросила она.

— Это сильно осложнит ситуацию... А у вас его нет?

— Вы не сказали мне, на какой день и час я должна иметь алиби!

— Ах да, извините! — вежливо улыбнулся Кис и подумал, что на его уловку она не попалась. — Скажите, где вы находились в прошлую пятницу в районе семнадцати тридцати?

Даже если Роберта убили позже, то только потому, что убийца, Кис был убежден, отвлекся на Леру. А для этого он должен был оказаться неподалеку от дома Роберта именно в тот момент!

— На работе. Я всегда на работе до шести вечера, каждый день, без исключений!

— Адрес и телефон конторы. Кто может подтвердить, что вы находились на рабочем месте?

— Мой начальник. Вы будете у него проверять?..

— Это в порядке вещей.

— И как вы объясните ему свои вопросы? — Тяжелый ее взгляд давил детектива. В нем было столько же неприязни, сколько скрытого отчаяния. — Скажете ему, что подозреваете меня в убийствах? Да еще объясните, на каком основании?!

Алексей окинул ее внимательным взглядом.

— Нет. Что-нибудь придумаю.

— Это честный человек, принципиальный! Если он узнает...

— Не беспокойтесь, Анна Ивановна. Он не узнает.

Записав нужные сведения, Алексей покинул бывшую учительницу, практически уверенный в том, что она к убийствам непричастна. Иначе бы она беспокоилась о том, что *ответит детективу* начальник, а не о том, что он *подумает о ней*... «Честный человек и принципиальный»... Человек старой закалки, бывший партиец и ныне новый коммунист — быстро нарисовало воображение Алексея портрет начальника. Должно быть, Анна Ивановна нашла в нем свой идеал... А если он к тому же холост...

В общем, на проверку ее алиби время терять вряд ли стоит.

* * *

Итак, оставались два кандидата, у которых могли наличествовать мотивы: Юра Стрелков и Зиновий Шапкин.

Максим Фриман и Дмитрий Щербаков тоже могли, теоретически, иметь мотивы. Алексей нашел сведения об их месте работы и должностях — имелась у него одна пиратская база данных. Оба оказались людьми весьма состоятельными, оба руководили крупными предприятиями. Но они меж тем не являлись людьми публичными. И любые обвинения двадцатичетырехлетней давности скатились бы с них, как пена с морских валунов.

Другое дело Юра Стрелков: фальсифицировать результаты голосования становилось все сложнее (понаехали тут сторонние зарубежные наблюдатели!), а слух, даже пустой и клеветнический, способен серьезно повлиять на отношение избирателей.

А у нас даже не слух, у нас блог в интернете, описывающий давние события, на который могли зайти все желающие! Причем блог настолько безыскусный, настолько глупо-откровенный, что не поверить в его искренность нельзя!

Можно, да, увидеть всю подноготную его автора, Зины Шапкина. Можно, да, почувствовать всю глубину глупости, самонадеянного хвастовства неумного человека, страдающего тотальным отсутствием нравственности, — да! Но при этом невозможно не поверить ему, нет!

Проще говоря, для Стрелкова этот блог — при условии, что его разыскали бы недоброжелатели, — означал неминуемую политическую смерть. Его карьера находилась не просто на взлете, но и на таком решающем пике, что сейчас любой завистник постарался бы раскопать о нем порочащие сведения...

Одно оставалось непонятным в таком раскладе: почему сам Зина Шапкин до сих пор жив?

Проблема, видимо, не только и даже не столько в блоге Шапкина. Будь он единственным свидетелем прошлого — с ним легко управиться, с человеком, отсидевшим за изнасилование!

Проблема в другом. Зиновий упоминает фотографии и видеозапись.

Куда делись те фотографии? Были ли копии с видеозаписи? И у кого на руках остались? Растиражи́вал ли их Стрелков в те годы, по молодости-глупости, и раздал их приятелям? Чтобы сегодня не на шутку испугаться давних свидетелей давнего безобразия — сегодня, когда он резко пошел вверх? И задумать избавиться от тех, кто помнит, кто участвовал в криминальной ситуации давних школьных лет, кто мог не только рассказать о ней, но и предъявить миру снимки и видеозапись?!

Что стало бы окончательным приговором его карьере...

Что же до него, Шапкина, то он имел другой мотив: отомстить за разбитую жизнь. Тут все прозрачно, кажется... Кроме одного вопроса: чего ждал столько лет? Почему именно сейчас?

Надо внимательнее прочитать его блог! Вчера Алексей не все одолел: для первых впечатлений ему хватило выше крыши. И на сегодня подробное изучение блога поручено все тому же Игорю.

Тогда как сам он вознамерился посетить жену Юрия Стрелкова.

Теперь он знал точно — стараниями его приятельницы, «милой особы», работающей в Шереметьево-2, — что Юра с Ингой действительно улетели за границу, в Австрию, и еще не вернулись. И неизвестно, когда вернутся: билеты у них с открытыми датами, дорогие билеты... Но ведь Стрелков мог нанять и киллера! Его отсутствие не доказывало его невиновность! Вот Зина бы киллера нанять не смог, у него денег нет. А у Стрелкова есть, всегда были, с детства...

Кроме того, он мог, теоретически, въехать в Россию на машине через бывшие советские республики. Отследить это будет непросто...

Ну, посмотрим, как поведет его жена, что скажет.

...Лерин звонок застал его на подходе к дому, где проживала чета Стрелковых. Она звонила ему ежедневно: интересовалась ходом расследования. Алексей был с Валеркой сдержан: не хотел разогревать ее детективный энтузиазм.

Но он, похоже, разогревался сам по себе.

— Я хочу поговорить с Максимом, дай мне его телефон, Леш!

Кис несколько минут строго назидал; рассказывал, какой Максим неприятный тип; заверял, что не захочет он с Лерой встречаться; напоминал про удар по ее голове и угрозу...

Но Валерка ныла и клялась, что встречаться ни за что не станет; что из дома ни ногой — только по телефону! И напоминала, что она женщина, а с женщиной мужчина (русский мужчина!) должен быть непременно галантным, так что Максим вполне может сказать ей то, чего не сказал детективу!

Кис сдался и продиктовал номер. И нажал на кнопку домофона.

...Ее звали Стелла. На свою старшую сестру, Ингу, она была похожа точеной головкой, короткими завитками волос и удлиненным разрезом глаз. Кис бы даже сказал, что у них с сестрой были удивительно *длинные* глаза: не такие, о которых говорят «большие», а именно *длинные*, словно в мультиках манга. Только у нее не зеленые, как у сестры, а голубые, и волосы у нее светлые. Впрочем, может, красилась.

В целом Стелла была не менее красива, чем Инга, — по крайней мере, та Инга, которую Алексей видел на школьных фотографиях, — но иначе. Ее красота нежнее, мягче, женственней. И оттого обольстительней.

— Чем я могу быть полезна частному детективу? — спросила она мелодичным голосом сказочной феи.

— Видите ли, Стелла...

— Может, чаю? Кофе? Что-нибудь покрепче?

Он согласился. Непринужденная обстановка — это всегда лучше.

— Так что именно?

— Я все люблю... Давайте так: что вы сами будете пить?

— Я? — Ее лицо осветилось улыбкой. Именно осветилось — столь лучезарна была она. — Травяной чай, пожалуй.

— Э-э-э... Тогда мне обычного, черного, можно?

— Конечно! Вам где удобнее, в столовой или на кухне? А то, знаете, некоторые предпочитают на кухне.

— В столовой.

На самом деле Алексей предпочел бы на кухне, но ему хотелось немножко рассмотреть квартиру, чем он и занялся, пока Стелла хлопотала на кухне. Он быстро заглянул в разные двери: не лежит ли где небрежно мужская вещь, которая могла бы указать на присутствие здесь Юры?

Но повсюду царил идеальный порядок...

За чаем, однако, не пришло непринужденности. Он отчего-то ощущал себя зажато в присутствии этой нежной обольстительной Стеллы. И эта огромная столовая, снежно-белая, приправленная серебряным изыском (в посуде, в отделке мебели), и букеты белых роз, стоявшие повсюду, — все как-то странно действовало на него. Казалось, что сама обстановка этого дома беззвучно шепчет имя: «Стел-л-ла...» и что имя это снежно-серебряное.

— Вам, наверное, муж сказал о том, что несколько его одноклассников умерли? — спросил он для начала.

Ресницы ее взмахнули, словно вздохнули. Вверх-вниз, вдох-выдох.

— Ах, какая это грустная новость! — произнесла она. — Юрочка ничего мне об этом не говорил: наверное, не хотел меня расстраивать... Если, конечно, он сам знал...

— Знал, знал!

Грубовато и простовато — может, больше, чем следовало, словно роль эту ему кто-то навязал, — детектив изложил суть дела. Вот-де мрут однокласс-ники вашего мужа аки мухи, и все в порядке их рас-положения за партами. И супружник ваш мог ока-заться бы жертвой, и сестрица ваша, Инга, тоже, если бы не уехали они за границу! Что имеете по этому поводу сказать, уважаемая?

— Боже!!! — сказала «уважаемая». — Неужели Юра и моя сестра находятся в опасности?! И кто же это, Алексей?! Отчего же это?!

Вверх-вниз, вдох-выдох ресницами.

То есть она хочет сказать, что ей ничего не из-вестно. Ну что ж, на месте Юры, точнее, на месте мужа, и Алексей бы не сказал жене о подобной уг-розе...

И если бы сам бывших одноклассников уби-вал — тоже бы не сказал.

Кис подумал, прикинул. И решил, что имеет смысл

пойти ва-банк. На информацию он уже не надеялся, но хотелось проверить интонацию Стеллы на фальшь. Хотя у таких манерных женщин любая интонация фальшива — оттого что наиграна. Словно они все еще не вышли из детского возраста, когда изображали «принцесс».

— Видите ли, Стелла... По всему выходит, что в школьные годы случилась не очень красивая история... В которой оказался замешан ваш муж. Вы знакомы с его бывшими одноклассниками?

— Нет... Кроме, разумеется, моей сестры, они же с Юрой из одного класса! А так Юрочка ни с кем из них не общается... Вот только на классный сбор ездил недавно. Староста его очень уговаривал приехать, он и согласился...

— А сестра вам ничего не рассказывала?

— Рассказывала, конечно! Юрочка был большим шалуном, оказывается! Он уроки обществоведения срывал! Его едва из комсомола не исключили! В те годы это было ужасно, правда? Но сейчас таким фактом из биографии можно даже гордиться, правда?

Алексей подождал продолжения, но удостоился только вздохов ее ресниц.

— И все? — не выдержал он.

— В каком смысле «все»?

— Смерти бывших одноклассников вашего мужа связаны, как я вам сказал, с неким происшествием в школе. Согласитесь, что несостоявшееся исключение Юры из комсомола таким происшествием быть не может. Случилось что-то более серьезное...

— А... что же это? — спросила она с испугом.

Кис подумал. Рассказывать Стелле нет никакого смысла. Если она сама не знает, то и ни к чему. А если знает и скрывает от детектива — то тем более.

— Именно об этом я надеялся услышать от вас, — ответил он.

— Да, но откуда же мне...

— Не страшно. Ваш муж все еще за границей?

— Да, в Австрии.

— С вашей сестрой?

— Он повез ее лечиться...

— Простите за нескромный вопрос: она серьезно больна?

— Можно сказать и так, — печально взмахнули ресницы.

— Я имел в виду... Юра так срочно покинул Москву... Возникла внезапная угроза здоровью вашей сестры?

Стелла немного смутилась.

— Видите ли... Угроза ее здоровью возникла уже достаточно давно....

— Не доверите ли мне секрет, что за болезнь такая у Инги?

Стелла еще немножко поупражнялась в махании ресницами — оно весьма талантливо выражало сначала сомнение, затем решимость — и ответила:

— Хорошо, я вам скажу, только прошу вас, пусть это останется между нами!!!

— Разумеется, — пробормотал Алексей.

— Вы мне обещаете? Слово даете?

— Даю.

— Наркотики.

— Это настолько серьезно?

— Увы... Я настояла на том, чтобы сестричку немедленно положили в лучшую клинику Европы! Состояние ее здоровья не терпело промедления!

Ресницы смахнули набежавшую слезу, чистую, как бриллиант.

— Знаете, в советские времена было очень трудно найти себя. Сестричке хотелось быть необыкновенной, не такой, как все... Она действительно не-обыкновенная, не такая, как все! Несчастье в том, что она не смогла поступить в престижный вуз. Вы же понимаете, что для поступления нужны были связи... Юра старался ей помочь, они ведь с детства дружили...

«Дружили», угу... Если это *так* называется, то тогда конечно....

— Но в те годы он сам зависел от доброй воли своих родителей... — продолжала Стелла.

Конечно, зависел! Его родители вывернулись наизнанку, чтобы чадушко поступило в МГИМО, и до Юриной подружки им дела не было! Поступление чадушка и без того обязывает неимоверно: к взаимным услугам или просто к деньгам-взяткам... Зачем родителям Юры было тратить деньги на какую-то Ингу, с которой сыночек спал? Мало ли с кем сыночек спал... Вовсе не повод для знакомства, как гласил старый анекдот.

Что произошло дальше, вполне понятно. Чем реже они с Юрой встречались, тем существеннее ослабевало влияние Инги на него... А кроме него, этого влияния, у Инги ничего и не было в кармане. Ничего материального! Ни денег, ни связей, ни положения. Все строилось на ее гипнотическом даре, как описал его Зиновий в своем блоге... Ушло, испарилось влияние, рассеялось, как колдовской туман, — и все, конец ее честолюбивым надеждам!

И вышло так, что Юра пошел вверх и вверх, а его школьная подружка Инга — вниз и вниз...

И потому, оказавшись за бортом красивой жизни, она пустилась догонять ее по кабакам типа «Метелицы» на Новом Арбате, остромодной в те времена в определенной среде. Где, пользуясь своей внешностью и своим экстраординарным гипнотическим даром, о котором писал Зиновий, она наверняка пыталась найти замену Юре, тусуясь в сомнительных компаниях богатых парнишек, у которых водились деньги на выпивку, а там и на дозу... В Москву тогда практически бесконтрольно хлынули наркотики, и юные прожигатели жизни пустились соревноваться, кто из них круче и быстрее свою жизнь прожжет...

В общем, путь известный и до мрачности тупиковый.

Но как-то вышло, что пути их снова пересеклись. К тому времени и младшая сестра Инги подросла. И Юра, с его давней привязанностью к «черному демону» Инге, увидев Стеллу, «белого ангела», не мог не увлечься. Для него в Стелле совместилось, в силу определенной похожести сестер, то влечение, что он со школы испытывал к Инге, и то, что он хотел бы испытать в силу их непохожести... Нечто нежное и возвышенное, поддержанное дыхательной гимнастикой ресниц Стеллы. И он решил, что этот «белый ангел» может вполне создать тот имидж образцово-семейной жизни, о которой грядущие избиратели скажут: «Какая красивая пара!»

— Искренне сочувствую, — пробормотал Кис. — Желаю вам успеха в излечении сестры... А здесь, в Москве, никто не смог ей помочь?

— Алексей, — прожурчал голос феи, — я уже вам доверила огромный секрет и сейчас снова прошу вашего обещания, что никто не узнает об этом разговоре!

— Стелла, — нахмурился детектив, — я не привык повторять дважды...

Ответ ей со всей очевидностью понравился, и Стелла, чуть придвинувшись к Алексею, доверила ему страшную политическую тайну.

— Я очень уважаю вашу профессию, поверьте, — говорила она нежно, словно боялась его обидеть, — но вряд ли вы знаете, что такое жизнь политика, публичного человека... Если бы мы Ингочку положили в клинику в Москве, то журналисты бы непременно выведали! И пошли бы полоскать в желтой прессе, что у него в семье наркоманка! Понимаете?

Сказать, что Алексей понимал, было бы большим преувеличением. Выходит, что они дали Инге дойти до такого состояния, что ей срочно потребовалась госпитализация, и все это ради того, чтобы пресса не прознала? Может, Стрелков ей еще самолично дозы доставал?!

Он ничего не ответил.

— Я знаю, что вы подумали, — тихо произнесла она. — Не судите нас, не надо. Юре так сложно было выкроить время для этой поездки.

Кис оценил и этот тихий ее голос, и искренность интонации. Но промолчал. Да и что тут ответить?

— Инга, как я понимаю, не работает? — только и спросил он.

— Слава богу, Юрочке хватает доходов, чтобы содержать не только меня, но и сестричку...

— Когда они вернутся?

— Это зависит от того, как пойдет лечение...

Похоже, Стелла собралась всплакнуть, но, на его счастье, в кармане завибрировал сотовый. Извинившись жестом, Кис отошел в коридор, откинул крышечку и прижал телефон к уху.

Звонила Лера.

— Леша, Леша, у меня ужасная новость! Максим умер!!!

— Когда?!

— Вчера... Леш, я даже поверить не могу!

— Причину смерти знаешь? Алло? Алло, Лера, ты меня слышишь?

В трубке наступило молчание, затем оно сменилось шорохом, и ее голос выдохнул: «Инфаркт».

Связь окончательно пропала. Но через минуту его мобильный зазвонил снова.

— Леша, это я виновата! Я должна была поговорить с ним! Я сейчас же свяжусь с Димой, он следующим сидит!

— Лера, не смей! — Он покосился на Стеллу, которая была ему видна в обрамлении снежной изморози интерьера, и понизил голос. — Я тебе категорически запрещаю предпринимать любые шаги!

— Ты меня извини, Кис, — обиженно произнесла Валерка, — но ты пока убийцу не нашел! А я не хочу, чтобы меня потом мучила совесть!

— Ага, понял, — сухо обронил он. — Ты хочешь, чтобы она мучила меня. Когда тебе в следующий раз башку проломят.

Лера не ответила.

— В общем, так. Я сейчас не могу говорить. Сиди дома и не дергайся. Я тебе перезвоню, как только освобожусь, и мы все обсудим. Ладно?

Получив ее обещание, он вернулся к Стелле.

— Простите за любопытство, но мне послышалось «Лера»... Это одноклассница Юрочки, которая приехала из Америки? Мне Юрочка говорил о ней. Он когда-то был даже немножко влюблен в нее, представляете? Скажите, она красивая?

— Вполне, — хмыкнул Кис. Ну и заботы у женщин, право слово!

— Я имею в виду... — Лобик ее вдруг наморщился, голубые глазки прищурились, а губки сложились в капризное сердечко. — Красивее меня?

Ну, дает! Неужто ревнует? Будучи сама такой красавицей? Или Юра до сих пор не утратил вкуса к острым ощущениям и по-прежнему допускает до своего тела любую бабенку, положившую на него глаз? Всех своих секретарш, партиек, соратниц, интервьюерш и так далее? М-да, не позавидуешь тогда прелестной Стелле...

— Нет, — утешил он ее. — Лера очень мила, но вы красивее.

Вспомнилась сказка: «*Свет мой зеркальце, скажи, да всю правду доложи: я ль на свете всех милее, всех румяней и белее?*»

Интересно, почему женщин практически никогда не интересует вопрос: «Я ль на свете всех *умнее*?» Тут бы Стелле туго пришлось...

И вообще, почему у женщин вопрос формулируется именно таким образом: ВСЕХ КРАСИВЕЕ? Разве мало быть просто красивой? Нужно красивее ВСЕХ?

Может, это какой-то древний инстинкт? Когда доисторическая женщина могла удержать при себе доисторического мужчину, неразборчивого самца и охотника, только путем убеждения, что она лучше всех-всех-всех?

Хм, очень возможно... Самочка осталась самочкой, несмотря на тысячелетия цивилизации...

Кис обычно сторонился женщин, сущность коих сводилась к понятию «самочка». Возможно, потому, что сам никогда не сводился к понятию «самец»...

...Впрочем, сейчас ему не до историко-психологических экзерсисов. Нужно Лере перезвонить, нужно у Игоря узнать, что он еще накопал, нужно подробности смерти Максима выяснить, и нужно думать, думать, думать! Убийцу нужно искать!

— Я должен вас покинуть, Стелла, срочные дела. Не могли бы вы дать мне номер телефона отеля, в котором остановился ваш супруг за границей?

Ресницы ее удивились.

— Вы можете связаться с ним по мобильному!

— И все же я хотел бы узнать номер отеля. Мало ли, вдруг мобильный вашего мужа сядет?

Он ожидал, что она ответит: «Но у меня нет его номера!» Однако Стелла спорить не стала и, поискав блокнот, продиктовала название отеля и его номер сыщику.

Выходит, Юра с Ингой действительно за границей...

Он попрощался, и Стелла помахала ему на пороге рукой и ресницами.

Алексей сел в машину и достал телефон. Следует во что бы то ни стало предупредить судебных медиков морга, чтобы обратили внимание на следы от электрошокера под волосами в нижней части затылка и на след от укола в вену на теле Максима!!!

Задействовав все свои мыслимые и немыслимые связи, потратив уйму времени, он выяснил... Чччерт! Что ни в какой морг тело Максима Фримана не поступало!

Постучав кулаком по рулю, который обычно бывал виноват в плохом настроении детектива, он набрал номер Леры.

— Кто тебе сказал о смерти Максима?

— Его сын. Судя по голосу, довольно взрослый.

— Лера, повтори в точности ваш разговор!

— Он сказал, что папа умер, спросил, кто у телефона. Я представилась. Потом спросила, отчего так скоропостижно, — и соврала, что мы должны были встретиться, что я прилетела из Америки и все такое... Сын ответил, что инфаркт и что папа был сердечником... И пригласил меня на поминки.

Значит, нужно на уши встать, ринуться куда угодно — к другу Сереге на Петровку, в прокуратуру, — только бы удалось затребовать тело на досмотр!

— Когда похороны?

— Его уже похоронили, Леш. Сегодня утром.

Не-е-ет! Да что же за невезуха такая?! А как же след от укола? И след от электрошокера? Как их теперь искать, спрашивается?!

— Максим, оказывается, был иудеем, — продолжала Лера, — и по религии требуется, чтобы с похоронами было покончено в первой половине дня в пятницу...

Понятно теперь, почему не было вскрытия! Вернее, не было его по двум причинам: иудейская религия против аутопсии, это одна. И если врач, констатирующий смерть, не находит в ней ничего подозрительного, то он выдает свидетельство о смерти. А инфаркт у человека, страдавшего сердечной недостаточностью, подозрений не вызывает, — и это вторая причина.

— Как это у них называется? — рассказывала меж тем Лера. — Шаббат, кажется! И из-за него нельзя ничего делать в субботу и даже вечером в пятницу... Сын Максима очень милый мальчик, он мне все объяснил. Похоже, что он не особенно убивается из-за смерти отца... Так вот, он сказал, что, по правилам религии, дверь в их дом открыта для всех, любой может прийти почтить память умершего.

Любой... Любой? Тогда почему бы этим «любым» не стать сыщику? Задавать вопросы на поминках не очень удобно. И даже, скажем прямо, совсем неудобно!

Но вдруг что-то получится? Если сын не очень дружил с отцом и «не убивается» сейчас из-за его смерти, то вдруг...

В общем, попробовать стоило!

— Лер, он тебе адрес дал?

— Хочешь поехать? Пиши...

— Да, Лер, насчет Димы. Давай так: позвони ему и постарайся прощупать, расположен ли он к откровенному разговору. А потом сразу мне доложи, поняла?

Он все еще обращался с ней, как с маленькой, как с той девчушкой, которая съехала с горки с разодранными штанишками, и он, страшно взрослый и отважный, вызволил ее из плена, в который взяла Валерку насмешливая мелюзга. Поймав себя на этой мысли, Кис усмехнулся сам себе, но тона не сменил.

— Тогда и подумаем, стоит ли с ним встречаться, и если да, то как это организовать. Ясно?

— Ясно, — усмехнулась в ответ Валерка.

Должно быть, подумала то же самое...

Квартира Максима была огромной, и людей в ней обнаружилось видимо-невидимо. Он немного растерялся, увидев, что все мужчины оказались в ермолках. Ему тоже кто-то молча протянул, и Алексей надел ее из уважения к чужим традициям, хотя ощущал себя в ней неуютно. Тем более что она все норовила соскользнуть с головы, пока наконец кто-то не дал ему две женские заколки и показал, как пристегнуть ермолку к волосам.

У него никто ничего не спросил, и он не стал возникать: обстановка отнюдь не располагала. Он сел тихонько в углу богато обставленной комнаты, прислушиваясь к разговорам. В центре находился «шведский стол», плотно уставленный разными блюдами; многие ели стоя, держа тарелки в руках, иные сидя. Вокруг гудели тихие разговоры. Ему повезло: невдалеке от него находилась группка из двух мужчин и одной женщины, которая, пощипывая что-то, напоминавшее маленькие пирожки, повествовала о случившемся своим собеседникам. Уже минут через десять Алексей понял, что Максим Фриман был разведен и жил отдельно от жены и сына и что тело его было обнаружено приходящей домработницей (она же стряпуха), явившейся к вечеру, чтобы подать ужин хозяину и прибрать за ним.

Отстегнув ермолку, детектив положил ее на какой-то стул и вышел вон.

Время потрачено впустую. Ему нужны конкретные ответы на конкретные вопросы: с кем встречался Максим незадолго до инфаркта? Где?

Но жена его оказалась бывшей, сын жил отдельно... Возможно, об этом знала секретарша? Интересно, там она, в квартире?

Однако искать ее среди гостей Алексей счел неприличным, даже если признаков особого горя никто не проявил. Кис, который обычно мало считался с этикетом, в такой ситуации не мог его не уважить, тем более что он замешен на религии. Он придумал другой ход.

— Лер, нужно узнать, как связаться с секретаршей Максима! Можешь позвонить его сыну и что-нибудь такое убедительное придумать? Ну, например, что он обещал тебе переснять школьные фотографии и что, возможно, он поручил это сделать секретарше... В первом разговоре ты очень кстати упомянула об Америке, тебе это сейчас послужит извинением за бестактность: скажи, что улетаешь завтра-послезавтра...

Спустя пять минут он располагал рабочим телефоном секретарши. К счастью для детектива, она не была приглашена в дом почтить память покойного: то ли родственники не сочли нужным, то ли просто никому не пришло в голову сказать ей, что дверь открыта для всех. Кис застал ее на рабочем месте.

Она ему чем-то напомнила Анну Ивановну Деревянко — крупной статной фигурой и одеждой: белая блузка и темно-серая облегающая юбка. На глаз ей было лет тридцать пять, умелый макияж делал ее достаточно красивой, но строгий вид, затянутые на затылке волосы (что, впрочем, ей весьма шло), ее внешность и манера себя держать взывали в его воображении к образу «училки». Кажется, нынче пошла мода именно на таких секретарш?..

Оказалось, вчера Максим ушел с работы пораньше, а точнее, в половине шестого, сказав, что у него намечена важная встреча. С кем и где, об этом он секретаршу не проинформировал.

Но Алексей уже знал *где*: дома. Как и у всех остальных жертв. Вот только не знал с *кем*...

— Как бы мне встретиться с телохранителем Максима Львовича? Возможно, он видел человека, пришедшего в квартиру?

— Вряд ли. Максим Львович живет в хорошо охраняемом доме, и Саша, телохранитель, провожает... провожал... его обычно только до ворот...

Чертов мобильник разрядился. В очередной раз наказав руль своей «Нивы»-джипа кулаком, он направился на Смоленку, в офис. И думал по дороге, зазевываясь на зеленый, о том, что со всеми шестерыми погибшими одноклассниками инфаркты («сердечно-легочная недостаточность») приключились дома...

В том-то и дело! Все они умерли *дома*!

Все жертвы работали, то есть ходили ежедневно в присутственное место. При этом встречи были назначены в рабочее время, ближе к концу. Откуда следует, что работающий человек должен был отпроситься или подогнать свои деловые планы под это свидание с убийцей *дома*.

Причем в тот удивительно подходящий момент, когда намеченная жертва там находится в одиночестве! Ладно, Максим Фриман жил один, но он исключение, остальные были женаты. У двоих, по сведениям, жены не работали, стало быть, убийца должен был выдумать о-очень серьезный предлог для того, чтобы убедить жертву в необходимости встречи не просто на дому, но и наедине!

Какой же предлог нашел убийца, чтобы все так хорошо устроить?

Игорь, заслышав ключи в замке, встретил детектива в коридоре и явно хотел ему что-то сказать, но помешал звонок телефона, на этот раз офисного, официального.

— Да, минуточку, — проговорил Игорь и протянул Алексею трубку. — Вас спрашивают. Валерия Титова.

— Не могу до тебя дозвониться! — с досадой проворчала она.

— У меня батарейки сели...

— И до Димы не могу дозвониться. У Миши в списке есть и домашний, и сотовый, но оба не отвечают!

Алексею сделалось неуютно от этой информации. Как бы не опоздать!!!

Наверное, его тихая паника передалась Валерке, потому что она воскликнула:

— Давай поедем к нему! Прямо сейчас!

Кис подумал секунду.

— Нет смысла. Если он не отвечает оттого, что уже скончался от очередной «сердечно-легочной недостаточности», то мы безнадежно опоздали. Если же он не отвечает потому, что еще не вернулся домой, а сотовый просто недоступен, то, Лер, позванивай ему, ладно? Каждые пятнадцать-двадцать минут, идет?

— Хорошо, Леш... Я оставила ему сообщение на автоответчике, может, и сам перезвонит... А что ты имел в виду под «откровенным разговором»? Надеешься, что он расскажет о давних событиях в нашей школе?

— Это я уже выяснил.

— И мне не сказал??

— Валерка, не было времени, прости... Я только вчера вечером узнал.

— Расскажи сейчас!

Но Алексей не знал, какими словами ей *это* рассказывать. Не знал, и все тут!

— Сейчас тороплюсь, — выкрутился он. — Попозже, обязательно! У тебя на данный момент вот какая задача, Валерка: убийца каким-то образом *заранее* вступал в контакт с будущими жертвами. По той простой причине, что он добивался встречи наедине и всегда *дома* у жертвы. И возможно, кто-то уже вступил в контакт с Димой! Вот это и надо узнать! Но ты с ним сто лет не общалась, по телефону с тобой откровенничать он не станет, поэтому твоя задача всего лишь его насторожить, даже напугать и расположить к откровенному разговору. Скажи ему о смерти Максима. Он ведь не знает?

— Вряд ли. Максим ни с кем не общался из класса. А я никому не говорила, кроме тебя.

— Вот так скажи Диме! Постарайся его убедить в том, что ему необходимо встретиться со мной. Поняла?

Лера заверила, что поняла, и отключилась, буркнув напоследок, что с него должок и чтобы не вздумал увиливать от рассказа о давешних событиях.

Алексей был практически уверен в результате, но все же счел нужным позвонить в Юрин отель и проверить. Так и есть: ему сообщили, что господин Юрий Стрелкофф с госпожой Ингой Арефьефф уехали из отеля три часа тому назад, но им можно оставить записку, если угодно, которую господин с госпожой получат от портье, как только вернутся.

Господину Кисанофф оставлять записку было неугодно, на чем он с господином портье и расстался.

Наконец-то он поступил в распоряжение Игоря, который явно сгорал от нетерпения доложить ему что-то важное.

— Если внимательно прочитать блог Шапкина... — начал Игорь.

Детектив его перебил:

— Читать нет времени, потом. Давай резюме!

— Хорошо, — вежливо согласился Игорь без малейшей тени раздражения.

Вот еще что всегда интриговало Алексея в этом парне: непробиваемая корректность! Словно то ли

он был не по возрасту сдержан (малоэмоциона-
лен?), то ли играл такую роль. Тогда напрашивался
вопрос: почему? В силу каких-то идей? Неважно каких, допустим, парень вбил себе в голову, что именно такое поведение достойно. Это исключительно
похвально, и флаг ему в таком случае в руки.

Но иногда Алексею казалось, что за этой ролью
Игорь что-то прячет... Хотя он никак не видел в
этом парнишке двойное дно. Более того, он навел
нужные справки: Игорь не имел никакого криминального прошлого, ни тени облачка! Отец его был
богат, с матерью в разводе, хотя относительно недавно: Игорь к тому моменту достиг совершенноле-
тия. Папаша, видимо, специально выжидал, чтобы
сын подрос. То ли заботился о его психике, то ли об
алиментах, которые не придется платить на совер-
шеннолетнего ребенка.

Впрочем, ему и сейчас недосуг вникать в удиви-
тельную корректность своего секретаря. В конце
концов, корректность — не наглость, на чем можно
и успокоиться...

— По ходу сообщений, которые Шапкин вы-
ставлял в своем блоге, — вы вчера часть из них прочитали, Алексей Андреевич...

...Ванька звал его «Кис». Ванька был с детективом на «ты». И Алексею это было дорого. Не потому, конечно, что у него имелась склонность к излишне фамильярным отношениям, отнюдь! Просто
Ванька стал своим в доску, стал родным, стал ему
«двоюродным сыном», как детектив шутил иногда.
Соответственно он Ваньке стал «двоюродным папой», как шутили они оба. Парнишка прожил несколько своих студенческих лет в квартире на Смоленке, снимая у детектива комнату в обмен на

обычно несложные поручения: там в квартиру пробраться, там последить, там по компьютерным делам, в коих Ванька был дока, помочь...

Но студент юрфака превратился в аспиранта, аспирант остепенился, влюбился и нонче собирался жениться. Вот почему, предчувствуя скорое расставание с Ванькой, Алексей нанял Игоря: замена, хоть и не по всем статьям...

Но Алексей и не искал ему замены по *всем статьям*: его вполне устроил секретарь и помощник, без всякой лирики. Лирики у него и так оказалось с головой, когда выяснилось, что они с Сашей ждут ребенка.

Ребенков при ближайшем рассмотрении оказалось целых две штуки: близнецы, мальчик и девочка. И теперь Алексей, разрываясь между семьей и работой, мог с трудом уделять внимание всему тому, что лежало за пределами этой *парадигмы*. Словечко, заимствованное у Александры, которое объясняло столь многое в этой жизни.

Несмотря на то что об Игоре детектив кое-что разузнал, он так его и не понял. И главное, не понял: что его напрягает в этом парне? Он бы не сумел сформулировать ни одной претензии: Игорь был само совершенство!

Может, *совершенство* Кису и мешало?

— ...вы вчера часть из них прочитали, Алексей Андреевич, — продолжал Игорь, — на блоге постепенно возникали какие-то посетители-комментаторы. Все под псевдонимами, разумеется, — вы же знаете, как это делается в интернете. Они поначалу задавали вопросы, а затем перешли к прямому инициированию Шапкина...

— К чему??? Нельзя ли по-русски, Игорь?

— К подбиванию... Они принялись подбивать Шапкина. На шантаж.

— Шантаж? Компашки?

— Да.

...Ванька бы ответил: «естессно». Типа: «Чего дурацкие вопросы задаешь, Кис, кого же еще?» Ваньке позволялось подкалывать шефа, и «двоюродный сын» безгранично пользовался этим дозволением. Наверное, в этом и состояла их игра в «папу» и «сына», в разницу поколений, которая ничуть не мешала им дружить, но зато давала веселый повод поехидничать друг над другом...

А Игорь произнес сдержанное «да».

С другой стороны, это и к лучшему. Второго Ваньки у детектива уже не будет. Это просто невозможно по определению, которое глаголет о том, что настоящая человеческая связь (будь она дружеской, любовной, родительской) — уникальна!

— Шантаж? — переспросил Алексей.

— Именно!

Это было любимое словечко Киса: «именно», — Игорь подхватил его. Алексей вдруг ощутил это как укол: мы *влияем* на детей! Надо с этим быть внимательнее. И, наверное, добрее?..

Отсутствие человеческого тепла как результат нехватки времени — какая же это паскудная вещь... Может, этому красивому и сдержанному мальчику по имени Игорь тоже нужно его *отеческое* тепло? Папаша родной развелся, а Игорь смылся и от мамы, и от папы, как Колобок, — к нему, к Алексею Кисанову... Несладко, наверное, пришлось парню?

А ему, детективу суперзанятому, показнился Кис, все не хватает времени, чтобы присмотреться как следует к своему секретарю!

— Комментарии посетителей блога постепенно навели Шапкина на мысль о шантаже Компашки. Во всяком случае, выглядит это именно так. И он потихоньку завелся. В последних сообщениях на своем блоге Шапкин уже торжествует при мысли, как он будет шантажировать Компашку.

— *«Выглядит именно так»?* То есть ты думаешь, что возможен *сценарий*?

— Теоретически тот же самый Шапкин мог зарегистрироваться на собственном блоге как комментатор. И писать комментарии якобы от имени посторонних лиц.

— Он не похож на актера, Игорь! Это спившийся и несчастный человек. Плохой человек, да, и тем не менее несчастный. И спившийся, подчеркиваю!

— Простите меня, Алексей Андреевич, но спившийся и несчастный тоже может оказаться манипулятором. Это ведь интернет! Где он ни на кого не дышит перегаром, разве только на свой экран... И никто не видит его опухшую морду. Если он, будучи в состоянии опьянения, все же способен связать два слова, то он мог, как мне кажется, и входить в роль, и писать под псевдонимами своих комментаторов.

— Допустим, — не стал спорить Алексей. — А зачем?

— Для того чтобы создать видимость, что мысль о шантаже ему навеяли собеседники на блоге.

— О'кей. А это зачем?

— Чтобы показаться невинной овечкой, дурачком, петрушкой перед своими будущими жертвами. Чтобы легче было их уговорить на встречу. Чтобы будущая жертва подумала: *вот идиот! С ним я быстро управлюсь!* Отчего и легко уступила требованию встречи...

— Встречи?! Откуда ты знаешь, что он встречался?

— Я этого не знаю, Алексей Андреевич. Я это предполагаю...

Снова Игорь произнес любимую фразу детектива: *«Я этого не знаю — я это предполагаю»*, и снова

Алексей ощутил укол совести за свое невнимание к парнишке. С другой стороны, чего ему казниться? Ваньке нужно было его внимание, и он его брал сам, непринужденно и естественно. А Игорь не берет, не требует. Значит, ему не нужно?

— Ведь кто-то же являлся к одноклассникам вашей подруги Валерии, так? — продолжал Игорь. — И после встреч остались инфаркты. «Сердечно-легочная недостаточность». Вы ведь сами говорили, что не считаете эти смерти случайным совпадением?

Нет, конечно, нет, Алексей никак не считал это случайностью! Даже если ему не хватало фактов, даже если не хватало заключений судмедэкспертов, но наличие смертей в порядке расположения за школьными партами было слишком красноречиво!

Но он был куда более осторожен в своих выводах. Он проверял-перепроверял каждую гипотезу, стараясь избежать ошибки, прикидывая возможность иных объяснений, иных выводов из все тех же фактов. А Игорь, вишь, сразу все и заключил: явился к ним Зиновий Шапкин!

— Хорошо, спасибо, Игорь... Ты проделал очень важную работу.

— Мне приятно это слышать.

— Открой мне блог Шапкина, пожалуйста. А я пока кофейку себе сварганю...

В ожидании, пока нагреется чайник, Кис соорудил себе бутерброд с сыром. Кофе он намеревался сделать растворимый — всех кофейных снобов просим пройти прямо и направо! Там как раз находится *сортир* — с тех пор, как детектив узнал, что слово это французского происхождения и означает на самом деле «выйти», он с удовольствием принялся посылать лишних людей в *сортир*, смакуя и русский, и французский смысл словечка.

Пожевывая бутерброд и поколдовывая над кружкой кофе (снобов, пьющих кофе наперстками, повторно просим проследовать в *сортир!*), он размышлял над услышанным. Зиновий, стало быть, шантажировал одноклассников...

Ну что ж, все бывшие члены Компашки, за исключением Инги, занимали плюс-минус хлебные должности и карьерой дорожили. Стало быть, за нее в той или иной степени боялись — и платежеспособностью обладали. Идеальные жертвы для шантажа! Только выходит, что Зиновий Шапкин, несмотря на хвастовство в своем блоге, вовсе не шантажировать их собирался, а убивать?

Он вспомнил слова Максима насчет коров: *их либо на мясо, либо на молоко.* То-то и оно. Либо денежки, либо месть! Дойную корову не убивают!

Или тогда нужно допустить, что шантаж был для Зиновия только предлогом, под которым он заманивал членов Компашки. Назначал встречи и убивал. Мстил за то, что его оболгали и подставили.

В конце концов, почему бы и нет? Тогда объясняется тот факт, который столь интриговал детектива: все смерти случились у жертвы *дома.* Теперь понятно почему: шантажиста, да еще и располагающего компрометирующей видеозаписью, в своем рабочем кабинете принимать стремно... А видеозапись, по словам Зиновия Шапкина в блоге, существовала. Точнее, существовала именно у него!

Встречи, стало быть, назначались дома. Отказаться от просмотра кассетки ей, жертве, никак нельзя: а вдруг шантажист на понт берет и в руках у него пшик? Иными словами, будущая жертва желала убедиться, что шантажист действительно располагает компроматом, а не блефует!

А для просмотра ТАКОГО содержания необходима полная интимность и конфиденциальность. Проще говоря, отсутствие посторонних, включая любых членов семьи. Вот и ответ на вопрос, отчего да как убийца столь удачно сорганизовал встречи на дому и наедине... Собственно, не убийца это организовывал, а жертва: в ее интересах было обеспечить полную конфиденциальность встречи!

Но все же непонятно: если Шапкин решил шантажировать бывших одноклассников, то почему передумал и решил их убить?!

Непонятно, нет.

А если с самого начала задумал их убить и шантаж послужил ему только прикрытием, то больно хитроумно для Зиновия.

Чересчур хитроумно!

Дожевав бутерброд, прихлебывая на ходу растворимый кофе из большой кружки, Алексей направился в кабинет. Завидев его, Игорь встал с хозяйского кресла, уступил место шефу.

— Игорек... — Алексей намеренно назвал его так ласково: чувствовал себя виноватым перед пацаном. Ведь дело не в нем, не в Игоре, — дело в нем, в Алексее! Это его личные заморочки, связанные с Ванькой, со слишком близко сложившимися отношениями... И Игорь в этом не виноват! «Не будь скотиной, Кис, — сказал он себе, — парнишка ждет твоего доброго слова, а ты, как последняя... последний... В общем, как нехороший человек, который редиска, никак не можешь родить это доброе слово!»

— Игорек, — повторил он, — найди мне то место в блоге, где говорится о шантаже...

***

На этот раз Алексей сосредоточился на комментариях, которые не просмотрел в первый раз. Читал внимательно, не упуская ни одной мелочи, иногда возвращаясь назад. Закончив, откинулся на спинку кресла. Любопытно, очень любопытно... В целом блог можно условно разделить на три части.

В первой Зиновий жалуется на несправедливость мира и вовсе не помышляет найти практическое применение той грязной истории, в которую его втянули... Впрочем, не похоже, чтобы Шапкин историю считал *грязной*, но это уже другой вопрос.

Во второй части пара комментаторов начинает советовать извлечь выгоду из давней истории и начать шантаж бывших одноклассников.

И в третьей части эти самые одноклассники выходят на блог Шапкина в два дня скопом, семь человек из девяти. Минус Инга, надо думать, — теперь ее проблемы решал Юра, женатый на ее сестре. И еще кто-то не среагировал. Может, в разъездах был... Разумеется, они появились под псевдонимами, но их выдавало и одновременное появление, и та заинтересованность, спрятанная опаска, с которой они вели осторожные расспросы: и что ты думаешь делать? И какие у тебя доказательства? Чего добиваешься?

На что Шапкин рассказывает о видеокассете, оказавшейся в его распоряжении. Да убоятся его теперь заклятые враги!

Финал-апофеоз: Зиновий Шапкин откровенно торжествует. Теперь он может держать Юру и Компашку в руках! Он наконец нашел на них управу!

И тут вдруг все затихает. Комментаторы перестали появляться в блоге.

Зато начались убийства.

266 Больше всего Алексея заинтересовали два факта: как дружно одноклассники *появились* на блоге и как дружно *исчезли*.

Их появление могло иметь только одно объяснение: их проинформировали. Просто так найти в виртуальном океане его блог, да еще все одновременно, в какие-то два дня, они бы не смогли, исключено.

Вопрос: кто их проинформировал?

Ответ: тот, кто имел в распоряжении их адреса и телефоны. А имели их чуть не все, кроме... Кроме Зины Шапкина!

Миша, староста, в прошлую встречу, пять лет тому назад, всем раздал списки адресов-телефонов одноклассников. Некоторые усмотрели в этом даже выгоду. Род рекламы. Так, Юра Стрелков рассчитывал навербовать себе из бывших одноклассников новых политических сторонников. А одна из одноклассниц, ныне художница, предполагала привлечь новых посетителей ее вернисажа — и, если повезет, покупателей ее картин. Староста сделал этот вывод из рассованных по рукам приглашений — на политические встречи и на вернисаж.

Но Зиновий Шапкин не ходил на встречи класса. Не был он и на выпускном вечере, когда, движимые самыми искренними порывами, выпускники щедро менялись телефонами и адресами. Только Шапкин тогда как раз в колонию угодил...

Вот потому он и растерялся, когда комментаторы ему посоветовали позвать одноклассников к себе на блог! Раздобыть адреса и телефоны совсем не просто, совсем, что бы ни говорил один ушлый комментатор, обозвавший Зиновия «чмо». Есть, конечно, способы раздобыть адреса, но это, что называется, «места надо знать и рано вставать». Например, купить пиратированную базу данных налоговой инспекции, появившуюся на рынке в Митине пару-тройку лет назад. У него, детектива, такая имелась. Но очень сомневался он в том, что Шапкин так профессионально и заранее сумел подсуетиться...

У дружного *исчезновения* с блога комментаторов имелась иная причина. Поскольку беседа явно не нашла логического завершения на блоге, то ее попросту продолжили в другом месте. Не публичном. Для чего лучше всего подходит электронная почта.

— Игорь! Ты обратил внимание, на блоге дискуссия с одноклассниками прервалась? Думаю, что они ушли куда-то. У тебя есть мысль куда?

— Есть мысль, Алексей Андреевич... Шапкин мог отправлять своим комментаторам отдельные, приватные письма со своего блога. Там указан адрес его электронной почты. А у комментаторов указаны их адреса «мыла».

— А мы можем туда как-то попасть?

— Разве что попробовать подобрать пароль... Потому что его логин известен: это наверняка начало его адреса.

— И?

— И я думаю... Поскольку психологический тип Шапкина мне ясен...

Как это ему, пацану двадцати двух лет от роду, из которых только четыре с натяжкой годика пришлись на взрослую жизнь, ясен «психологический тип»? О юность, о самоуверенность! Когда все кажется яснее ясного, когда право на ошибку не признается, когда две-три вычитанные плюс две-три подуманные мысли создают убеждение, что мир исчерпан во всей своей полноте и загадок в нем не осталось!

Алексей хорошо помнил себя в этом возрасте и потому камней в Игоря кидать не стал.

— Ага... Он тебе ясен... И что?

— Можно я сяду за компьютер? Попробую подобрать пароль...

Пока Игорь колдовал над пиратской попыткой добраться до ящика Зиновия, Алексей ушел на кухню. Отчасти чтобы не стоять над душой у парнишки, отчасти чтобы еще раз подумать в одиночестве.

Эту маленькую и конкретную ситуацию на блоге следовало теперь вписать в большую. Во все то, что ему уже известно.

А известно не так уж мало! Осталось только поднапрячь уставшие мозги и связать все воедино... И истина откроется, как «Сезам, отворись!». Алексей чувствовал, что близок к ней. Она где-то рядом, на расстоянии протянутой руки, нужно только отыскать ее в ворохе фактов и обрывочных умопостроений, пока что сваленных в кучу в его голове. Перебрать их по одному, рассмотреть, покрутить мысленно. И найти, куда пристроить!

Ну-с, приступим. Итак, что мы имеем?

Имеем мы уже шесть смертей.

Причем в порядке расположения жертв за партами.

И порядок этот относится только к членам Компашки, возникшей вокруг Юры Стрелкова.

И все, как один, погибли от сердечно-легочной недостаточности.

И все, как один, умерли дома.

И все, как один, — без свидетелей. Если не считать за свидетеля убийцу, конечно...

Теперь посмотрим на информацию непроверенную, поскольку не удалось получить заключения всех экспертиз. Но дающую основания для обобщений.

Первое: след от укола в вену в локтевом сгибе. Он был зафиксирован не у всех жертв, но не потому, что его не имелось, а потому, скорей всего, что на него не обратили внимания. Труп ведь шел не как криминальный, а как «мирный», с подозрением на инфаркт. Это важное уточнение!

Второе: ожоговый след — две маленькие точки! — от электрошокера. Он вообще был зафиксирован в единственном случае, у Роберта, и лишь потому, что тот брился наголо. Убийца действовал хитро: приставлял электрошокер к нижней части головы, обычно скрытой волосами. И если бы не случай с Робертом, то никто бы этих следов вообще никогда не увидел!

Собственно, их и не увидели... Но они наверняка были!

По той простой причине, что это и есть *модус операнди* убийцы: разряд тока, который парализует тело жертвы и дает убийце выигрыш во времени, вполне достаточный для того, чтобы ввести в вену смертельное вещество.

Какое, Алексей все еще не знал. Да и неважно. Будь то быстро разлагающийся яд — сердечный стимулятор, — будь то пузырек воздуха.

Что Шапкин сказал такое странное насчет иглы? Вроде бы согласился, что способен с ней управляться, но почему-то упомянул о топливе... Или он так назвал вводимый в вену препарат?

— Игорь, — окликнул он секретаря. — Тебе говорит о чем-нибудь словосочетание «игла» и «топливо»?

Тот задумался.

— Может, речь идет об автомобиле? Там есть «игла распылителя».

Алексей давно забыл устройство двигателя и прочей требухи, которой набиты машины. Он всегда,

270 даже в советские времена, отдавал ее на починку знающим людям, не видя для себя никакого удовольствия в копании в моторе — занятие, за которым охотно проводили выходные многие его соседи и знакомые. Впрочем, проводили они время у машины, скорей всего, не столь по любви к автомобилю, сколь из желания сбежать от семьи.

«Игла распылителя»... Зиновий работает в авторемонте, и выходит, что Игорь прав: «игла», с которой он хорошо управляется, имеет отношение к авто, а не к уколу в вену?

Значит, такой у убийцы модус операнди. Понятно, что на улице осуществить подобное убийца не мог: от электрического разряда чел изгибается, пляска св. Витта — и падает. Это привлекло бы внимание. Равно как и перетягивание руки жгутом, для того чтобы ввести иглу в вену.

Следовательно, убийце были необходимы встречи дома и наедине. А для этого требовался предлог.

И он его нашел: шантаж!

И по всему у нас выходит, что этот убийца и есть Зиновий Шапкин.

Только в этом случае нужно допустить, что сей хитроумный план он задумал давно.

И тогда придется допустить и следующее:

— что он весь блог затеял только для того, чтобы предстать дурачком перед своими будущими жертвами и снизить тем самым их бдительность (иначе бы отправил обычной почтой угрозы и требование денег!);

— что все эти комментарии, в которых «доброжелатели» его подбивают на шантаж, написаны им самим, так как являлись частью сценария;

— что затем он нашел способ зазвать намеченных жертв на свой блог (при том что списка с адресами от старосты у него не имелось, и как он связался с одноклассниками, непонятно!) и снова валял ваньку, наслаждаясь тем страхом, который сквозил в нескольких комментариях;

— что он должен либо найти доступ к неким сердечным стимуляторам, способным в определенной дозе убить здорового человека, либо иметь не совсем рядовые знания об убийственной силе пузырька воздуха;

— что он владеет шприцем. Не бог весть какая премудрость, конечно, — в интернете теперь легко сыскать инструкции о том, как сделать укол, так что можно, в принципе, овладеть иглой не только распылителя...

Но при этом Шапкин нехило пьет. И как только в вену попадал?

Да и электрошокер, несмотря на кажущуюся простоту в обращении, не так уж прост. Нужно ведь к жертве вплотную подойти. Но ни в одном случае следов борьбы медики не зафиксировали! Выходит, никто его не опасался, даже недоверчивый Максим Фриман? Никто не среагировал на занесенную руку? Или все легко поворачивались к шантажисту спиной?

...Вот если бы встречи дома и наедине назначал Юра Стрелков, тогда другое дело! Бывший приятель, ныне известная личность! Люди ведутся на известность, как будто она служит гарантом человеческой порядочности.

И еще можно было бы вообразить, что Инга с Юрой действовали на пару. Он электрошокером, она иглой. Инга как раз быстро попала бы в вену, с ее опытом наркоманки! И бывшие друзья пустили бы их в квартиру с доверием.

Но Юра в отъезде. Инга тоже в отъезде, но у нее и мотива не имеется. Мстить ей не за что, шантажировать ей нечем — та кассета злополучная способна обернуться только против нее (и против Юры, у которого она на содержании), а за свою репутацию бояться она не может, за полнейшим отсутствием последней...

Идея, мелькнувшая в голове сыщика, о том, что Юра нанял киллера, а сам смылся за границу алиби себе делать, тоже не прокатит. Нет, это не метод работы наемного убийцы, совсем не его модус операнди! И, главное, ни одна дверь не была взломана, следов борьбы не замечено, значит, жертвы впускали в свою квартиру знакомого человека.

Но кто же тогда, кроме Шапкина?

Учительница Анна Ивановна Деревянко полностью отпала. Уже при последней встрече стало ясно, что она перевернула ту жуткую страницу своей жизни. К тому же все эти дела с блогами — не ее возрастная категория... Самое же главное в том, что Игорь, отправленный Алексеем на место ее работы и учинивший скандал из-за забытого якобы зонтика, получил подтверждение от начальника бывшей учительницы, что Анна Ивановна никуда не отлучалась в тот день, когда погиб Боб. И, стало быть, Игорь никак не мог оставить зонтик в пустой приемной, как он утверждал, блефуя.

Этот маленький демарш подтверждал алиби бывшей учительницы. И полностью снимал тем самым вопрос о ее причастности к убийствам.

Последним живым из Компашки, если вычесть Юру с Ингой, оставался Дима Щербаков. По сведениям Алексея, он владел довольно крупной компанией, занимавшейся транспортной логистикой. Какой ему интерес избавляться от бывших одноклассников? Он с ними почти не общался и уже, наверное, думать забыл о той некрасивой истории, в которой был пешкой. Человеком он стал состоятельным, но никакого поста видного не занимал, чтобы ему вдруг убояться за свою репутацию и приняться в срочном порядке ликвидировать свидетелей...

Кто еще мог? Стелла в заботах о положении своего мужа? С ее ресничками? Ротиком сердечком?

Чисто теоретически почему бы и нет. Но представить ее в этой роли у Алексея не получалось. Уж больно глупа. «Я ль на свете всех милее, всех румяней и белее...» — вот все, что ее заботит!

М-да. Выходит, что это Зиновий...

— Игорь! Как там дела? — заглянул детектив в кабинет.

— Пока не получается...

— А в чем твоя гениальная идея, не поделишься? Ты сказал, что тебе ясен психологический тип Шапкина.

— Ну... — Игорь немного смутился. — Ведь Юра Стрелков — это в некотором смысле самая большая любовь Зиновия Шапкина. Я не хочу сказать, что он «голубой», любовь ведь необязательно должна быть половой. Вы согласны?

— Полностью.

— Неуверенные в себе люди всегда тянутся к уверенным, вы замечали?

Ну конечно, он, пацан, уже замечал, но сомневается, что другим дано, хех...

— Я понимаю, о чем ты говоришь.

— Ну вот, я поэтому подумал о Юре... И ввел на пробу в качестве пароля «стрелков». Не сработало.

Потом «стрелок» — тоже не сработало. Тогда я ввел «юрастрелков»...

— Не сработало?

Игорь покачал головой.

— Ну давай, думай еще.

Кис вернулся на кухню. Ему тоже нужно было подумать еще.

Выходит, это Зиновий.

Нет, нет, нет, не выходит!!! Как выразился Игорь, психологический тип Шапкина вполне ясен. Не дурак, но и не умный, нахватанный разрозненных знаний, которые не переплавились в образованность и тем более культуру, отчего в его блоге островками торчат какие-то заумные словечки посреди приблатненной речи люмпена...

Но, что важнее, его самоподача принципиальным образом расходилась с тем, что говорили о нем Лера и староста. Одноклассники считали его жалким занудой, тогда как в блоге он распускал перья и грудь колесом: рассказывал, как он, великолепный Зиновий, срезал Юру своими умными замечаниями.

Проще говоря, он творил мифы о себе и верил в них!

Мифоман — это человек, плохо воспринимающий реальность. Человек, живущий в вымышленном мире с искаженной геометрией, в мире, расположившемся по окружности вокруг него, где он центр. И потому он не в состоянии играть заранее задуманную в сценарии роль с дальним прицелом на убийство... Нет, роль — это до некоторой степени обман других. А Зина Шапкин всю жизнь увлеченно обманывал — себя.

Он отнюдь не видел себя занудой! Он вовсе не мыслил себя неудачником! Он самый лучший, а все вокруг козлы и суки, сломавшие его жизнь! Вот о чем хотел поведать миру Зиновий Шапкин в своем блоге!

Причем, что такое «лучший», он вряд ли знает. Нет у него шкалы ценностей, в которой выстраивалась бы парадигма оценок между добром и злом. И за двадцать с лишним лет он ее не наработал, о чем блог свидетельствует со всей очевидностью: происшедшие в школе события он описывает глазами все того же школьника! Взрослый мужик, он до сих пор называет Анну Ивановну Деревянко бездушным школьным прозвищем «Деревяшка», и ни одной ноты сочувствия к ней не мелькнуло в его повествовании.

По правде говоря, Шапкин с его нравственной инфантильностью вызывал у детектива еще большую брезгливость, чем убийца. Тот хоть понимал, что избавляется от свидетелей давнего *греха*.

А Зиновий до сих пор этого не понял.

Алексей выбил сигарету из пачки, затем поднялся, чтобы взять зажигалку, оставленную им на подоконнике, да так и замер. Одна слышанная им фраза вдруг выпуталась из хаоса обрывков информации, разговоров и мыслей, та самая фраза, которая способна стать озарением!

Ну конечно... Конечно же, конечно! Пьяный Зина говорил ему, детективу, о том, что *«все они теперь в его руках»*!

И что они ему, «суки», за все заплатят! Причем Зиновий вкладывал в эту фразу отнюдь не переносный смысл: мысль о шантаже ему запала, и он мечтал о том, что однажды (надо думать, когда он проспится) он припрет Компашку к стенке своей кассетой, и тогда они ему заплатят реальные бабки!

Что могло означать только одно: Зиновий не знал, что почти все они уже мертвы!!!

А раз он этого не знал, значит, их не убивал!

Кис прикурил наконец. Из кабинета не доносилось ни звука: Игорь все еще пытался управиться с паролем. Но детектив не хотел его дергать лишний раз. Ему пока есть чем заняться: отметя Шапкина, он ведь так и не ответил на вопрос «кто?».

Дима Щербаков?

Стелла?

Кем бы ни был убийца, но он использовал блог Зиновия в своих интересах. Это он подбросил Шапкину мысль о шантаже. Это он оповестил одноклассников. С какой целью? Да ясно с какой: отвести подозрение от себя и бросить его на Зину! На случай, если однажды все-таки начнется следствие!

Но прежде всего с целью заполучить предлог для встречи с членами Компашки. И предлог этот, конечно же, шантаж...

Значит, на почте, которую пытается сейчас взломать Игорь, Кис найдет переписку не Зиновия, а — от его имени — убийцы! Сам Шапкин, скорей всего, и думать забыл, что у него есть какой-то почтовый ящик, который он завел лишь для того, чтобы записаться на сайте блоггеров и получить право вести блог. И удивляется, скорей всего, отчего комментаторы исчезли с блога. Пил бы меньше, может, и сообразил бы проверить свой почтовый ящик.

А убийца сообразил. И проверил. Наткнулся ли он там на письма от бывших одноклассников, которые решили перейти к более конкретному разговору, — неизвестно. Зато наверняка увидел, что нога Шапкина там не ступала и его ящик девственночист... *Наверняка*, потому что иначе бы он не смог выдать себя за Зину!

Убийца вступил в переписку. Потребовал с них каких-то сумм. Торговался, уверял, что кассета того стоит, обещал при встрече показать. Затем назначал им свидания от имени Шапкина!

Намеченная жертва ждет в гости Зину. А приходит, допустим, Дима Щербаков. Бывший одноклассник и член Компашки, конечно, но все же не Зина! Поскольку жертва совершенно не догадывается о том, что она жертва, и ждет дурачка и зануду Зину, решившего заняться шантажом, то Дима не совсем к месту. Ведь вот-вот должен явиться Шапкин, как полагает жертва!

И тогда... И тогда Дима говорит что-то в этом духе: меня шантажирует Шапкин. Я хотел с тобой поговорить, посоветоваться.

Ага, это хозяину интересно! Но он смотрит на часы...

Нет, все проще: убийца приходит *раньше*. Хоть минут на пятнадцать, но раньше условленной встречи! И тогда жертва думает, что есть чуток времени, чтобы выяснить, как там Зина других шантажирует. И поскольку пришедший человек по определению не представляет угрозы, так как он тоже является жертвой шантажа... Ну да, все очень просто: хозяин его пускает в квартиру, он ему доверяет. Он поворачивается спиной в какой-то момент — мало ли, решил стаканчик виски гостю налить. И вскоре падает, парализованный действием электрического тока.

Отлично! Так примерно оно и было!

Пусть подождет вопрос «кто?», сейчас нужно полностью понять «как?»!

КАК. Их тут еще несколько притаилось, этих маленьких «как»! Например, как убийца узнал о существовании блога Шапкина? Ведь, чтобы использовать его для себя, нужно было сначала на него наткнуться!

А блог малопосещаемый, поисковики его не индексируют... Но как же тогда?

Да очень просто! Начиная с того момента, когда убийца — пока будущий — решил, что давняя неприглядная история несет опасность для нынешних его дел... И что центром ее является Шапкин, практически невинно осужденный — по крайней мере, в юридическом смысле, — будущий убийца решил поинтересоваться, насколько этот самый Шапкин опасен! И сделал ровно то же самое, что и Кис: пошел к нему домой! Бывшие одноклассники, они все жили вокруг школы и прекрасно знали, где кто обитает. А в отличие от остальных Зиновий до сих пор проживает по прежнему адресу!

Еще одно «как»: как убийца (все еще будущий на тот момент) в квартиру попал? Ну, вряд тем же способом, что детектив, с отмычками. Скорее всего... Ну да, скорее Шапкин сам дверь и открыл. Рано или поздно, может, через несколько попыток, но убийца застал его либо трезвым, либо не настолько пьяным.

И дальше его внимание привлек, что понятно, компьютер, столь не вписывающийся в жилище алкоголика.

А дальше? Ладно, это Кис носит с собой постоянно флешку — профессиональная привычка. Но вряд ли убийца был столь предусмотрителен. Да и, коль скоро Зиновий не был пьян вусмерть и сумел открыть гостю дверь, то в его присутствии вряд ли можно было совершать манипуляции с его же компьютером.

Но все могло оказаться значительно проще: на

экране висел блог, над которым трудился Зина, когда пребывал в сознании. И убийца, выхватив глазами пару строчек, крайне заинтересовался содержанием и просто-напросто запомнил адрес в строке веб-браузера!

Ладно, пока что все неплохо так складывается, стройненько... Вернувшись к себе домой, убийца вышел на блог Зиновия. В тот момент еще недописанный. И убедился, что самые черные опасения его подтвердились: Зина рассказывает, едва маскируя действующих лиц под прозвищами, ту самую жуткую историю!

И с этим нужно срочно что-то делать!

Убийца подумал, что же именно... И придумал! Он вышел на блог Зины под видом комментатора и стал провоцировать его на шантаж. Затем оповестил бывших одноклассников — точнее, членов Компашки, — привлекая их на блог.

Теперь ему оставалось одно: взломать почту Шапкина, чтобы договариваться о встречах от его имени!

И как он ее взломал? Игорь вон уже час с лишним возится....

Убийца, стало быть, оказался то ли сообразительнее, то ли просто нанял хакера.

Эх, детективу бы хакера сейчас сюда!

Хотя зачем... Если Зиновий дома... И снова принял на грудь... Он ему спьяну скажет пароль!

Хм, а кто сказал, что именно так и не поступил убийца? Зина за возможность слиться с подушкой что угодно расскажет! Если только поймет, что от него нужно!

Алексей посмотрел на часы. День пролетел незаметно, уже восемь вечера. Отчаянно хотелось домой.

«Ну, ничего, — утешил он себя, — вот только к Шапкину заехать, и хорош!»

— Игорь, на сегодня все. Я попробую вытрясти пароль из Шапкина, потом домой.

— Хорошо, Алексей Андреевич. Если у вас не получится, я посижу еще, подумаю.

— Давай. Я позвоню тебе. Кстати, попробуй слово «номенклатура». Очень уж Шапкин его любит...

Кого он упустил? — думал по дороге Кис. Кого? Мотив мести — это учительница и Шапкин. Но она отпала полностью, а его отмел сам детектив.

Тогда кто?! Эта история волновала только членов Компашки! Только им могла она испортить сегодняшнюю карьеру, и только им!

Из девяти человек, если вычесть Юру и Ингу, оставался в живых один. Дима Щербаков. Следующая жертва — или убийца?!

Лера не может до него дозвониться. Он уже лежит трупом, скончавшимся от инфаркта? Или он залег на дно, смылся, как Стрелков, за границу?

А что же это Валерка молчит? Есть ли у нее новости?

Алексей высветил список входящих, нажал на ее номер. На этот раз, однако, ее мобильник не отвечал. Где-то у него записан домашний той квартиры, в которую она перебралась из гостиницы. Надо его поискать.

Куда же Валерка запропастилась, черт побери?

Он повторно набрал ее мобильный, но с тем же результатом.

А если это не Дима Щербаков, тогда, получается, Стелла! Тут третьего не дано! Она ведь полностью зависит от благополучия своего супруга и тоже в нем заинтересована!

Но с ее ресничками, упражнявшимися в «дыхательной гимнастике»? С ее глупеньким соревнованием «кто на свете всех милее»?

Кроме того, Стелла не знает никого из класса, и в приложении к ней вся история выглядит как-то громоздко: и к Шапкину она в гости наведалась, и воду мутила у него на блоге, и к ящику пароль подобрала... А потом назначила свидания бывшим одноклассникам мужа от имени Зиновия, обзавелась электрошокером (в интернете широко предлагается!) и шприцем — и вперед?

Или Стелла не такая изнеженная дурочка, какой прикинулась перед детективом?

Мобильный зашелся в трелях. Звонил Игорь.

— Я нашел, Алексей Андреевич! Нашел!

— И какое же слово?

— *«Номенклатурныедетки»!*

— Ну что ж, это вполне в рамках твоей теории, — порадовал детектив своего секретаря. — И что там?

— Сейчас, погодите....

— Сделай резюме и перезвони. Я жду.

Он припарковал машину. Шапкин, пьяный или трезвый, ему больше не понадобится. В ожидании рапорта Игоря Кис покопался в адресной книге своего мобильного и нашел домашний Леры.

Ему ответил приятный мужской голос:

— Лера? Ее нет.

Алексей представился. Оказалось, что Валеркин

друг, который назвался Данилой, о нем наслышан. Что ж, тем лучше.

— Она мне очень нужна... Не скажете, куда она отправилась?

— Послушайте, Алексей. Я буду с вами откровенен: мне крайне не нравится, что вы подбиваете Леру заниматься этим делом!

— Э-э-э-э-э... — промычал Кис.

Вот врушка Валерка! Свалила все на него!!!

— В каком смысле? Чем она занимается?!

— Она уже однажды ходила встречаться с одним своим бывшим одноклассником, и ей потом чуть голову не проломили! После этого она мне обещала ни во что больше не соваться.

— Мне тоже!

— Тогда почему она снова поехала на встречу с другим одноклассником?!

— С каким?!

— Не знаю, она имя не назвала. Только заявила, что это совершенно необходимо и срочно! И что вам нужна ее помощь!

Выдавать Валерку не хотелось, но брать на себя такую ответственность тоже не хотелось.

— Это не совсем так. Я просил ее никуда не ездить, я просил ее поговорить по телефону.

— Тем не менее она поехала! Сказала, что сейчас удобный момент для разговора, потому что он только что вернулся с дачи, куда отвез своих. И что ему нужен ее совет!

— Послушайте, Данила. Не беспокойтесь. Думаю, что я знаю, о ком идет речь. Я сейчас съезжу туда и верну вам Леру в целости и сохранности.

Алексей произнес эти слова спокойным голосом, но внутри все дрогнуло: в конкурсе на место убийцы Дима пока еще не проиграл! И не исключено, что Валерка поперлась в самое пекло!!!

Впрочем, он не так уж волновался: все убийства происходили в рабочее время, точнее, к концу рабочего дня. А нынче уже полдевятого вечера... И потом, убийца являлся к жертвам домой, а вовсе не приглашал их к себе! И даже если он от души желал пробить Валерке башку, чтобы перестала совать свой любопытный носик куда не следует, то вряд ли он станет делать это в собственном жилище.

Негодница, мало того, что ослушалась детектива, так еще на него ответственность свалила! Теперь вытаскивай ее да Даниле возвращай — ну ничего не изменилось с тех пор, когда он вел ее домой в рваных трусишках, защищая собой от насмешливых взглядов глупой детворы. Спасибо, что она в Америке живет, а то бы пришлось ему и все эти двадцать с лишним лет с ней возюкаться!

Кис, чертыхаясь, вытащил из портфеля список адресов, выданный ему старостой. Вот он, адрес Димы Щербакова...

Алексей завел мотор.

Стелла пока что возглавляет хит-парад претендентов на роль лучшего исполнителя убийств, деля первое место с Щербаковым.

«Семь», — вспомнил детектив. На блог Зиновия вышли семь одноклассников. Минус Инга, это понятно. Еще одного не хватает. А если он не в отъезде оказался? А если в настороженном хоре недостает как раз убийцы? Ему-то зачем беспокоиться: он всех шантажом напугал, а теперь ждет, когда дичь сама в руки приплывет!

Добраться бы до почты Шапкина поскорее. И там посмотреть: кому письмо от его имени НЕ отправлено? Если Диме, значит, он и есть преступник, не будет же он назначать сам себе встречу! А если...

Если это Стелла, то письмо с предложением встречи не уйдет к Юре Стрелкову.

Что-то ускользало в ней от детектива. Или хлопотливые реснички, сладенькие губки, будто сложенные для поцелуя, — игра? Как и соревнование «кто на свете всех милее»?

Она ведь в положении своего супруга была крайне заинтересована. От него зависит и ее собственное. И если вдуматься...

Именно: если *вдуматься*!

Это не просто Юрины деньги, не только материальное благополучие, но восхождение на новую, еще более высокую социальную ступень! Вот что должно было стать самой сладкой мечтой Стеллы! «Я ль на свете **ВСЕХ** милее?»!

Всех. Всех-всех-всех! Чем выше социальная ступень, тем больше остается этих *всех* позади! А Юрочка-то, создав собственную партию, мог к следующим выборам и о кандидатуре в президенты помечтать! А она, зайчик такой невинный, ресничками хлоп-хлоп, вдох-выдох, — помечтать о статусе первой дамы государства!!! Где ее красу увидит на экранах телевизоров вся страна! Первая дама, первая леди государства!

Первая.

Никаких «всех» больше не останется на ее пути, и зеркальце ей скажет: ты, ты, ты! Ты всех милее, румяней, белее... Всех-всех-всех на свете!

Хех, сказка ложь, да в ней намек, добрым молодцам урок... Спасибо, Александр Сергеевич! Без вас бы и не сообразил. Ведь женское тщеславие такая невинная, такая глупенькая вещь... Можно только улыбаться. И даже умиляться.

До поры до времени. Пока оно не обнаружит свою деструктивную природу.

Как же он купился, блин!!! Как мог не сообразить, насколько оно опасно, насколько оно *убийст-венно*, простенькое женское тщеславие, желание быть лучше всех-всех-всех?!

Теперь все ясно: потому-то она так вовремя ухитрилась спровадить мужа с сестрицей за границу, чтобы на него никто не подумал! Как она сказала: «*Я настояла* на их отъезде!»

Знает ли Юра, что творит любящая женушка? Не факт. Она мужа бережет-оберегает — кормильца и «средство передвижения» на высоты социальной лестницы. А Инга, будучи наркоманкой, вряд ли отдавала себе отчет в том, что творится вокруг нее...

Он представил, как Стелла звонит в дверь жертвы, ожидающей визита Зины Шапкина. Глазки хлоп-хлоп, реснички дрыг-дрыг, губки сердечком... «Я приехала вместо Юрочки. Он сейчас в отъезде, а Зиновий Шапкин сказал мне явиться по этому адресу. Он вас тоже шантажирует? Какой ужас!!!»

Вот почему столь доверчиво вели себя мужики: эту хорошенькую дурочку с ее ангельским личиком никто не опасался! «Стелла? Какое красивое имя! Что я могу вам предложить? Бокал шампанского?»

Он к ней спиной — она к нему с электрошокером. Через несколько секунд перед ней тело в полной отключке. Сто уколов можно успеть сделать!

Сотовый снова затрезвонил. Мелькнула надежда: это Валерка! Сейчас он ее отчитает и потребует немедленного возвращения домой!

Но это был Игорь.

— Алексей Андреевич, тут такое дело... На почте Шапкина действительно, как вы предположили, идут конкретные разговоры о суммах и о встречах. И все даты встреч совпадают с датами смертей!

— Сколько человек? — перебил его детектив.

— Семь...

— Кого не хватает? Кому письмо не написано?

— Стрелкову...

— Та-а-ак... Значит, с Щербаковым договаривается теперь о встрече? Дата есть?

— Я как раз хотел вам сказать... Алексей Андреевич, встреча с Дмитрием Щербаковым назначена на сегодня!!!

— Чччччерт!!!

Рулю снова досталось. Неужто Лера наткнется на труп???

— Когда?!

— Через двадцать минут. В девять вечера...

У детектива даже восклицания не вырвалось на этот раз, и руль избежал расправы. На такую лирику нельзя было терять время. Ни минуты. Ни секунды.

— Все. Я выезжаю. Позвони Сереге от моего имени! Адрес Щербакова в моем файле, ты знаешь. Звони, пусть высылают наряд!

Он отключился и рванул так, что, наверное, искры брызнули из-под колес.

Валерка, чучело несчастное, ну, получишь ты у меня!!! Если только жива останешься, ексель-моксель!!!

Алексей находился в районе «Кропоткинской», а ехать нужно было в сторону «Белорусской». К счастью, пробки начинали рассасываться. Дачный сезон завершался, и транспортные потоки значительно уменьшились.

Он опасно лавировал между машинами, срывался на светофорах, не дожидаясь зеленого, — если что, Серега его отмажет, не впервой!

Глянул на время: без двенадцати девять. Через двенадцать минут к Диме придет убийца!

Хотя... По его же собственному сценарию, убийца должен был приходить чуть раньше назначенного — якобы Зиновием — времени... Значит, она... *Она!* — сейчас, в данный момент, уже звонит в квартиру Димы...

Не сбавляя скорости, Кис изловчился и набрал телефон Димы Щербакова. Сначала домашний. Потом мобильный. Ни один не ответил.

Неужели он так безнадежно опоздал?!

Почти не надеясь на удачу, снова набрал номер Леры. И вдруг ее телефон отозвался!

Шепот.

Не разобрать ничего.

Он приткнулся к обочине, вырубил мотор.

— Лера? Это ты? Я тебя едва слышу! Где ты?!

— Кис-с-с-с, — шепот принадлежал Валерке. — Кис-с-с, приезжай скорее к Диме... Я боюсь, что его убили... И меня сейчас... Я боюс-с-сь...

— Держись! Всеми силами держись, Валерка, слышишь! Не подпускай убийцу к себе! *Она* действует электрошокером, не подпускай ее к себе! Я уже еду!

Алексей рванул с места так, что его джип подпрыгнул.

Она! Ну конечно, *она*!!! Больше некому...

Мысли промчались молнией.

Кажется, он сделал пару ошибок...

НО В НИХ-ТО ВСЕ И ДЕЛО!

ЧАСТЬ 5

Убийца

Лера, как велел ей Лешка, весь вечер исправно набирала номер Димы — до тех пор пока ей не ответил голос практически незнакомый. Или она просто забыла его за двадцать с хвостиком лет?

— Дима? Щербаков?

— Я.

— Это Лера Титова... Помнишь меня?

— Лерка! Как здорово, что ты позвонила! Карен рассказывал о тебе, собирался организовать встречу, да пропал куда-то. А у меня твоих координат нет, а то бы я сам с тобой связался!

— Да, я тоже удивляюсь: куда пропал Карен? Мне тоже обещал организовать встречу... Но исчез.

— Это ты, Лера, не удивляйся: нынче у нас такой стиль в Москве. Все обещаем, но всерьез никто не воспринимает. Пока договор не подпишем с печатями, ни во что не верим. Да и то... — Он усмехнулся.

— Да? — растерялась Лера. — А говорил, что соскучился... И что... Впрочем, неважно.

— Лера, *соскучился* — это лирика. А бизнес требует срочного вылета куда-нибудь в Ереван. Или в Мадрид. Или в Нью-Йорк. Предупреждать всех, по ком «соскучился», о своем срочном вылете — замаешься.

Дима снова улыбнулся, она слышала в телефон.

— Да, я понимаю... — Лера, конечно, вовсе этого не понимала, потому как сама никогда не давала обещаний, которые не собиралась выполнять, но смысла дискутировать на данную тему не видела. Ее сейчас волновало совсем другое. — Послушай, Дим... Ты ведь знаешь, что происходит? Карен тебе говорил?

— Знаю, — голос его сделался серьезен. — А ты, похоже, знаешь чуть больше моего. Это ведь ты сказала Карену, что считаешь эти смерти подозрительными?

— Да...

— Лер, мне нужно поговорить с тобой.

— А я как раз за этим и звоню! Знаешь, тут мой приятель, частный детектив, взялся за это дело... Дим, давай завтра встретимся? Все втроем: ты, детектив и я? Есть вещи, которые очень, очень настораживают. Это я мягко выражаюсь.

— Он тоже считает, что это убийства, твой детектив?

— Дим... Да.

— Я в данный момент еду из пригорода в Москву, своих отвозил на дачу. Через час буду дома. Можешь подъехать? Я не хочу ждать завтра. Честно скажу: мне не по себе... Я за тобой заеду, хорошо? Или возьми тачку, я оплачу!

Лера не устояла. Она знала, что Лешка будет ее ругать на чем свет стоит, но поехала! Даньке соврала, что сыщик ее просил посодействовать, а от сыщика спряталась, выключив звонок своего сотового.

Он нехотя обещал ей рассказать, что за история приключилась в их классе много лет назад, но теперь, она была уверена, эту историю расскажет ей Дима! Он встревожен, он хочет с ней посоветоваться... Потому и расскажет!

Дима был ей рад так, словно они в школе были закадычными друзьями и теперь он безмерно счастлив, обретя то ли свою первую подружку, то ли свою первую любовь. Глаза его сияли, а руки заключили ее в самые что ни на есть жаркие объятия.

— Можно подумать, — смущенно проговорила Лера, высвобождаясь из его рук, — что ты встретил любовь своей юности...

— Так оно и есть! — улыбнулся Дима. — Я только сейчас понимаю, что был в тебя влюблен в школе!

— Ладно врать-то!

Дима окинул ее мужским, оценивающим взглядом.

— А что? Ты хороша собой, ты умна, ты вообще...

— Дим, кончай! Ты хотел поговорить о чем-то важном.

— Да. И все же, знаешь, Лер... Когда оборачиваешься назад, то мало кого хочется увидеть снова. А тебя — хочется.

— Дим!

— Ладно, ладно. Но я рад тебя видеть, честное слово!

Лера вежливо улыбнулась. Сказать по правде, она не могла ответить тем же Диме Щербакову: его образ и характер стерлись практически полностью за прошедшие годы. Он остался для нее членом Компашки, чем и исчерпывался. Она не узнавала ни его лица, ни голоса, и никаких ассоциаций не вызывал у нее этот невысокий толстенький человек с налитыми розовыми щеками и редкими бровками над голубыми глазами.

Похоже, Лера оставила более внятный след в его памяти. Ну, это и понятно: она держалась сама по себе, а он в клане. А в кланах личности неизбежно сливаются в массовку.

— Проходи, проходи... — Дима засуетился, пропуская ее в гостиную. — Присаживайся! Ты не голодна?

Получив отрицательный жест, он предложил ей напитки. Лера согласилась на мартини. Больше для атмосферы, чтобы не обидеть Диму. Отказ выпить воспринимается как недоверие с ее стороны. И даже высокомерие. Лера это уже усвоила за время своего пребывания на родине.

Когда наконец был налит в ее бокал мартини, а в его рюмку — водка, когда они чокнулись, чего-то хорошего пожелали друг другу, выпили и даже закусили оливками и крекерами, тогда она наконец решила перейти к существу вопроса.

— Дим, ты хотел со мной поговорить...

— Да. Лер, я осознаю некоторую неприличность того, что обращаюсь к тебе за помощью... Мы двадцать-сколько-там-лет не виделись! Но эти смерти... Если бы не ты, если бы не твой приезд и желание разыскать нас, твоих одноклассников, то никто бы не отдал себе отчета в том, что наши ребята умирали таким странным образом, в порядке расположения парт! Вроде бы от инфарктов, но все же странно... Настораживает, тут я с тобой согласен!

— Дим, а ты знаешь, что Максим Фриман умер?

— Когда?!

— Вчера.

— Но как ты объяснишь тот факт, что Юру и Ингу пропустили? Может, это они чистят наши ряды сладкой парочкой?

— Нет. Они уехали за границу. Юра повез ее лечиться в Австрию.

— Юра? Ингу? Погоди, они до сих пор общаются?!

— Он женат на сестре Инги...

— Ну и дела! А чем больна Инга?

— Не знаю. Лешка, мой друг и детектив, обещал Юриной жене сохранить в секрете и мне не сказал...

— Да черт с ним, секретом, главное, ты скажи, ты в это веришь? Они действительно за границей?

— Леша проверил. Они *действительно* находятся в Австрии.

Дима налил себе еще водки. Выпил, забыв предложить своей гостье второй бокал, чему она тихо обрадовалась.

— Ладно, Юру и Ингу пропустили потому, что они слиняли за границу... Думаешь, и вправду лечиться? Или сбежали? Испугались?

— Не знаю, Дим. Не исключено.

— За ними сидел Боб. Дальше Максим... Теперь и он умер. От инфаркта?

— Да.

— Ну и дела, — Дима крутанул головой. — А следующим сижу я, так? У меня нет фотографии класса, не сохранилась, но я вроде бы помню, как мы сидели... Не ошибаюсь?

Она кивнула.

Он умолк, и Лера почувствовала, что сейчас (или никогда!) Дима расскажет ей то самое происшествие в школьные годы, которое послужило причиной всех смертей...

Подбодрить его? Или промолчать, оставляя ему возможность самостоятельно начать разговор?

Лера решилась в пользу последнего. И оказалась права, так как после нескольких долгих минут тишины Дима заговорил.

— ...Мне трудно понять теперь, как я мог пойти на поводу у Юрки и особенно Инги... — заговорил он. — Но тогда я поддался их влиянию. И мы все, всей Компашкой, учинили одну непристойность... Я не могу рассказать тебе подробности, язык не повернется!

Дима уставился повлажневшими глазами на Леру.

— Помнишь, когда мы первый раз смылись с урока исторички? Тогда Юрке с Ингой чуть не весь класс удалось подбить, и ты тогда ушла с нами. Вроде бы тоже поддалась общему влиянию, но ты все спрашивала у нас по дороге в кино: почему мы так жестко реагируем? Мол, ладно, историчка дура, но чего на нее так злиться? О, я помню, как посмотрела на тебя Инга! Она облила тебя презрением с ног до головы, а ты не заметила! Юра усмехнулся и сказал, что ты наивная, ребенок еще... В наши годы «ребенок» — было чуть не оскорблением, ты не забыла? Очень уж нам хотелось казаться взрослыми. Другие ребята принялись что-то снисходительно тебе объяснять.

— Ты так подробно это помнишь? — изумилась Лера.

— Да. Потому что я молчал и смотрел во все глаза: что теперь будет с тобой?

— И что со мной было?

— А вот это было самое удивительное — ты их послушала и ответила: «А мне ее жалко!» И в следующий раз с нами не пошла.

Лера вскинула брови.

— А что из этого вытекает?

— А то! Ты не побоялась, что над тобой будут смеяться! Не побоялась сказать свое мнение, отличное от солнца нашего Юры!.. А я, парень, — не смел! Почему?! До сих пор не нахожу ответа на этот вопрос!

— Дим... Мальчишки позднее взрослеют, чем девчонки...

— Я теперь солидный уважаемый человек, Лера. Я бизнесмен, у меня деньги, преуспевающая компания, большой штат сотрудников, я теперь сам элита! И знала бы ты, как мне противно вспоминать, какой пешкой я был при Юре!

— Дим, не казнись. Это детство. В нем были свои неприятные моменты, как прыщи...

— Детство?! Прыщи?! Ты не знаешь, о чем речь, Лера... А казниться все равно поздно, поезд ушел.

— И о чем же речь?

Он не ответил, только водки себе подлил.

— Ты мне все же скажи, что тогда случилось, Дим. Я не хочу ставить тебя в неловкое положение, скажи мне только в двух самых общих словах — в той степени, которая поможет понять, отчего сегодня кто-то хочет избавиться от свидетелей того давнего происшествия.

— В двух словах? Лер, спасибо. Очень трудно сказать в двух, но все же легче, чем подробно... В общем, мы Анну Ивановну завлекли на Юркину квартиру... Потом раздели ее и стали фотографировать...

— Раздели?! — Лере почудилось, что она ослышалась.

Дима отвел глаза, и Лера поняла, что не ослышалась.

— Дима... Сколько ей было тогда? Лет тридцать шесть, тридцать семь? Это меньше, чем нам с тобой сегодня!.. В школе ходили упорные слухи, что она старая дева... Можешь ты представить, что чувствовала женщина, никогда не обнажавшаяся перед мужчиной, что она должна была чувствовать под взглядами здоровых оболтусов, членов вашей Компашки?! Она неумная была, да, идейная, малообразованная и зашоренная советской пропагандой. Я сама ее терпеть не могла. Но устроить *такое*?!

Дима смотрел на нее долго... Молча, изучающим взглядом..

— Валерия Титова, — произнес он наконец, — я тебя позвал к себе не для того, чтобы ты читала мне мораль! Я тебя пригласил для того, чтобы ты помогла мне избежать опасности. Если таковая, конечно, имеется!

Поединок взглядов.

Лера вышла из него победителем, Дима первым отвел взгляд, но победа не радовала.

— Хорошо, — примирительно произнесла она. — Нет смысла читать тебе мораль, согласна. Сколько лет твоей жене?

— Тридцать восемь.

— Я надеюсь, она не учительница!!! — хлестко произнесла Лера.

— Блин! Лера, это запрещенный прием!

Она помолчала.

— Дим, прости... У меня просто шок случился.... Объясни только, зачем вы это сделали?

— Если помнишь, — вздохнул Дима, — она поклялась, что аттестаты мы не получим. А они всем нужны были, сама знаешь. Ну вот, Инга придумала, что если сделать такие фотографии, где она... э-э-э... достаточно раздетая... то мы сможем держать ее в узде. Собирались пригрозить ей: мол, чуть только двойку влепит кому, мы эти фото разбросаем по школе.

— А Юра, конечно, поддержал?

— Поддержал... Он все инициативы Инги поддерживал. Никто в классе, кто не входил в нашу

296 Компашку, даже не подозревал, до какой степени она на него влияла! Блистал-то на уроках всегда Юра, Инга помалкивала, да и образованности ей не хватило бы тягаться с другими. Но она его, да и всех нас словно гипнотизировала. Такой серый кардинал, идеолог при короле-солнце Юрке... Ну и мы, ясное дело, тоже согласились. Тогда идея нам казалась гениальной и страшно крутой.

— И как же вы ее осуществили?

— Дело у Юрки на хазе происходило, родители его тогда уехали в очередной вояж по заграницам... А училка... А Анна Ивановна не знала. Хотела встретиться с его родителями, чтоб нажаловаться, ясный пень... Юра ей и сказал: мол, приходите, они вас ждут. Но ждали ее на самом деле мы... — Дима склонил повинную голову, и Лера заметила, что макушка его начала уже лысеть.

— И как же вы заставили ее на это пойти? Силой?

— Не совсем... Так, подержали немного за руки, когда она вырывалась, и пригрозили ей...

Он вздохнул.

— Ну, Дима, ну? Договаривай!

— Групповым изнасилованием...

Лера подавила в себе восклицания. Какой теперь в них толк...

— И в главной роли у нас выступал Зинка Шапкин.

— Как?! Он же с вами не дружил! Он же постоянно состязался с вами на уроках! Того же обществоведения, между прочим!

— Сам не понимаю. Как-то его вовлекла Инга, она же мастерица лисьи песенки петь... Как бы то ни было, он оказался в главной роли в тот день. И он... — помнишь, он исчез из выпускного, десятого класса?

— Да...

— Так вот, Зинке дали три года колонии.

— За что?!

— За изнасилование учительницы...

— Погоди... Ничего не понимаю! Ты только что сказал, что вы учительницу *раздели*. И то *частично*, ты сказал! А теперь говоришь, что Зина сидел за *изнасилование*?!

— Лер, я тебе это рассказываю для того, чтобы понять, откуда эти смерти и кому они нужны... Кто-то мстит нам? Или кто-то хочет избавиться от нас, свидетелей?

— А я тебя спрашиваю: что именно вы сделали с Анной Ивановной?!

Дима тщетно смотрел в окно, словно надеялся, что вопрос Леры сам собой растает в воздухе.

Но он не растаял. Лера с самым решительным видом ждала от него ответа, что подтверждало сверкание ее глаз.

— Ну... — сдался Дима, — ну, в общем, Зинка ее... Даже не знаю, какое слово-то есть приличное? В общем, он ее раздел... Под диктовку Стрелка и Инги... И... как бы так сказать... немного полапал... За всякие места...

Лера только молча сглотнула. Ее одноклассники — да, очень эрудированные, да, пижоны, да, снобы даже, — но вроде бы такие, по большому счету, наивные в своем выпендреже... Они могли так обойтись с женщиной — пусть ненавистной училкой, но ТАК???

Ей захотелось немедленно уйти из этой квартиры, от этого человека, почти забытого ею, чтобы снова забыть его и все то, что он рассказал!!!

Она рванулась к двери.

— Лера... — Дима схватил ее за руку, угадав ее желание покинуть его дом. — Не осуждай меня... Мне нужно понять... Все эти смерти... Лер, ты догадываешься, кто это? Кто убивает нас?!

Дима ведь *на очереди*, вспомнила она, несколько смягчившись.

— Нет. Только в одном уверена: это связано с происшествием в школе. Теперь ты рассказал, с каким именно.

— Может быть, это Анна Ивановна нам мстит?

— Дим... Скажи мне: ты действительно сожалеешь о том, что вы тогда совершили? Я хочу знать, ты сейчас просто испугался или ты по-настоящему жалеешь, слышишь! Или тебе всего лишь обидно, что ты был *пешкой* при Юре? Только имей в виду: если ты снова ответишь, что я не имею права читать тебе мораль, то я немедленно поворачиваюсь и ухожу. И разгребай свои проблемы сам!

— Ты стала настоящей иностранкой, Лера! Так у нас не разговаривают в России!

— Как это — *так*?!

— Так прямо!

— Не питай иллюзий, Дима, так прямо не разговаривают *нигде*. Это *я* так разговариваю, я, Титова Валерия. Не потому, что русская, не потому, что американка, а потому, что я! И, знаешь, мне по фигу, нравится тебе или нет, как я с тобой разговариваю. Как американка я скажу тебе, что сила на моей стороне: это ты нуждаешься в моей помощи, а не я в твоей! А как русская я тебе скажу, что мне важно знать твои нравственные...

— Лера!!! Стоп, хватит!

Она умолкла. Стоп так стоп. Значит, сейчас его слово.

Пока он молчал, Лера задумалась. На самом деле фиаско терпит она, и именно она! В Америке — с первого дня своего пребывания там — она ощущала конфронтацию мировоззрений. И свое она противопоставляла американскому как *русское*. Более совестливое, более склонное к самоанализу, к строгому спросу с себя...

Но ее нынешние встречи в России, все то, с чем она столкнулась за это время, нашептывали ей, что никакой национальный менталитет тут ни при чем! Где оно, совестливое и склонное к самоанализу?!

И получалось, что ее взгляды, ее мировоззрение — это *персональное* мировоззрение отдельно взятой Леры Титовой! Воспитанное, видимо, родителями — мамой, учительницей русского языка и литературы, и папой, преподавателем истории в пединституте, — и, может, ее собственным осмыслением жизни, отношений, ценностей по мере ее взросления...

Но при чем тут страна, в которой она выросла? Если рядом с ней — тогда не замеченные и не опознанные ею — существовали такие монстры, как Юра, Инга и вся их Компашка? Их взрастила все та же страна, которая взрастила ее, Леру, но столь разными, что страна тут явно ни при чем!

У Леры было чувство повешенного, у которого выбили табуретку из-под ног. Столько лет она простирала свое восприятие вещей до национального менталитета, на который опиралась, который стоял за ней, как твердыня, — так она всегда считала!

А оказалось, что ничего национального в нем нет... И она всего лишь отдельно взятая личность, сформировавшаяся в условиях отдельно взятой семьи... Затерявшейся на планете со своими культурными и нравственными ценностями...

— Хорошо, Лер, — прорезался Дима. — В принципе, я даже рад, что ты поставила вопрос именно так. Надо же все-таки однажды посмотреть правде в глаза... Да, Лер, я поступил, как подонок. Да, меня совесть мучает до сих пор. Списывать это на младые годы — малодушие. Не двенадцать лет ведь было, а семнадцать! В двенадцать я бы себя простил теперь, списал бы на малолетство. Но в семнадцать... Короче, все! Я сожалею о том, что сделал. Но ножкой шаркать перед тобой тоже не буду. Если тебе этого мало, то уходи.

— Спасибо, Дим.

— За что?

— За честность...

На мгновение Лере захотелось рассказать ему о том, как она свои ценности приписывала национальному русскому менталитету, как теперь оказалась разочарована и как на этом фоне ей дорого его признание — толстенького и смешного Димы...

Но она не стала откровенничать. В конце концов, проблемы ее «русскости» — это ее личные проблемы.

— Дим, налей мне еще мартини, пожалуйста...

Этой фразой Лера обозначила свое примирение. Дима спохватился, извинился, подлил.

— Ты сказал, что Зинка Шапкин сел за изнасилование. А при этом он ведь только... как ты сказал?.. — Слово «*полапать*» не поддавалось артикуляции, оно было едва ли не хуже, чем «*изнасилование*»! — При этом он ведь не дошел до насилия, я тебя правильно поняла?

— Стрелок его остановил. Зина пьяный был в зюзю, ничего не соображал. У Юры дома абсент водился, так Зинка его хряпнул пару раз. Сначала всех забавлял его пыл, он же до сих пор голой женщины не видел, но потом Зинка разошелся чересчур, и

Юрка его схватил за шкирку и оттащил от Анны Ивановны. Сказал, что иначе этот придурок получит срок за изнасилование, а мы пойдем как сообщники.

— Но при этом Зина Шапкин сел за *изнасилование*? Я ничего не понимаю!

— Анна Ивановна подала заявление в милицию. Никто этого не ожидал — ведь мы ей пригрозили фотографиями... Но она, видимо, настолько ненавидела Юрку, что все-таки решилась через пару дней, несмотря на угрозу. Сначала заявила о групповом изнасиловании: лишь бы Юрку вовлечь, как я догадываюсь. Но потом, видимо, поняла, что не прокатит, и стала настаивать на том, что Зинка ее изнасиловал, а мы все — сообщники. Особенно, конечно, Юра.

— А Зинка что? Он ведь рассказал, как дело было?

— Хе, рассказал! Он после абсента ничего не помнил. Вырубило ему башку, и все тут! Хотя все же изобразил следователю, как мы собрались на квартире у Юры и снимали учительницу на фото... Но потом как-то все перекрутилось там, и он вышел один виноватым...

— Получается, что вы его подставили в конечном итоге?

— Никто не хотел, Лер! Мы были уверены, что училка не пикнет под угрозой фотографий! Но когда все это завертелось в милиции, то родители наши как узнали, так все связи запустили... Кто через МИД, кто через горком партии, кто еще как... Мои, к примеру, в Совмине нашли канал... Прокуратура немножко поартачилась, просто так не хотели сдаваться. Закрутившемуся делу требовался козел отпущения. И им стал Зинка Шапкин.

— Ты говоришь, что его никто не собирался подставлять. Но тогда зачем вы его вдруг позвали к себе? Зачем ему навязали эту роль?

Дима вскинул на нее удивленные глаза.

— Не знаю... Я как-то никогда не задумывался... Получается, что Инга заранее страховалась? Привлекла Шапкина... Чтобы в случае чего на него все свалить?

— И у нее это получилось!

— Каким-то образом да... В конце концов Зинка написал чистосердечное признание... Взял на себя изнасилование.

— Которого не было?!

— Не было. Но Анна Ивановна утверждала, что было. А Шапкин ничего не помнил. Зато к нему на свиданку в СИЗО ходила Инга. После этого он и написал «чистосердечное»...

— То есть, учитывая, что дурачок Зинка ничего не помнил после хорошей дозы абсента, Инга убедила его, что так оно и было? Что он изнасиловал учительницу?

— Видимо.

— А как же экспертиза? Ведь врач должен был дать заключение об изнасиловании!

— Лер, я не знаю... Такие подробности нам никто не докладывал. Единственно, что историчка подала заявление только через два дня после той истории у Юры дома. Мы, помню, еще ликовали, что наша затея удалась. На следующий день она с урока сбежала, а через день и вовсе не появилась. Мы праздновали победу. Надеялись, что она уйдет из школы и нам пришлют другого учителя, менее кондового... Но два дня спустя Зинку замели, и нас тоже стали таскать к следователю. А уж как там с экспертизой было, я не в курсе. Может, раз она не сразу пошла в ментовку, то врач сделал на это скидку. Типа, бедная женщина не сразу решилась, а там уже и следов не осталось...

Лера ненадолго задумалась, переваривая услышанное. Эмоций у нее уже не осталось.

— В общем, ты теперь знаешь все...

Лера протянула ему свой пустой бокал. Она даже не заметила, как опустошила его.

Дима подлил ей мартини, себе водки и несмело поднял рюмку, чтобы чокнуться.

Лера ответила на его жест...

— А теперь вот какая петрушка получается, — произнес он, заглотнув водку залпом. — Зина меня шантажирует... Грозится выставить в интернете видеозапись... Юра ведь тогда, помимо фоток, еще снял все на пленку. И запись попала к Зиновию, он ее от Инги получил... Оказывается, Шапкин завел блог в интернете, и там все это описал... Теперь он требует денег. Как ты думаешь, не может ли он быть убийцей? Речь идет вроде бы о шантаже, но как знать...

— Зина? Убийца? Мне его очень жалко, очень, но все же он придурочный...

— Придурочный или нет, а умишка хватило, чтобы стребовать с меня десять тысяч евро!

— И ты ему заплатил?!

— Еще нет. Он должен прийти ко мне через... — Дима глянул на дорогие часы, украшавшие его запястье, — через двадцать минут! Для того чтобы меня убить?!

— Не знаю, Дим, я теперь ничего не знаю... Я бы никогда не поверила, что Зинка способен убить, — но я бы ни за что не сумела бы представить, что наша Компашка, все вы, Юра и даже Инга, хоть я ее никогда не любила, способны на подобные вещи... И теперь...

Звонок в дверь прервал ее речь.

— Ты кого-то ждешь? — спросила она, посмотрев на часики.

— Зинку Шапкина. Он меня шантажирует, я же тебе сказал... Хотел вот с тобой посоветоваться, как вести себя с ним. Но не успел. Правда, он пришел на двадцать минут раньше срока.

— Не открывай, Дим! Нечего приходить раньше времени!

— Лер, может ли Зинка быть убийцей? Ведь мы его, как ни крути, действительно подставили... Юрка с Ингой в первую очередь, конечно, но мы все, Компашка, тоже... Он теперь мстит?

Звонок прозвучал снова, требовательно.

— Дим, я в это не верю! Но, как бы там ни было, он увидит, что я здесь, — он не посмеет!

— Я обещал ему встречу наедине.

— Мало ли! Скажешь, что я неожиданно приехала! Он не посмеет при мне!

— Ладно, давай так: ты пока спрячься тут в комнате. Вот хоть за занавеску встань. А я пойду посмотрю, кто там. Может, это и не Зина.

Он погасил в комнате свет, но дверь прикрыл неплотно, и до Леры доносились звуки из прихожей. Сначала что-то произнес голос... отнюдь не Зины Шапкина — женский голос! Затем несколько недоуменных возгласов Димы. Слов она не разобрала, но интонация была понятна: обмен любезностями.

А дальше более отчетливое: «Проходите».

Теперь голоса раздавались поближе к комнате, где пряталась Лера.

— Да, он дал мне ваш адрес и велел приехать

сюда. Чтобы одним махом двух зайцев, как он выразился. Я вот деньги привезла...

Голос у женщины был мелодичный, смущенный, немного детский.

— Вы думаете, что, если мы ему заплатим, он отвяжется от нас?

— Надеюсь! Но вы понимаете, что у нас нет выхода. У Юры такой ответственный момент в его карьере! Публикация в интернете подобной видеозаписи поломала бы ему всю жизнь! Перечеркнула бы все то, чего он добился, к чему так упорно шел! — В голосе женщины послышались слезы. — Это так ужасно, так ужасно!!!

— Стелла, а почему Юра сам не приехал?

— Он за границей. Письмо от Шапкина получила я, ну и ответила ему. Мы с Юрочкой посоветовались по телефону...

Она всхлипнула.

— Ну, не надо, не плачьте! Давайте обсудим все спокойно, у нас еще есть время до прихода Зины... Заходите.

Лера ожидала, что дверь в комнату сейчас распахнется, и пыталась сообразить, прятаться ей дальше или нет. Раз это не Шапкин, то, наверное, можно показаться нежданной гостье на глаза? И на Юркину жену — а это была она, как следовало из разговора, — охота взглянуть к тому же...

Внезапно в дверь комнаты что-то стукнуло, и она чуть-чуть приотворилась, но в нее никто не вошел. Затем послышался снова шум, но уже другой — Лера не могла определить его характер. Никто не разговаривал, ни женщина, ни мужчина, только пару раз переступили женские каблучки по паркету.

Снова что-то глухо брякнуло об пол, и на этот раз до Леры отчетливо долетел глубокий женский выдох, словно после тяжелого физического усилия.

Лера выглянула из-за занавески, порадовалась, что в комнате темно, и осторожно направилась к проему двери, в который можно было бы увидеть, что происходит в прихожей.

А происходило там, без сомнения, что-то странное...

Она сняла тапочки, выданные ей Димой, и босиком, на цыпочках, подкралась. Еще шажочек... Главное, чтобы ее не увидели...

Лера вытянула шею и осторожно заглянула в проем...

Дима лежал на полу, на животе, головой к двери в комнату, — и не шевелился! Белокурая женщина с короткой стрижкой, похожая на Ингу, пыталась его перевернуть на спину.

Ей это удалось. После чего она села на него верхом, что-то сосредоточенно ища в своей сумочке...

Лера в панике отступила в глубь комнаты.

В это время в квартире Димы затрезвонил телефон. На него никто, разумеется, не ответил. Затем стало слышно, как где-то заиграл сотовый. Наверное, Димин, поскольку на него тоже никто не ответил. И минуту спустя завибрировал ее собственный мобильник.

Как хорошо, что она отключила звук, боясь, что Лешка ее отчитает за самоуправство! Лера быстро забралась в самый дальний угол, прижала пластиковое тельце к уху. Это был Кис!!!

Едва слышно, одними губами, она прошептала ему молитву о помощи. А от него услышала об электрошокере! Вот, значит, отчего лежит Дима на полу без сознания! И этот стук в дверь комнаты — это Дима ее задел, когда падал... Теперь стали ясны и другие глухие звуки: тело его оседало на пол, а женщина его придерживала. Наверное, чтобы соседи внизу не подпрыгнули от громкого стука?

Хотя нет... Кис говорил: никаких следов насилия, повреждений на телах не оказалось. Если бы Дима упал, то мог бы разбить себе лицо или затылок... В общем, понятно, зачем она его придерживала...

А теперь она сидит на нем верхом и что-то ищет в своей сумочке... Что?

О господи! Ну конечно! Шприц! Теперь в программе укол! Дима еще жив, но после того, как она что-то введет в его вену, то все, он пополнит список умерших одноклассников!!!

Что же делать?! Что делать, бог мой?!

Лера, тихо переведя дух, снова прокралась к двери. Так и есть: эта бабенка перетягивала руку Димы жгутом!

Как Дима ее назвал? Не Инга, нет... Стелла, вот как ее зовут, убийцу! Юркина жена, кто бы мог подумать!!!

Надо как-то спасать Диму. Но как? Угодить самой под электрошокер Лере совсем не хотелось. Драться она не умела. Можно, конечно, попробовать вырвать его у Стеллы, но кто может гарантировать, что ей это удастся? А не удастся — лежать Лере на полу рядом с Димой...

Кис едет. Кис уже едет! Хоть бы только поскорее, хоть бы только он нигде не застрял!

Но Лера тоже не может терять время в ожидании! Еще секунда, и Стелла введет Диме в вену смертельное вещество!

Лера беспомощно обвела глазами комнату. Что же придумать? Что???

Комната была разделена на две зоны. Та часть, в которой они сидели с Димой и где находилась она сейчас, была чем-то вроде гостиной. В ней располагалась мягкая мебель, низкий столик и книжные шкафы. От нее аркой была отделена вторая часть комнаты — или вторая комната, неважно. Там тоже имелись диваны и еще огромный телевизор. Плоский экран стоял на невысокой подставке, диваны напротив... Пульт управления лежал на подставке, у основания телевизора.

И вдруг Леру осенило. Мягко пружиня на пальцах босых ног, она подкралась к телевизору и включила его, кинув пульт на диван, а сама точно так же тихо и быстро вернулась за занавеску в первой комнате.

Ее уловка удалась. Внезапно заголосивший телевизор напугал Стеллу, и она с опаской сунула голову в приоткрытую дверь. Лера представила сейчас сцену ее глазами: в комнате темно и пусто, лишь в ее глубине ни с того ни с сего включился телевизор! Было от чего убийце похолодеть!

Стелла осторожно вошла в комнату. Пошарила на стене, прилегающей к двери, в поисках выключателя. Но он — Лера видела, когда Дима выключил свет, — был спрятан за книжными стеллажами, и нужно просунуть руку поверх книжек, чтобы привести его в действие!

Стелла, так и не найдя выключатель, распахнула пошире дверь в прихожую, откуда падал свет. И, с опаской поглядывая вокруг, двинулась вглубь, к нежданно заработавшему телевизору. В ее правой руке, рассмотрела Лера в слабом освещении, было зажато что-то небольшое, темное, превосходившее немного по длине ее кулачок...

Электрошокер, о котором говорил Леша, без сомнения!

Стелла остановилась во второй части комнаты. Ее ладная фигурка, обтянутая кофточкой и узкими брючками, неплохо просматривалась в неверном свете экрана. Она искала глазами пульт, чтобы выключить действовавший ей на нервы телевизор, заработавший сам по себе...

Во всяком случае, Лера очень надеялась, что именно так думает убийца...

Отодвинув занавеску, Лера на цыпочках, бесшумно — а под звук внезапно заоравшего телевизора тем более! — заскользила к двери.

Только бы Стелла не обернулась, только бы! Лерины глаза уже привыкли к темноте, тем более что этот мрак просвечивал, с одной стороны, экран, а с другой — широко распахнутая в освещенный коридор дверь...

Лера экономила каждую долю секунды, отчего даже не обернулась в сторону Стеллы. Но, видимо, ее маневр удался, так как Юрина жена все еще пребывала в комнате в поисках пульта управления...

Тихо переступив через неподвижное — но еще живое! — тело Димы, Лера скользнула за дверь ванной комнаты.

Теперь оставалось только ждать. И уповать на судьбу. Потому что — Лера поймала лучик света на часы — Лешка так быстро не сможет приехать! Москва всегда забита машинами, даже тогда, когда нет пробок! Просто забита меньше, чем когда пробки есть!

А Зина Шапкин, он тут, конечно, не появится! И не думал даже появляться! Его в очередной раз подставили!

Лера не знала, каким образом, но чутье подсказало ей, что назначенное якобы Зинкой свидание служило лишь поводом для появления Стеллы в доме очередной жертвы.

Вот только теперь не подведи, хладнокровие! Не предай, точность движений!

План она придумала хороший. Отличный даже! Оставалось его исполнить....

Лера никогда не была спортсменкой. И уж тем более не была спецназовкой, десантницей и так далее. Ничему такому она не была обучена. Она не умела стрелять, не владела ножом, не имела представления даже о том, как сделать подножку или кинуть через бедро, — об этом она только в книжках читала.

Но сейчас стоял вопрос о жизни человека. Неважно, Дима его звали или как-то еще. Он был человек, и его жизнь зависела от нее, от Леры! От ее самообладания в первую очередь!

Сердце ее неистово билось. Она трусила. Если она промахнется, если сделает неверное движение, то конец не только Диме, но и ей! И тогда Кис приедет к двум трупам. Может, успеет даже убийцу взять — да эка радость, когда ты уже труп...

Стелла возвращалась в коридор. Ее каблучки цокали по паркету. Нет сомнения, она решила, что телик включился сам. Такое иногда случается, Лера знала, на что, собственно, и сделала ставку...

Вот она появилась в коридоре. Приоткрытая дверь ванной — ровно так, как она была приоткрыта до появления Стеллы, — позволяла Лере видеть, хоть и не полностью, что происходит в прихожей.

А там происходило вот что: Стелла снова оседлала неподвижное тело Димы. Он лежал головой к двери в комнату, ванная находилась позади него, и Стелла была отлично видна Лере со спины. Вот она проверила жгут: хорошо ли он держался на предплечье жертвы. Затем Стелла пошарила рядом с телом Димы и выудила откуда-то с пола шприц. Видимо, она его бросила, когда неожиданно загорланил телевизор.

Подняв его к свету, Стелла отвела поршень... А электрошокер положила на грудь Димы. Ей требовались обе руки для укола: одной она прощупывала вену, второй направляла шприц, — и электрошокер ей мешал...

Сейчас или никогда!!! Лера рванула из ванной, в пару скачков достигла Стеллы и набросила на ее голову припасенное заранее, сдернутое с вешалки в ванной большое полотенце. Ухватив его за края, быстро обмотала их вокруг ее горла. Стелла, сопротивляясь, уцепилась за него, что заняло ее руки.

Это был решающий момент! Затягивая полотенце вокруг шеи Стеллы, Лера перегнулась через ее плечо вперед, схватила электрошокер, лежавший на груди Димы...

Но рано было праздновать победу. Как им пользоваться?! Куда нажать?!

Почувствовав ее замешательство, Стелла отпустила края банного полотенца, вытянула обе руки назад и вцепилась в Леру остро отточенными ногтями.

Она чуть не выпустила электрошокер. Стелла попыталась развернуться, пусть и вслепую, но с помощью ногтей повергнуть соперницу!

Тут кнопка... Лера соображала лихорадочно, несвязно, отчего вид одной-единственной кнопки не сразу подсказал ей одно-единственное решение.

Превозмогая боль от когтей Стеллы, — Валерия не поддалась на эту уловку и не принялась отдирать от себя руки убийцы, рискуя выпустить электрошокер, — она наконец нажала на заветную кнопку...

Между двумя электродами появилась синяя дуга, сопровождаемая характерным потрескиванием.

Когти Стеллы впились, казалось, не только в кожу, но уже и в мясо... Но Лера больше не чувствовала боли. Словно загипнотизированная, она смотрела на голубую дугу... Затем отодвинула ее от своих глаз и навела ее на извивавшуюся в усилиях развернуться спину женщины, которая сидела перед ней.

Лера не знала, куда нужно приставлять электрошокер. И нужно ли его приставлять в какое-нибудь конкретное место — или в любое? Но думать времени не было, и она воткнула два электрода под лопатку Юриной жены.

Та некоторое время дергалась, прежде чем обмякнуть... И вдруг свалилась на тело Димы. Словно Стелла обняла его, словно любящая жена прощалась...

Еще не веря в свою удачу, Лера потрясла убийцу за плечо. Та не отреагировала. Наученная всякими триллерами, где в последний момент вскакивает якобы уже труп, нанося последний удар герою, Лера ущипнула Стеллу за бок — не без мстительности, сильно вонзая ногти в мякоть ее тела.

Но Стелла не шевельнулась.

«Все кончено, — устало подумала Лера, поднимаясь... — Мы победили!»

Кто такие *мы,* она не знала. Наверное, *мы* — это те, которых хотят убить...

Она не имела понятия, как долго может действовать эффект электрошокера.

Но его вполне хватило для того, чтобы дождаться требовательного звонка в дверь. Лера открыла, предполагая увидеть Лешку, но обнаружила за дверью целый наряд милиции...

Дима уже начал приходить в себя. Их усадили в кресла и принялись терзать их обоих, полуобморочных, — хотя и по разным причинам, — вопросами...

Кис появился на месте происшествия несколько позже: еще в дороге узнав, что все живы, он немного расслабился и перестал гнать.

Тут и Стелла зашевелилась на диване, куда ее перенесли из коридора милиционеры. Один из мужчин — наверное, врач, хоть и без белого халата, — прощупал ее пульс, кивнул остальным.

Стелле помогли принять вертикальное положение. Она оглядывалась вокруг себя с хмурым недоумением. На лице ее застыла капризная гримаска ребенка, которого только что разбудили.

Наткнувшись взглядом на Леру, она вдруг выбросила руку вперед, уставила наманикюренный ноготок и внятно проговорила: «Ты меня чуть не убила! Сучка!»

Лера отвечать не стала. Какой смысл спорить со Стеллой, что-то доказывать, когда здесь полно людей, призванных разобраться в том, кто кого чуть не убил!

Стелла еще несколько секунд смотрела на Леру с выражением злого презрения, затем отвернулась. И тут же лицо ее переконвертировалось: губки склеились в сердечко, реснички усердно замахали, как дворники на ветровом стекле...

Теперь Алексей узнал в ней ту прелестную фею, с которой встречался у Стрелкова дома.

— Я надеюсь, что вы ее арестуете! — мелодично

314 произнесла она, кивком головы через плечо указывая на объект, подлежащий аресту: Леру. — Она хотела меня убить!

— Мы разберемся, — отозвался один из милиционеров.

— Что значит «разберемся»! — возмутилась Стелла. — Я вам говорю: она напала сначала на этого вот мужчину, — указала Стелла пальчиком на Диму, — а потом на меня! Запишите в протокол!

— Не беспокойтесь, все запишем. Только надо будет еще это доказать, гражданочка. Что она вас, а не вы их.

Группа, высланная Серегой, пока действительно ничего толком не знала: Дима с Лерой только начали давать показания, и Кис пока не успел объяснить ситуацию. Однако у них уже имелась «презумпция невиновности» — невиновности Леры: ее подтвердил одним кивком Алексей Кисанов, едва успев появиться в квартире.

А с мнением Кисанова считались даже те, кто знал о нем лишь понаслышке.

— Вы меня подозреваете во лжи?! Да как вы смеете?! Вы знаете, чья я жена?!

— Пока нет.

— Я жена депутата! Юрия Стрелкова!

Несколько взглядов метнулись в сторону Алексея с немым упреком: *ты во что нас вляпал, сыщик?! Токмо нам депутата не хватало, блин!*

— Мы разберемся, мадам Стрелкова, — ответил капитан. — Как ваше имя-то будет?

— Стелла!

— Стелла Стрелкова, значит. А по отчеству как?

— Вадимовна...

— Стелла Вадимовна, значит, Стрелкова...

Алексей, до сих пор стоявший в отдалении, вдруг
подал голос:

— Арефьева. Мадам фамилию не меняла в замужестве.

Стелла вытянула шейку, выглядывая детектива.

— Ах, Алексей, — махнули ее ресницы, — как я рада вас видеть! Ну, скажите же этим... Этим милиционерам, что мой муж депутат! И какая разница, меняла ли я фамилию!

— Никакой. Напротив, очень удачно получилось, что у вас никакой разницы нет с фамилией вашей сестры: вы обе Арефьевы!

— И что? — хлопнули реснички. Стелла озадачилась.

Озадачились и остальные присутствующие. Смысл этой беседы ускользал от них.

— И вы подменили паспорта. Но с учетом вашего внешнего сходства все прошло как по маслу!

— Я не понимаю вас!

— Понимаете.

Алексей протиснулся между милицейских плеч поближе к дивану. Стелла опасливо подобрала под себя ноги в красивых сапожках, словно он представлял для нее угрозу.

Сыщик повернулся к ней спиной, лицом к остальным.

— Лера, Дмитрий, прошу любить и жаловать вашу одноклассницу Ингу! Коллеги, позвольте вам представить Ингу Вадимовну Арефьеву!

...Потом было много шума, состоявшего из непонимающих восклицаний коллег, из изумленных возгласов Леры и Димы и возмущенных — Стеллы.

Вернее, Инги.

Наверное, прошло часа полтора, прежде чем всем все стало ясно. И то относительно.

Ингу увезли в наручниках.

Диму с трудом уверили, что это конец и что ему нечего больше опасаться.

Леру отчитали за самодеятельность, но почти ласково. Все-таки она поймала преступницу, чем снискала снисхождение...

* * *

Два дня спустя они с Данилой сидели за овальным столом в гостях у четы Кисановых. Точнее, жена Лешки сохранила свою фамилию — Касьянова Александра, она была известной журналисткой, как выяснилось.

Впрочем, выяснилось это для Леры, а Данила ее имя знал.

Как было здорово разговаривать с ними обо всем — об Америке и России, о разнице в менталитетах и культуре, о ностальгии и любви к родине, о поисках себя, своего места на планете!..

— Мне понятны ваши сомнения и огорчения, Лера, — говорила Александра, — несколько моих друзей уехали по разным причинам в Европу и Америку, и я знаю, как туго приходится им, когда они после многих лет отсутствия навещают родину... Точнее, они думают, что возвращаются на родину, но не узнают больше страну. Потому что она стала другой! Со всеми плюсами и минусами произошедших перемен... Но если я могу себе позволить некоторую поправку...

Лера готова была заранее согласиться с любой поправкой, так ее обласкали слова «если я могу себе позволить»... Это совсем не похоже на патриотический лжепафос старосты Миши; это совсем не похоже на безапелляционные антиамериканские Юрины высказывания!

— ...некоторую поправку к тому, что вы сказали, то я бы предложила вам следующую мысль: в России на самом деле произошла не просто перестройка, о которой вы столько слышали там, в Америке. У нас произошла настоящая *революция*, во многом сопоставимая с большевистской, — но бескровная, к счастью. Тогда, в семнадцатом году, в обществе полностью перевернулись социальные пласты и их иерархия. На вершину вылез пролетарий, подмяв под себя интеллигенцию и тогдашнюю элиту — дворянство. Потом, за долгие годы советской власти, этот пролетариат нажил новую элиту и новую интеллигенцию. Только новая элита выросла не на национальных культурных традициях, как дворянство, — она сформировалась в традициях тоталитарного режима, его аппарата и номенклатуры. Тогда как интеллигенция, пусть даже новая, могла формироваться по определению только на культурных традициях, восстанавливая их тем самым!

Но в девяностые происходит очередная революция, которая заново переворачивает социальные пласты общества. На этот раз на самом верху его оказываются бандиты, чьи капиталы сливаются в сладком экстазе с возможностями советского аппарата. Интеллигенцию даже репрессировать не пришлось: она сама собой вышла в тираж! Примитивным *экономическим* способом. В те годы учителя разбегались из школ, пустели институты и университеты, не снимались фильмы, сворачивались научные исследования... Интеллигенция утратила свое влияние, вес, статус в обществе. И за какой-то десяток лет в менталитете общества полностью перевернулась иерархия ценностей. Теперь наших мальчиков учат быть богатыми, а не честными, а наших девочек учат выходить замуж по расчету, а не по любви...

В принципе, все это детские болезни постреволюционного синдрома, они постепенно пройдут. Но вы слишком давно здесь не были, Лера, чтобы видеть изменения в лучшую сторону. Вы замечаете лишь плоды недавней революции, еще весьма явные... И если вы ощущаете себя в конфликте с нынешней Россией, то отнюдь не потому, что вы приехали из Америки! Но потому, что вы выросли и сформировались в среде русской интеллигенции. Противоречие пролегает не в географических границах, а в менталитетах...

— А вы считаете, что это действительно «детские болезни»? И они пройдут?

— У каждого государственного уклада есть свой возраст. Свои этапы развития, роста и старения. То, что вызывает у вас отторжение, — подражание Западу и воинственный патриотизм, гламурность и антиамериканизм, и прочие разные «измы», — все это неизбежные этапы самоидентификации. Россия пребывает в поисках собственной индивидуальности и точно, как это делают дети, кому-то подражает, от кого-то отталкивается, где-то пальцем в грудь тычет и кричит «я!». Но она быстро взрослеет. Если теперь решите приезжать сюда часто, то сами будете наблюдать изменения.

— Что, только в лучшую сторону? Так не бывает!

— Вы сами ответили на свой вопрос, — усмехнулась Александра. — А пока спишите излишний негатив вашего восприятия на психологический шок. Достаньте ваше чувство юмора... У вас есть чувство юмора?

— Где-то было, — улыбнулась Лера.

— Ну вот, достаньте его с верхней полки, стряхните с него пыль, и тогда вы увидите нашу действительность немного другими глазами. Вернее, с другими эмоциями. А пока дайте времени время, как говорят французы!

Лера в нее просто влюбилась, в Александру! Она смогла выразить словами то, что сумбурно теснилось в Лериной душе. И теперь, после этого разговора, у нее появилось чувство, словно на нее снизошла благодать. Словно душа ее успокоилась, нашла ответы на мучившие вопросы...

Нет, конечно, не ответы — это было бы слишком просто! Но Лешина жена сумела дать Лере какую-то точку опоры, откуда все становилось понятнее...

Теперь Лера знала точно: она сможет справиться с хаосом своих ощущений! И разобраться в своей географии тоже!

Об убийствах заговорили только к концу вечера.

— Леш, а как же ты догадался, что это Инга?! — спросила Лера. — Ты же проверил: она находилась за границей!

— Ну, как... Если честно, то не совсем обычным для меня способом...

— То есть?

— Из-за моих ошибок, — усмехнулся он. — К тому моменту я отмел Анну Ивановну, учительницу: если бы она хотела отомстить, то незачем было ждать столько лет. А теперь у нее другая жизнь, другие заботы. Кроме того, у нее имелось алиби...

Отмел я и Зину Шапкина: и ему незачем было ждать столько лет для мести. У него теперь тоже другая жизнь: он стал писать свой блог, маленький рупор, в который он мог прокричать всему миру, насколько он выше Юры Стрелкова и всей Компашки и какие они гады и сволочи. Зине Шапкину этого вполне достало: как все мифоманы, он удовлетворялся самолюбованием, мстя Компашке на бумаге. Его маленький мир выдуманной реальности, суженный к тому же постоянным пьянством, несовместим с большой реальностью, в которой от него потребовались бы конкретные и хорошо продуманные шаги плюс _трезвая_ голова.

— Точно, — произнесла Лера. — Это вполне в характере Зины, он вечно лелеял идеи о своем превосходстве... Ты мне дашь адрес его блога?

— Нет. И не проси. Редкостное паскудство, ни к чему тебе это читать.

— Кис, я вообще-то уже давно выросла, если ты не заметил!

— Валерка, не сбивай меня с мысли! Так вот, Дима Щербаков тоже не тянул на профиль убийцы ни с какой стороны. Конечно, любому из участников той истории стало бы крайне неприятно ее разглашение, но Дима жил скромно и не публично, никуда не метил. В худшем случае продал бы нынешнюю компанию и основал бы новую. Так что пойти на убийства из-за этого он не мог. К тому же продуманы они слишком хитроумно, изощренно, чувствуется мозг манипулятора! Ведь убийца не только избавлялся от свидетелей, но и всячески бросал подозрение на Шапкина, затершись к нему на блог!

На эту роль прекрасно подходила Инга. Но она находилась за границей, и я это проверил, как ты заметила, — вот в чем проблема! И тогда меня вдруг стукнуло: это ее сестра, Стелла! Будущее мужа ей дорого как ее собственное! С ее непомерным тщеславием она уже мыслила себя едва ли не первой дамой государства! Посему за «Юрочкину» карьеру должна биться до конца!

И все сразу в моем мозгу выстроилось! Она разыскала Шапкина, задаваясь вопросом, не представляет ли он сейчас угрозы из-за той старой истории. Дальше понятно: увидев на экране компьютера Шапкина нечто интригующе-подозрительное, она запомнила адрес и вышла позже на его блог. Почти так же, как это сделал я! Обнаружив содержимое блога и осознав размеры опасности, Стелла поняла, что нужно принимать немедленно меры!

Дальнейшее я вам уже рассказывал: она, как я полагал, под видом комментаторов на блоге подбила Зиновия на мысль о шантаже, прекрасно понимая, что весь этот блог является для него чем-то вроде ментальной мастурбации и что до дела он не дойдет... После чего она подобрала пароль к его почтовому ящику, что не так уж сложно: либо додумалась, как додумался мой ассистент Игорь, либо выпытала его у пьяного Шапкина, как собирался это сделать я сам...

Выйдя на почту Шапкина, она стала писать письма бывшим одноклассникам, в которых от имени Зины просила деньги и назначала встречи. Зиновия никто не опасался, все легко шли на то, чтобы от него откупиться. Но являлась к ним, однако, Стелла — как думал я в тот момент — и лепетала что-то примерно в том же духе, что ты слышала у Димы: ей-де Шапкин велел явиться по этому адресу, так как он шантажирует ее мужа Юрочку...

Ну и финал: шел в действие электрошокер, а затем игла. К слову, шприц был пустой. Она убивала пузырьком воздуха.

— Все понятно, — проговорил Данила. — Но вы забыли рассказать, что навело вас на мысль об Инге?

— Ах да... Мои ошибки. Сразу две закрались во фразу: «*Она разыскала Шапкина, задаваясь вопросом, не представляет ли он сейчас угрозы из-за той старой истории».*

Первая: чтобы *задаться вопросом*, нужно было знать о стародавней истории с учительницей! Мог ли ей рассказать об этом муж? Нет, конечно. Сестра? Но ведь и Инга выглядит крайне непригдядно в той истории! Не забудьте, Инга жила на содержании у Юры и младшей сестры, и гадить в собственную кормушку ей вовсе было ни к чему. Разве только она хотела взять Стеллу в сообщницы...

— А почему бы и нет?

— В тот момент я еще не знал, что встречался не со Стеллой, а с Ингой и судил по своим впечатлениям от этой встречи. Но они оказались правильными! Инга в роли Стеллы невольно спародировала сестру, тем самым акцентировав ее основные черты, и предстала как наивная, безобидная дурочка, занятая только своей красотой. Типичная «блондинка», как нынче говорят... Судя по всему, Инга сестру не сильно любила. Стало быть, — рассудил я, — не стала бы ей рассказывать, и узнать об этой истории Стелла никаким иным образом не могла! Так я осознал свою первую ошибку. А вторая заключается в этой части фразы: *она разыскала Шапкина.*

Стелла не могла его *разыскать*! Она не дружна с интернетом — в их доме всего один компьютер, Юрин: я обратил внимание, когда бегло осмотрел квартиру Стрелкова. Значит, интернет-поиск исключается. Он кажется простым для посвященных, но для тех, кто не владеет интернетом, это лес темный!

Но если не интернет, то что? Во всяких справочных бюро спрашивают место и дату рождения, которых Стелла тоже не могла знать.

И кто же мог найти Зину Шапкина? Да только его бывший одноклассник! Или одноклассница. Все ребята жили в районе школы и знали, кто где обитает. Большинство давно сменили адреса, но Зиновий так и жил в квартире матери. И вряд ли бы кто-то из них сейчас вспомнил его адрес. Нужно было явиться самому, ножками, в забытые места и опознать зрительно: вот эта улица, вот этот дом!

Чего Стелла, разумеется, сделать не могла, за отсутствием этой зрительной памяти. Так я осознал свою вторую ошибку.

Но стоило мне только подставить на место Стеллы Ингу, как все объяснялось! Она знала, что случилось в школе, и она могла найти место обитания Зины Шапкина! И сразу сюда добавилось искусство, с которым убийца манипулировала Зиной на блоге, и ее знание характеров Компашки, благодаря которому она умело провела все переговоры от имени Зиновия... Не говоря уж о том, что двадцать четыре года назад именно Инге принадлежала идея подставить Зину Шапкина в истории с учительницей! У нее уже был, можно сказать, опыт. И она его повторила!

— Мне кажется, что вы допустили еще одну ошибку, — произнес Данила задумчиво. — Вернее, не ошибку, а просто в тот момент упустили из виду факт...

— Для сыщика это и есть ошибка, — усмехнулся Алексей. — Ну-ну, продолжайте, Данила! Посмотрим, совпадают ли наши рассуждения...

— Когда Леру ударили по голове, вы тогда сами сделали вывод, что на нее мог напасть только убийца, так? И вывод этот вы сделали на основании того, что он узнал Леру *в лицо*, когда она выходила от Роберта.

— А узнать Леру мог только ее одноклассник, но никак не Стелла, да? У меня мелькнула эта мысль в голове, признаюсь. Но она не стопроцентно убеди-

тельна. Если Стелла видела школьные фотографии,
то могла Леру и узнать. Она ведь мало изменилась...

— Согласен.

— В общем, когда я рванул к Диме, мысли о
моих ошибках промчались у меня в голове в долю
секунды. Это рассказывать их долго... Но уже в середине пути я точно знал, что встречусь с Ингой!

— А как же ты разобрался с тем фактом, что она
за границей? Ты же сам сказал, что проверил! —
спросила Лера.

— Проверил. Но это означало лишь одно: что у
женщины, находившейся за границей с Юрой,
имелся на руках паспорт Инги.

— Так они все же сообщницы?!

— Нет. Перед их отъездом Инга подменила паспорта, пытаясь замести следы. Стелла спохватилась
только в аэропорту — это я уже знаю из ее показаний, они с Юрой срочно вернулись из Австрии. Она
тут же позвонила старшей сестре за советом, она
очень доверяла ее уму. К слову, на их срочном отъезде настояла Инга: в заботе о Юре в связи с убийст-
вами, о которых он ей рассказал после встречи с одноклассниками и Лерой. Естественно, не подозре-
вая, что рассказывает их автору! Инга же подала
идею сослаться на необходимость срочного лечения
Стеллы, дабы исчезновение Юры не выглядело по-
бегом. Посовещавшись втроем насчет досадной пу-
таницы с паспортами, — случившейся «по невнима-
тельности Стеллы», разумеется! — они приняли решение: настоять на том, что в билет закралась ошибка, и на самом деле данная пассажирка зовется не
Стелла, а Инга Арефьева...

— А виза?

— У всей их семейки шенгенские мультивизы,
Данила.

— Сестры достаточно похожи? — поинтересовалась Александра.

— Да, достаточно. Тем более на фото.

— Но одноклассники, как же они не узнали Ингу, когда она приходила к ним под видом Стеллы? — Данила желал уточнений.

— Они не видели Ингу почти четверть века, Данила! И когда к ним являлась женщина, *похожая* на Ингу, но при этом заявляла, что она Стелла, младшая ее сестра, — ей легко верили! Инга выглядит очень молодо, лет на десять моложе своих лет, как и Валерка. При этом она перекрасилась в блондинку, и глазки ее сделались голубыми, а не зелеными... При помощи линз, надо думать. Конечно, ей верили! Узнавая черты Инги, верили, что это ее младшая сестра... Уж не говоря о том, что Инга играла роль некоей инженю, совершенно непохожей на нее саму!

— Дань, — подала голос Лера, — я половину своих одноклассниц вообще не узнала! Если бы они представились своими сестрами, своими тетями или крестными, я бы, честное слово, проглотила!

— Ну ладно... — сдался Данила. — Извините, что перебил.

— Не страшно. Так вот, финальное решение Инги было стратегически верным: чужой паспорт представлял собой непреодолимое препятствие для прохождения границы, тогда как «неправильный» билет можно было исправить! Тем более что они шли через депутатский зал. «Ошибку» быстро устранили, изменив имя, на что Инга, без сомнения, и рассчитывала, произведя подмену паспорта. Таким вот образом я получил и из Шереметьева, и из австрийского отеля сведения об Инге Арефьевой!

— Потрясающе! — выдохнула Лера.

— У меня в голове не укладывается: зачем Инге

нужно было убивать всех членов Компашки? — снова засомневался Данила.

На этот раз ответила Александра.

— Ваше счастье, что вы не знаете, что такое пуб-
личность, Данила... И, как нормальный человек,
вы, конечно, не читаете «желтую прессу», — улыбнулась она. — Но я вам скажу: как только вы стано-
витесь известны, немедленно находится невероят-
ное количество охотников повытирать об вас
ноги — за дело или просто так, ради выгоды или из
«любви к искусству»... Причем чем выше ступень
публичности, тем больше охотников! Лера подтвер-
дит, что это отнюдь не национальная черта, — правда же? — подколола ее Александра.

Но Лера ничуть не обиделась.

— О, нет! В этом деле Америка, кажется, впереди
планеты всей... — усмехнулась она.

— Ну, Европа тоже хороша, можете мне поверить. Но я отвлеклась, прошу прощения. Вернемся
к Юре Стрелкову: он сейчас собрался на самые высоты. Хотя вряд ли до них теперь докарабкается...
Скорей всего, с арестом Инги до школьной истории
доберутся журналисты... Это конец его карьере.

— Есть еще одна причина, — добавил Алексей. —
Сделанные тогда фотографии остались на руках у
Компашки и могли сохраниться до наших дней.
Что, помимо желания «повытирать ноги», как ска-
зала Саша, послужило бы им отличной основой для
шантажа...

— Хорошо, согласен. А как же кассета? — не
сдавался Данила. — В блоге, по вашим словам, ска-
зано, что она находилась у Зиновия и представляла
реальную опасность для Юры! Да и для самой Инги!
Она затеяла такой сложный ход с блогом, подставив
Шапкина, — и все ради того, чтобы застраховаться

на случай, если вдруг начнется следствие по смертям ее одноклассников... Но тогда бы в ходе следствия могли обнаружить кассету, находившуюся в распоряжении Зиновия! И шуму кассета наделала немало! Сами знаете, инфа в наше время дорого стоит. Непременно кто-нибудь слил бы ее прессе! А ведь главной заботой Инги, как вы говорите, было как раз не допустить ущерба Юриной карьере! Так?

— Так, — кивнул Алексей. — Правомерный вопрос, Данила. И на него есть ответ: Инга эту кассету выкрала у Шапкина! В свой первый же визит к нему, скорее всего. Сама она не признается, но у Шапкина сделали обыск и кассету не нашли. Я теперь склоняюсь к мысли, что в самом начале Инга разыскала его даже не затем, как я поначалу думал, чтобы увидеть, насколько опасен нынче Зиновий, сколько именно ради кассеты! Она пришла к нему, чтобы выкрасть ее... И выкрала. Что совсем несложно, учитывая склонность к алкоголю Зины Шапкина. Но, придя к Зине за кассетой, Инга увидела на экране его компьютера блог, с этого момента все и закрутилось.

— Но как могла наркоманка...

— Еще раз: правильный вопрос, Данила! У меня не было на него ответа, когда я сделал вывод, что действовала Инга. Я только был уверен, что это она! Ее очертила логика, и другого не было дано! А остальное — я знал — как-то объяснится. И оно объяснилось! Как стало ясно из допросов, Инга вовсе не наркоманка, хотя в юности некоторое время баловалась алкоголем и наркотиками. Но она давно завязала и с тем, и с другим: поняла, что пропадет! Именно тогда она разыскала Юру, легко женила его на своей младшей сестре, обеспечив, таким образом, себе и свободу (Инга в роли жены — это оксюморон[1]!), и материальное благополучие. И постепенно она стала для Юры правой рукой в его политической карьере: писала практически все его речи. Ее способности манипулятора прекрасно справлялись с задачей промыва мозгов... Более того, Юра обещал ей пост в комитете своей новой партии, что, понятно, удвоило ее энтузиазм в избавлении от свидетелей: от благополучия Юры теперь зависела не только материальная сторона ее жизни, но и ее собственная карьера.

Вечер, проведенный с Лешей и Александрой, оставил тепло у Леры в груди. И еще *точку опоры*!

— Хорошие у тебя друзья, — сказал Данила в машине, когда они возвращались домой.

— Да... И у тебя хорошие...

Он улыбнулся в темноте.

Лера вспомнила, как смотрела на него по дороге из аэропорта в день своего прилета: тогда он ей показался чужим. Немудрено: она приехала в полную неизвестность, и ощущала себя неуютно.

Теперь же ей было уютно. Рядом с ним. Он красиво вел машину, его руки спокойно лежали на руле, который поворачивался, казалось, сам собой, без всяких усилий с его стороны...

— Если ты решишь жить в России, то это будут наши общие друзья, — сказал он.

Лера протянула руку и положила ладонь на его шею. Горячая, тугая кожа. Она знала ее на вкус и на запах. Она знала все его тело — губами, языком, кончиками пальцев и ладонями, она его знала всем своим телом...

---

[1] **О к с ю м о р о н** *(греч.)* — термин, обозначающий нарочитое сочетание противоречивых понятий.

Только... Только ей пора возвращаться в Штаты... Домой.

Домой???

У нее вдруг закружилась голова — отчаянно, до тошноты, — при мысли, что им нужно расставаться.

— Я хочу, чтобы ты был моим, — тихо проговорила она.

— А я твой и есть, — пожал он плечами. — Разве ты не знаешь?

Лера не ответила, Даня не переспросил. И только когда они уже оказались дома, он притянул ее к себе за талию, посмотрел, наклонив с высоты своего роста голову, ей в глаза.

— Ты собираешься улетать?

Как он учуял? Она ведь ни слова не сказала!

— Пора, Дань...

Он отпустил ее, прошелся по комнате. Остановился.

— Когда?

— Думаю взять билет на ближайшие дни.

Он снова зашагал. Снова остановился.

— А потом? Ты сюда вернешься?

Что ответить? Спросить: «А ты хочешь?» — дурацкий вопрос какой-то. Если хочет, то скажет!

Она молчала, но и он молчал: ждал.

— Тебя не устраивает моя квартира? Или я? Или Россия в целом? — наконец не выдержал он. Голос его был сердитым.

— Все устраивает. И Россия, и ты, и даже твоя квартира, — она улыбнулась.

— Тогда что?

— Ничто. Я вернусь.

— Правда?!

— Ну да... Только ты не сказал, хочешь ли этого ты...

— Лерка! — Он схватил ее и, приподняв, покружил пару раз. — Лерка, какая ты глупая, честное слово! Тебе что, слова нужны???

Она изумилась:

— Конечно, нужны! А то как же я могу знать?

— Точно... Я припоминаю... Женщинам всегда нужны слова! И я их недостаточно говорю, такой у меня страшный порок... Я с тобой счастлив, разве ты не чувствуешь этого?

— Данила, это ведь серьезное решение, — рассердилась она. — Конечно, нужны слова, потому что в ощущениях можно ошибиться!

Он вдруг подпрыгнул и опустился на одно колено, взял ее руку и прикоснулся к ней губами.

— Валерия Титова, не знаю вашего отчества! Я прошу вас стать моей женой и жить со мной долго и счастливо, и умереть в один день! С учетом того, что ты немножко старше, ты успеешь пожить немножко дольше. — Он увернулся со смехом от ее пальцев, норовивших схватить его за волосы. — Мужчины все равно мрут раньше!

Нет, она все-таки оттаскает его сейчас за чуб! Лера кинулась вдогонку, Данила от нее...

Кажется, он сделал подсечку, потому что она вдруг упала в его руки. Он отнес ее на диван, прижал сверху своим телом, чтобы не сбежала.

— Что тебе там делать, в Америке?

— Ничего...

— Так приезжай *ничего* не делать ко мне!

— Данил, — она выкарабкалась из-под него и села по-турецки на диване, — у меня там сыновья и родители!

Он улегся затылком в ее коленки и смотрел на нее снизу вверх.

— А самолеты в Америку летают несколько раз в день, к твоему сведению. И у меня даже хватит денег, чтобы оплатить тебе билет несколько раз в год.

— Да у меня самой хватит денег!

— Тем лучше! Нужно будет еще оплатить билеты твоим родителям и детям. Пусть прилетают сюда, к нам! На свадьбу...

Данила вскинул руки и, поймав ее за кофточку, потянул на себя.

— Погоди, — она отцепила его пальцы, — зачем нам свадьба? Ты ведь говорил, что больше никогда не женишься?

— А какая разница? Если я хочу жить с тобой, то какая разница, жениться или нет? Зато будет повод отпраздновать и позвать друзей...

Лера ничего не понимала. Все казалось таким простым, когда об этом говорил Данила! Таким простым, решаемым в секунду, по щелчку пальцев...

— Постой-ка, — Данила перевернулся и сел напротив нее, тоже по-турецки. — Может, ты не хочешь? Я, кажется, тебя не спросил... Я думал, что ты счастлива со мной, я это чувствовал, но нужны еще слова, я правильно понимаю? Так скажи мне их!

— О чем?

— Хочешь ли ты... — Он сделал неопределенный жест руками в воздухе. — А правда, о чем это я? М-м-м, что ты меня хочешь, я и так знаю!.. — Он ловко уклонился, поскольку Лера нацелилась укусить его за палец, маячивший недалеко от ее носа. — Что ты меня любишь, я тоже знаю... Что тебе хорошо со мной, тоже всем понятно, даже соседям... Лер, по-моему, единственное, что мы еще не обсудили, это дату твоего возвращения!

Она позвонила ему с бортового телефона, как только шасси коснулись нью-йоркской земли. Потом, уже дома, она открыла свою электронную почту:

«...У меня такое чувство, что меня располовини-ли... Одна половинка осталась тут, в Москве, другая улетела с тобой... Ты береги ее, ладно? И возвращай-тесь поскорее с моей половинкой, мне без вас плохо...»

ИНТЕРНЕТ-БЛОГ ЗИНОВИЯ ШАПКИНА

Поздравьте меня с днем рождения...

Сегодня сорок второй день как нет матери. И мне сегодня сорок два стукнуло... Симптоматично... Ладно хоть соседки все после поминок убрали. Я бы вчера не смог. Хватит, попил. У-у, морда небритая. Типичный люмпен, как нынче модно называть пролетариат. А зря. «Пролетариат» — точнее. Всегда в пролете, как я по жизни. Хотя... Гм, теперь какая-никакая собственность у меня есть. Двушка в единоличном распоряжении. Приводи жену и живи — не хочу... Кто ж иначе чулан будет банками с огурцами захламлять? Мамки-то нету... Да... Неладно жили, собачились. Последние годы и она стала к рюмке прикладываться. За меня не иначе переживала. Один я у них был наследник. Отца, говорила, напоминал. А его она любила. Я же не оправдал...

Ха! Сорок два года! Один как перст. Какие-то дальние родственники на поминках водкой надирались, на мамкины похоронные купленной. И как только узнали, что мать померла? Я их видеть не видывал, и на улице хоть сейчас встречу не узнаю...

И что дальше? Свои заначки уже все пропил. С автосервиса вытурили в отпуск за свой счет, хотя матпомощь на похороны выделили, коллективом скинулись...

Забавно. Отмечать день рождения и тот не с кем. Да и как? Кроме пьянки, ничего в голову не приходит. И какой же тогда праздник получится? Это у других в будни трезвая радость, а на день рождения — пьяная. А у меня и здесь наоборот. Суровые пьяные будни... И аккурат в праздник пить бросил. Перемолола меня таки судьба-злодейка...

Судьба-судьбинушка, отчего же ты так-то у меня сложилась? Вон в зеркале бритая-то физиономия не такая страшная. Недельку не попью, и мешков под глазами больше не будет. Никогда. А что будет? Нет, не под глазами, а в жизни. Которая как поезд детской железной дороги по кругу бегает? Той, которую я у родителей три года выпрашивал, а когда ее купили, она уже вроде и не нужна была. И стыдно было кому-то из знакомых пацанов рассказать-показать...

Сорок два года ровной, сплошной, какой-то болотной серости и гнили. Наверное, и бантиком голубым мое одеяло не перевязывали, когда из роддома увозили. Выходит, в бантике все дело?

...

Все как у людей

А что вы думаете? Может, и в бантике! Почему кто-то и в те, советско-застойные годы появлялся на свет в индивидуальной палате, мамка его в этом самом индивидуальном раю витамины-фрукты-соки трескала, любуясь младенцем, а кто-то валялся в кювете общего отделения и ждал, когда пьяная медсестра его на кормежку к матери понесет. Орал небось ссаный-сраный, но — не положено. Всему свое время. И пеленанию тоже. И везли меня домой на трамвае. Мать много раз вспоминала, как ей место не сразу уступили, с грудным ребенком-то! Вот-вот. Все в этой жизни так. Место просто так никто не уступит. Тем более теплое. Других-то из роддомов на своих и служебных машинах развозили. Шофер дверцу раскроет — прошу вас. Ему уже и не требуется ждать, чтоб кто-то место уступил. Они в своем праве... Вот только в каком? В каком таком «своем праве»? Мы же развитой социализм построили! Все равны. Ну просто равнее некуда! Мамка все твердила: «У нас все как у людей. Как у всех. Вот и телевизор цветной купили...» Э-э, нет, мамулечка, это и была та самая первая ложь, которой меня всю жизнь пичкали. Где ты этих «всех» видела? Это все на трамвае из роддома ехали? И телевизор ты с батей цветной сподобилась купить, когда все мои одноклассники уже по третьему покупали. И видаки у них были, а ты о таком чуде техники и не слышала! Занимайте места согласно купленным билетам — вот как это называется, а не «все как у людей»! Билетики же у вас с папенькой были отнюдь не в партер. Не говоря уж о первых рядах. В партер вас ставили, но на галерке. На ваших же местах и ставили. Те самые, кто из партера. Вот такой словесный парадокс. А сказать по-русски, рачком — на этом зачуханном балконе все вы и стояли. И меня нагнули, пытаясь при этом объяснить, что это так естественно — подмахивать, когда кто из партера соизволит тебя в очередной раз поиметь! На Первомай с шариком — помладше, портретом дорогого Ильича — постарше. Соплякам — лимонад, заслуженным ракообразным — «беленькую» с бутербродом и место в колонне. Чтобы с чувством «глубокого удовлетворения» прокричал под трибуной: «Ура!» И кто кого удовлетворил по самые гланды? До урашного оргазма? И учителя в школе равноправные до безобразия. С той же галерки. Их партерные мальчики как толь-

336 ко не нагибали. А те как **куры в курятнике** после пе-
туха. Отряхнутся, пенку с губ вытрут и, «задрав штаны, за комсомолом»! Как ни в чем не бывало заез-
женной пластинкой: «Народ и партия едины», «Все
во имя человека, все во благо человека». Да знаем,
видели мы этого человека! Хоть анекдоты-то народ
метко сочинял. А что ему на галерке-то оставалось?
Со спущенными штанами раком и мордой в пол?
Когда представления-то на сцене и не видно? Сна-
чала-то тех, кто бошку поднимал, в подвал спускали,
потом, видать, заметили, что мало народишку-то на
галерке остается. Стали только тех спускать, кто
штаны застегнуть посмел и от оральных ласк увиливать. Орать там всякую непотребщину освободив-
шимся ртом. Ну тут уж задние ряды партера подсуе-
тились, смекнули, что ослабли передние, ротацию
провести можно, и началось... Перестройка! Глас-
ность. Демократия! Как же меня развели по жизни
эти суки номенклатурные! Как последнего лоха!

...

Компашка

Сейчас, уже четверть века спустя, я могу довольно трезво оценить то, что происходило в школе.
Весь этот зверинец, называвшийся классом... И отдельно вольер павианов — Компашку. Им везло с
самого рождения, но я-то был способней! Номенклатурные папаши открыли им окно на Запад. Они
одевались в заграничные шмотки, слушали фирмен-
ные диски, читали самиздат и всякие левые забугор-
ные книжки. Я же ничего этого не имел. Главный их
заводила — Стрелок так и кичился нахватанными
по верхушкам знаниями. Ему пятерки преподавате-
ли ставили за папашку мидовского, а мне приходи-

лось пахать. В библиотеках вечерами торчать. Дома же всей библиотеки — подшивка журнала «Крокодил» за 1957 год да неизвестно как попавшая сказка «Волшебник Изумрудного города»...

Ох, уж эти папаши-мамаши номенклатурные! Только за счет государства из грязи в князи вылезли, боярами себя почуяли и сами же под это государство подкоп вели! Стрелок западных левых начитался (а как же, батяня из-за бугра привез!) и Деревяшке по мозгам каждый урок ездил. Помню, мы с ним из-за Троцкого схлестнулись... Ну откуда мне было знать, что он одним из заглавных в революции был? Это сейчас интернет, литературы любой — завались. А тогда народ даже не слышал, что Троцкого ЧК замочила. И в Америке не спрятался... И с этими номенклатурщиками 70—80-х так же надо было! Не хватило у ЧК рамонов меркадеров на всех. Или ледорубы к тому времени уже в дефиците были...

Я как путный на обществоведении изложил все, что соответствовало официальной линии партии. Так, мол, и так, борьба с троцкизмом... А Стрелок возьми и заяви:

— Тебе везет, — говорит, — за макаронами в магазин ходить не надо...

Компашка вся, смотрю, подобралась... Не надо было ничего мне отвечать — явная же подстава! А я как дурак спросил:

— Почему?

— У тебя пропагандистской лапши на ушах хоть отбавляй!

Компашка ржет, Деревяшка пунцовая что-то кричит, а я ему так спокойненько:

— И где же это у меня лапша? Хочешь сказать, что троцкизм для советской власти полезен был?

— Ага, — отвечает. — Советская власть без красного террора не устояла бы. Да и революцию без Троцкого, вообще-то, вряд ли провернули бы...

Что тут началось! Деревяшка чуть в обморок не падает, Компашка по партам катается, то на меня, то на училку глядючи... Ну чего смешного-то? Да, не знал я тогда этого. А кто знал-то?!

...

Ледоруб

...

А потом эта гнида Стрелок покровительственно так добавил:

— Да ты не волнуйся, ты мальчик уже большой, я тебе книжку дам почитать. На испанском. «Приключения ледоруба в Мексике» называется.

Компашка чуть не рыдала! Деревяшка, как и остальной класс, ничего не поняла. При чем тут ледоруб? Это сейчас расхожий прикол, а тогда кто знал, чем Меркадер Бронштейну по голове съездил?

Легко им было языки изучать. Кто в Испании с родителями жил, кто в Англии. Стрелок вроде бы и там и там отметился. Как же было за ними угнаться, когда живого носителя языка только под прицелом КГБ в Москве можно было увидеть?

А Деревяшка сука еще та... Побежала к завучу жаловаться. Директриса-то ее не больно воспринимала, хоть и парторгом та была. А завуч как-то хитро все перевернул, и мне же (мне!) чуть выговор по комсомольской линии не влепили. За троцкизм! Это сейчас смешно. А тогда без комсомола никуда.

С этого все и понеслось. Стрелок на перемене с Компашкой еще что-то там обсуждали, ржали как кони, а на меня даже не смотрели! А потом начали весь класс подбивать — бойкот Деревяшке устроить.

Тупа, мол, не в меру. Не знает даже, какую роль в революции Лев Давидович Троцкий сыграл.

Ну я тогда Стрелку и сказал, что они все — диссиденты. А он Инге, принцесске нашей, небрежно так:

— Ты погляди, какие слова наша уше-макаронная фабрика знает!

Подло... Как же подло все это! И как они сумели, все эти семейки элитарные, и как идейные устроиться лучше всех, и диссидентами покрасоваться при случае, и все им только в пользу! Сидели, как вши, кровь народную пили и на всех свысока поглядывали...

...

Деревяшка

Спрашиваете, кто такая? Сучка идейная! Светлые идеалы в наши головы заколачивала голосочком своим визгливым. После ее уроков башка у меня болела, словно бормашиной просверлили.

Стрелок тогда со своей Ингой, «королевой класса», мать ее, вздумали обществоведение срывать — им эта коммунистическая идеология на фиг не нужна была. Да и кому она была нужна-то? Просто другие молчали в тряпочку, куда деваться...

Так подбила как-то Компашка всех вместо урока у Деревяшки в кино. Почти всем классом дернули. Директриса школы разбор полетов устроила. В другой раз те, кто без партийно-дипломатических родителей, прогулять не рискнули. Прогуляли только «избранные». Стрелка и всю компанию его опять на ковер к директрисе. А Деревяшка директрису накрутила, что таких из комсомола исключать надо, — она ж мало что историю и обществоведение вела, еще и парторгом в школе была. Только пообломались наши педвожди в тот раз. Ни хрена они этим деткам номенклатурным сделать не смогли. Инга потом все прикалывалась, как Стрелок этих педагогинь срезал. Директор Компашке перспективы обрисовала, сказала, что книжечки свои красные на стол положат, а Юрка так спокойненько и скажи: «Да ради бога. Нашим легче, две копейки взносов на презерватив лучше потрачу...»

Вот так эти мажоры и к комсомолу, и к партии относились. С их рук кормились, на них же и плевали с высокой колокольни. Это только быдло все социализм какой-то строило. Те для себя уже коммунизм сделали...

А Деревяшка тогда завелась. Хоть директриса скандал как-то замяла. Стрелковский папа наверняка какой-нибудь видик-шмидик очередной из-за границы притаранил, она и спустила все на тормозах. Историчка же, дура, возьми да и ляпни всем этим отпрыскам номенклатурным, что положительных оценок в аттестате всей Компашке не видать как своих ушей... Да я уверен, что самой ей того видика хотелось. А тогда даже подумал: «Вот дура принципиальная! Обломают же!»

Обломали... И меня с ней до кучи...

...

Отвечаю, отвечаю...

В классе-то я был единственный, кто Компашке противостоять мог. Остальные слова поперек сказать не смели. Ни Инге, ни Стрелку, ни иже с ними. Вот мы с Юркой постоянно и схватывались. Я-то поумней был, а тот поначитанней. Ему ж батя западную прессу, книжки запрещенные из загранки таскал. Вот он и про Троцкого знал, и Солженицына читал. А мне приходилось до всего своим умом доходить. Теперь-то вот все думаю, куда ж КГБ хваленый смотрел? Ведь круче антисоветчиков, чем эти дипломаты, внешторговцы всякие и прочая выездная шушера, не было. Да чего сейчас!.. Просрали они тогда страну!

И вот ведь что интересно, Инга-то, «королева» наша, роду-племени самого простецкого была. Как-то так под Юрку лечь умудрилась, что Стрелок сам под ней оказался. Такой вот парадокс... Быстро стервочка смекнула, еще классе в седьмом, наверное, где у пацанов мозги-то. Какой головкой парень в 15—17 лет думает. Была в ней какая-то блядовитость, что мальчишек заставляла вокруг нее виться. Так могла улыбнуться, что в штанах мокро делалось. И я на ее удочку попался как лох последний...

Когда их Деревяшка прижала, Инга идею в массы двинула. Типа не трахает историчку никто, вот она и зверствует. Я на перемене тогда краем уха слышал, она Стрелку свою теорию внушала. Юрка еще ржал как конь педальный. Не думал я тогда, что мне это ржанье боком выйдет. Еще подумал, что Деревяшка хоть и в возрасте уже (ха-ха, я сейчас старше, чем она тогда была), но подтянутая, титьки большие, торчком... здоровая, правда, но есть мужики, что женщин покрупней любят. В общем, если б не голос визгливый, то ничего бы так была. Третий сорт, не брак. То есть какого-нибудь мужичка завалященького найти-то смогла бы. Принца, видать, ждала. И дождалась. Целый двор. И все принцы. Даже с принцессой.

...

Обула... Вот именно, что обула! Это я сейчас понимаю, какая она тварь, подстилка стрелковская, а тогда смотрел на нее и взаправду как на королеву. Да не я один. Вся школа. А тут, когда Деревяшка всю их компашку приперла, класс-то выпускной был, они задергались. Без аттестата-то в МГИМО не возьмут, хоть какой родитель у тебя, хоть какие у него руки волосатые...

В общем, подкатывает ко мне после уроков Инга. На крыльце прямо на школьном. Улыбается так зазывающе. У меня мозги сразу переклинило — гормоны-то бушуют, только пуговицы с ширинки не отлетают. А голосок у нее медовый... Пойдем, говорит, друг сердешный, в кафешку, посидим, пирожное миндальное за 22 копейки скушаем...

И я как баран на бойню за ней. Как же! Сама Инга в кафе зовет! Ну посидели мы с ней, кофе того, советского, из цикория, попили. Она даже не морщилась, хотя мимо школьной столовки без гримасы не проходила — от одного запаха ее, вишь ли, воротило... В общем, сыграла она свою партию блестяще. Рассказала о трудной Деревяшкиной жизни без мужика, о близости климакса и предменструальном синдроме, в результате которого энная часть класса может остаться без аттестатов. Вроде так просто рассказала, намекнув при этом, что уж она-то сама без мужской ласки и дня не проводит.

Да знал я это все! Слухами-то земля полнится. Говорили и про них с Юркой, и про то, что групповухи они устраивают, насмотревшись порнофильмов по стрелковскому видаку. Это тогда чем-то запредельным и манящим выглядело. Не то что сейчас — таких «королев» групповушных десяток по одному телефонному звонку привезут. А тогда аура такая у Инги была, что как магнитом...

В общем, посидели тогда просто в кафе, я ее до дому проводил. И все. Не знал я тогда, что Инга ничего просто так не делает. И пойлом из цикория за просто так давиться не станет. Ей Юрка такие марки кофе подгонял, что и сейчас в России не найдешь, а если и найдешь, то не укупишь...

...

«Ручной» лох

Витиевато как-то у меня получается, согласен, граждане. Но непросто и рассказать... Как вспомню, каким лошарой меня Инга выставила, так хоть на стенку... Не зря французы во всем баб ищут. Они в этом деле, говорят, понимают. Шерше ля фам. Однако отдам этой сучке должное — разыграла все как по нотам! Психологом была отменным. Не то, что сейчас в журналах почитаешь психологинь всяких, кандидатов наук — такой смех пробирает.

Короче, на следующий день Инга как-то все так обставила, что я уже сам ей в кафешку предложил зайти. Смущался, помню, как третьеклассник, краснел, потел, но что-то она такое сделала — жест, поворот головы, фраза... В общем, решился я. Тем более что вчерашнее расставание было эдаким многоточием.

Она брезгливо носик сморщила, сказала: «Мне одного раза хватило. Эту бурду кофейную вспоминать буду, умирая...» И пауза по Станиславскому. Я с ноги на ногу переминаюсь, что делать дальше, не знаю. Сейчас-то понимаю, как она наслаждалась, за мной наблюдая, а тогда, как дурак, мялся и ждал, чего богиня изволит.

А изволила она выдать полунамек, что не сильно будет возражать, если я ее провожу. Мол, Стрелок с кодлой сегодня по каким-то делам в школе задержится и пойдет она до дому одна. И как-то так ненавязчиво об этом сказала, мимоходом... Или, может, я уже за давностью лет все это сам и приукрасил? Добавил подробностей, чтоб самому себе меньшим лохом казаться? Хотя вряд ли... Да и не так важно, как она меня на провожание развела, главное-то позже случилось. И началось тем же днем в ее подъезде.

Как сейчас помню тот пыльный подоконник с липкими потеками портвейна и заляпанное им же стекло. Инга была в ударе. Наверное, за ней стоило записывать. Получился бы манифест партии сексуальных реформ.

Как-то незаметно наш разговор перетек к сексу. С другой стороны, о чем еще разговаривать разнополым учащимся выпускных классов?: —)) Озабоченному пацану только повод дай... Так что и это «королева» продумала!

— Секс — это естественно, — вещала Инга, стоя у затрапезного подоконника и глядя в мутное стекло (замечу, что и само словечко-то это, «секс», было тогда известно далеко не всем и его употребление как бы причисляло тебя к избранным). — Приятно и полезно для здоровья. Почему же народу его разрешают только в строго регламентированных «ячейках общества»? Хочешь трахаться — пожалуй в ЗАГС и принадлежи потом одному всю жизнь... Вот ты хочешь прожить всю жизнь с одной-единственной?

— Да!..

Инга со смеху покатилась.

— Дурачок. Даже чтобы понять, хочешь ты прожить именно с этой женщиной всю жизнь, тебе неплохо бы ее с кем-то сравнить. А как ты сравнишь, если в постель только после ЗАГСа? Секс ведь это не только сунул-вынул и пошел. Ему учиться надо, как танцам, балету... Вот ты наверняка ежедневно в ванной надрачиваешь, меня или какую кинокрасотку представляя. Только ведь фантазия твоя дальше обычного секса «папа сверху» не идет...

— Идет! — возмутился я.

Тут Инга так заржала! Аж до слез.

— Да, — выдала она. — Разведчика из тебя не получится. А ты знаешь, что от онанизма волосы на ладонях расти начинают?

Я послушно глянул на ладонь. Инга снова покатилась.

— Темный ты совсем, — сказала, отсмеявшись, и запустила руку в карман моих брюк. В общем, «передернула затвор». До сих пор стыдно — кончил буквально от одного прикосновения.

— Да, Зиновий, — обратилась она ко мне по имени, — огород, как я вижу, не паханный. Пора из тебя мужчину делать. Ну, я подумаю над этим вопросом.

И как ни в чем не бывало ушла домой. А я стоял и думал, что сейчас от моих ушей загорится шапка. Вот такая была дурацкая мысль.

...

Ослик дозрел

Верно тут заметил один комментатор — эротический триллер. Однако он только еще начинается. Хотя события развивались так быстро, что, как сейчас кажется, промелькнули в одно мгновение.

Дня два Инга от моих предложений проводить до дому отмахивалась. Вела себя так, будто в подъезде ничего и не было. Паслась на переменах, как обычно, со Стрелком и компанией. После уроков они и уходили вместе. Теперь я думаю, что и то мое томление было Ингой просчитано. И на переменах, когда я в коридоре приближался к их Компашке, как-то нарочито громко пару раз прозвучало что-то типа: «Стрелок, а ты помнишь, как эту на даче втроем?..» Но когда я подходил ближе, разговор смолкал, только взрывы хохота и насмешливые взгляды в мою сторону...

Затем Инга, видно, посчитала, что «клиент созрел», и милостиво разрешила снова проводить ее до дому.

Я же как дурак эти два дня только о ней и мечтал. Все думал — как это будет? Она пригласит меня домой, родители, конечно же, на работе, мы начнем целоваться еще в прихожей...

Мечты, мечты... Увы, все было гораздо прозаичней. В Ингином подъезде нас ждал Стрелок.

— О, Зина! Да ты мою девушку никак отбить собрался? — оскалился он. — Да не ссы, я, в общемто, не против. «Красота спасет мир» — так ведь классик говорил? И, думаю, Инга тебя спасет, если, конечно, на то будет ее добрая воля.

У меня челюсть чуть на ступеньку не упала. Как-то не готов я был к такому повороту событий. Думал, что все, что между мной и Ингой, только между нами и есть. Однако Стрелок думал по-другому.

— Значит, хочешь в нашу Компашку влиться, — продолжил меж тем он. — А входной билет оплатить готов?

— Сколько? — промямлил я, зная, что мой бюджет не потянет сколько-нибудь значимой суммы. Опять-таки слухи ходили, что девки за участие в групповушке Стрелку & С^o нехило приплачивали. Вот дуры-то были!

Инга и Стрелок покатились со смеху.

— Да какие у тебя деньги, — проржавшись, выдал он. — Мы ведь как мафия. Про Козу ностру слыхал? Так вот, вяжут не деньги, а кровь, — закончил он зловеще.

Инга снова рассмеялась.

— Не дрейфь, — сказала она. — У нас в четверг у Стрелка на флете сейшн, подруливай. Сдашь экзамен, и дорога к нам открыта!

— А что за...

— Там увидишь, — Инга чмокнула меня в щеку и, подхватив под руку Стрелка, скрылась с ним за дверью квартиры. Я же пошел домой, размышляя, что за фигню они там удумали.

А на следующий день на перемене краем уха услышал, что Инга со Стрелком делились с Компашкой, как круто они вчера покувыркались...

Точно сучка все рассчитала. Я твердо решил идти в четверг к Стрелку.

Вот ведь идиот! Знал, что намного лучше и чище их всех. Всего этого сброда, именуемого «Компашкой»! Но любовь зла — поддался-таки я Ингиным чарам.

...

Гоген

События того дня сегодня представляются мне кошмаром. Я был как под гипнозом. А, может, это он и был? Есть такая штука — эриксонианский гипноз, для которого никакие пассы и маятники не нужны. Только состояние сознания чуть изменить. А куда уж его было изменять, когда я в Ингу был по уши влюблен и шел за ней, как ишак в «Кавказской пленнице»?

К Стрелку я пришел в назначенное время. Вся

348 Компашка была уже там. Сидели в зале, — ну, в большой комнате, — лениво потягивая кто джин с тоником, кто какой-то вискарь — богема, мать их. Плеснули и мне какого-то зеленого пойла стопку грамм на семьдесят. Я хватанул одним глотком — так нервничал. И чуть не задохнулся. Слезы из глаз, дышать нечем, во рту горечь несусветная... Это сейчас я абсентика могу спокойно и соточку проглотить, а тогда не ожидал, что такие крепкие напитки бывают.

Компашка ржет, мое состояние комментирует, кто-то из истории абсента что-то вещает, про Гогена рассказывает, но ни одна падла ничего запить не дает. А у меня уже обратный процесс пошел — слюней полный рот, плюнуть хочется, а платок, как назло, дома забыл. Бросился ванну искать, чуть нашел. Проплевался, умылся. Тут ко мне и Инга со Стрелком подваливают.

— Ну что, орелик, готов к труду и обороне? — говорит. — Страшного ничего не случится, если делать все как надо будешь. А мы подскажем.

Инга кивает и улыбается. И я в ответ киваю — как идиот последний...

— В общем, так. — Стрелок продолжает: — Надумали мы Деревяшку проучить. Она с минуты на минуту сюда припрется. Родителям моим жалиться. На мое плохое поведение. Ха! Вот тут-то мы ее и прижучим. Ну, пошли, — и Стрелок меня за плечи притащил в зал. Я и сообразить-то ничего толком не успел, как в прихожей колокольчик зазвонил. Такой был у Стрелка понт, — у двери веревочка, а под ней надпись: «Дерни, дверца и откроется».

Не знал я еще, по ком звонит этот колокольчик...

Рубикон

— Тише все! — Стрелок пошел открывать дверь. У меня же внезапно появился какой-то кураж. Вероятно, подействовал абсент. Глотнуть с непривычки семидесятиградусного пойла, о котором тогда в СССР почти никто и не слышал, — это что-то. Впрочем, спеть и сплясать я не успел. Вся Компашка пришипилась, вслушиваясь в звуки из прихожей.

— Анна Ивановна, давайте я вам помогу. — По-видимому, Деревяшка снимала пальто. Стрелок вел себя как галантный кавалер. — Прошу в гостиную.

Дверь распахнулась, и в сопровождении Стрелка вошла историчка. На ней был пиджак с блузкой и юбка коричневатого цвета — почти как девчоночья школьная форма.

Она огляделась и застыла. Видок у нее был офигевший.

— Так, — Деревяшка попыталась придать голосу строгость, но вышло как-то жалко, — я же собиралась поговорить с твоими родителями! Где они?!

— А они за бугром, — ехидно улыбаясь, ответил Стрелок. — Любезно предоставили нам время и место о делах наших скорбных покалякать...

Спародировав героя Джигарханяна — Горбатого, Стрелок добился ожидаемой реакции — Компашка дружно заржала.

— Что... как... — Деревяшка сунулась к выходу, но хозяин демонстративно прикрыл дверь.

— Нет уж, дорогая наша Анна Ивановна, не стоит так спешить, — клоунски расшаркался Стрелок. — Мы же еще даже разговаривать не начали, а вы сразу в дверь! Нехорошо так!

Остальные придвинулись поближе, вид у них был угрожающий. Только я стоял в стороне и, кажется, глупо лыбился. Мне было весело, все казалось смешной шуткой. Ну и Инга чуть поодаль, смотрит исподлобья, словно следит, правильно ли все происходит.

— Проходите, проходите, присаживайтесь! — Юра потянул историчку за локоть, Деревяшка выдернула его, оглянулась. А по сторонам, значит, наши парни стоят.

— Чего вы от меня хотите?!

— Вот это другой разговор! Вот это правильный вопрос! — Стрелок куражился. — А хотим мы, Анна Ивановна, на добрую о вас память сделать несколько фоток. В стиле «ню». Знаете, что такое «ню»? Ваше кондовое образование имеет явные пробелы, поэтому я вам объясню: это в обнаженном виде, значит. В «Плейбой» они, конечно, не попадут, но наши скромные коллекции мы надеемся вашими прелестями украсить. Мы ведь скоро школу оканчиваем, жалко будет с вами расставаться...

Момент был кульминационный, черта пройдена. Все ждали реакции исторички.

Деревяшка это почувствовала. Кровь отлила от ее лица. Она открыла и закрыла рот, попеременно глядя на наглеца, только что выдавшего такое учителю (!), и на остальных присутствующих. Но высокомерные ухмылки старшеклассников не сулили ей ничего хорошего. Лицо пошло пятнами. Она уставилась на Ингу.

— Что, что тут происходит? — с грозным видом спросила учительница. Инстинктивно она решила опереться на девчонку, уповая на женскую солидарность. — Инга! — Голос сорвался на визг. — Инга! Что здесь происходит?

— Да ничего страшного, Анна Ивановна, — спокойно, с выражением явного превосходства на лице ответила та. — Вам же все уже сказали. Мы вас очень все любим. Память о ваших уроках мы пронесем в своих комсомольских сердцах через всю жизнь. Но хотелось бы иметь какие-то материальные свидетельства вашего существования. Мы же материалисты, не так ли? Так кто ж нам поверит, что мы вас знали, светоча преподавания? Если фоток не будет? Да вы не волнуйтесь. Фотоаппарат у нас хороший, получитесь, как восходящая звезда Голливуда.

Компашка грохнула. Деревяшка непроизвольно сделала шаг назад. Таких ситуаций ни в учебниках по педагогике, ни по истории-обществоведению описано не было. Сознание отказывалось воспринимать реальность. Ноги у Деревяшки подогнулись, она покачнулась. Стрелок ее подхватил и подтолкнул к дивану.

Но Деревяшка быстро пришла в себя и попыталась прорваться к выходу. Компашка сомкнула свои ряды, прижав историчку к дивану. Стрелок схватил ее за запястья, она пыталась вырваться, но тот был явно сильнее. Тогда училка завизжала во всю мощь своих легких. У меня заложило уши.

— Тихо, Анна Ивановна, тихо, — Стрелок, ухмыляясь, смотрел на нее. — Зря кричите, зря сопротивляетесь. Мы к вашему визгу привычные, так что нас им не возьмешь. А соседи все равно не услышат. Будьте паинькой, вас насиловать никто не собирается. Только если будете упорствовать. Тогда уж не обессудьте. Нас тут восемь взрослых половозрелых мальчуганов, и хотя никого из нас вы не возбуждаете, прямо скажем, но дело сделать мы сумеем. Так что не вынуждайте нас. Ведите себя дисциплинированно, как вы требуете от нас на уроках... Вы ведь требуете от нас послушания? А теперь мы его требуем от вас.

Деревяшка смотрела на всех нас с ужасом. Сомневаюсь, что она много поняла из сказанных слов.

Но то, что ей угрожают изнасилованием, видно, уяснила, так как вырываться перестала.

Стрелок рывком скинул с ее плеч пиджак. Руки у нее оказались как бы связанными: на пиджаке были манжеты на пуговицах, не так-то просто от него избавиться... Он развернул ее лицом к себе и толкнул. Историчка плюхнулась на диван...

— А если будете благоразумны, Анна Ивановна, то мы лишь сделаем несколько фоток, — закончил Стрелок. — Никакого ущерба здоровью и вашей девичьей чести!

Стрелок достал фотоаппарат. При этом с интонацией шпрехшталмейстера выдав:

— Зина! Твой выход!

Я слегка опешил. А что я должен делать-то? Мы же ни о чем подобном не договаривались!

— Зина, что стоишь? Обслужи даму! — скомандовала Инга. — У нее слишком тесная блузка, пора бы ее расстегнуть.

— Я???

— Ну да! — подхватил Стрелок. — Ты же хотел войти в нашу компанию? Это право надо отработать, милый мой! Мы тебе даем шанс показать себя в деле!

Да сто лет вас не видеть! Но Инга, Инга... Я вытащил ее в коридор.

— Вы что, с ума посходили? — чуть не орал я. — Мы же завтра все из школы вылетим!

— Успокойся, Зина, — Инга протянула мне широкий бокал, кажется с виски, — глотни и подумай...

Я машинально сделал глоток. После абсента он мне показался лимонадом. Глотнул еще. Допил все, что было в бокале.

— Ну, сообразил? — Инга в упор смотрела на меня. — Деревяшка грозилась нам всем аттестаты зарезать! А с такими фотками она будет у нас в руках! И не только никому не пикнет, но и будет рисовать нам пятерки до конца года, понял?

— Но, может, не надо ее, это, «ню»...

— Ну что ты, Зина, испугался, что ли? Голых женщин никогда не видел? Это несмертельно, не бойся!

Инга расстегнула несколько пуговичек и, смеясь, оттянула платье, позволив мне заглянуть ей за пазуху. Я увидел верх ее груди в полукружиях лифчика. Меня это зрелище стеганýло, как коня плеткой! Только что не заржал!

Решительным шагом я вернулся в комнату и направился к училке, протянул руку к верхней пуговице. Историчка, тихо взвизгнув, дернулась в сторону. Я вновь протянул руку. Она еще пару раз дернулась по инерции и затихла. Взгляд, полный бессилия, был уперт в толстый ковер на полу. Губы упрямо поджаты. Я медленно расстегнул три пуговицы блузки.

...

Коренной перелом

Думаю, что Деревяшка в те минуты была точным отражением своей клички — ничего не чувствовала и не соображала. Как бревно. И, похоже, даже не заметила, как я расстегивал ее блузку.

— Вот это да, — присвистнула Инга. — Лифчик — страшное оружие. Теперь понятно, чем она мужиков распугивает. Ей бы в Великую Отечественную с таким бюстгальтером, да на танки. Немцы бы до самого Берлина драпали.

Деревяшка вышла из оцепенения и сумела выпростать одну руку из рукава, которой и попыталась прикрыть грудь.

Компашка заулюлюкала.

— Э, нет, Анна Ивановна, — спокойным голосом заговорила Инга. — Так мы не договаривались. Или вы все же предпочитаете группен секс?

— Что вам от меня нужно? — Деревяшка затравленно посмотрела на компашку. — Отпустите меня...

— Конечно, отпустим, — ответил Стрелок. — Вы только Зине не мешайте. Он и сам спутается...

В общем, под ржание и комментарии зрителей я с грехом пополам управился с застежками лифчика, воззрился на бюст исторички и застыл. Грудь нерожавшей Деревяшки была крупна и почти идеальна по форме (это я сейчас могу оценить, а тогда был просто поражен открывшейся перспективой — грудь видел только у античных статуй...). Ширинка моих ученических брюк помимо воли стала подыматься.

Чтобы скрыть конфуз — соблазнился Деревяшкой(!), я отскочил к столу, налил почти полный бокал из первой попавшейся бутылки и залпом проглотил, почти не ощущая вкуса. На мое несчастье, это вновь оказался абсент...

Дыхание перехватило, полились слезы, я схватил бутылку какого-то импортного тоника и унял пожар в горле. Стрелок тем временем пытался снимать закрывающую руками грудь Деревяшку.

— Зина, — скомандовал он, — помоги даме избавиться от стыда. Такие прелести нельзя скрывать от народа.

Стрелок передал фотоаппарат Инге, а сам достал видеокамеру. В то время этим чудом техники в Москве владели единицы. Говорят, что стоила она тогда, как «Мерседес», но стрелковский папа любил дорогие вещи, которые не могли себе позволить «народные массы».

Я медленно пошел к Деревяшке и отвел ее руку. У меня что-то случилось с головой. Мне показалось, что я лечу куда-то туда, в ее груди, и тону в них в полном блаженстве...

Последнее, что я помню, — это как я дотронулся до них. Кожа была горячей и нежной...

Затем — провал.

...

Первое похмелье

В пятницу утром мать, поднимая меня с постели, прошлась вдоль хребта пару раз шлангом от стиральной машины, ругаясь, что напиваться, как грузчику, ученику десятого класса не пристало. Хорошо, что отец свалил на свою стройку до моего пробуждения. И, судя по причитаниям матери, ввечеру был сам сильно пьян, так что мое прегрешение было ему неведомо.

Как я крайне смутно помнил, домой меня доставил кто-то и, приставив к двери, позвонил в звонок и ушел, не став дожидаться разборок с моими родителями. Мать, открыв дверь, еле успела отойти в сторону — я растянулся прямо в коридоре. До своей кровати добирался на четвереньках, слабо понимая, что хочет от меня услышать родительница.

Утреннее состояние было тоже швах. Мутило, наспех проглоченный стакан чая мечтал вырваться наружу, так что до школы я шел очень медленно. (Ощущения того первого похмелья живут во мне до сих пор. И виски с абсентом я стараюсь не мешать. Ха! Да где бы их еще взять!)

Вторым уроком в тот день в расписании стояло

обществоведение. На первой короткой перемене лица у членов Компашки были предвкушающие. Стрелок, отозвав меня в сторону, мельком показал фотографию полуголой исторички.

— Ночью напечатал, — усмехнулся он. — Пусть попробует чего-нибудь теперь вякнуть. А ты, Зина, дал! Деревяшка тебя на всю жизнь запомнит. Войдешь в историю!

Мне было все равно. Чего я там дал и что такого там запомнит Деревяшка. Единственной мыслью было — скорей бы закончились уроки. Домой. И спать, пока вся эта мутота с организмом не прекратится. Это было второй моей ошибкой. Надо было обязательно выслушать историю о моих геройствах. Но прозвенел звонок.

Деревяшка вошла в класс спустя минут пять после звонка. Все молча встали из-за парт. Кто-то хихикнул. Историчка пошла пятнами, схватила указку.

— Ну, долго стоять-то будем? — кто пробубнил вполголоса.

Деревяшка обрушила указку на кафедру.

— Молчать! — взвизгнула она. И вдруг развернулась и выбежала из класса. Больше в тот день мы ее не видели. Не пришла она на свой урок и в субботу. Инга злорадствовала.

— Все, выжили недотраханную из школы. Теперь, может, нормальную учителку дадут.

В принципе, она оказалась права: Деревяшку мы выжили... Только лучше бы этого не было.

...

Назначен «паровозом»

Забрали меня воскресным вечером, из дома. Пришли двое, предъявили удостоверения, сказали онемевшей матери, что ее сын обвиняется в преступлении, описанном в ст. 117 УК РСФСР (изнасилование), ткнули в лицо ордером, разрешили взять какую-то мелочовку и на «козелке» отвезли к следаку.

Испугался я как-то не сразу. Больше думал в тот момент, что же обо мне мать подумает? Она, считай, если и постарше нашей Деревяшки, то ненамного. А я так вляпался! Поначалу все не мог понять — почему изнасилование-то? Ведь не было же ничего! Или действительно я что-то в беспамятстве учудил? Да нет, рассказали бы обязательно... Нет. Не может быть.

Стрелок говорил, что, когда Деревяшку отпускали, он ее предупредил, чтоб не вздумала кому вякать о том, что произошло. Иначе фотки с ее приключениями станут первыми порно, с которым познакомится общественность нашей пока еще пуританской школы. Та в ответ ничего не сказала. И никому даже в голову не пришло хотя бы выяснить, что у нее на уме. Все были настолько убеждены, что о таком позорище она и под пыткой никому не расскажет. Хотя... она, скорей всего, сначала не думала, не собиралась, сдалась — и впрямь испугалась! А потом, видать, решилась... Написала заявление. Да о чем заявление-то? Стрелок об изнасиловании даже не заикался... Значит, не было? Но ведь забрали... Значит, было??? Как там Стрелок-то сказал? «Ты, Зина, дал!..»

Вот, собственно, и все мысли, что меня посетили, пока везли до ментовки.

Прокурорский следак, как я сейчас представляю, был лет тридцати с небольшим, но тогда он мне казался чуть ли не стариком, опытным и матерым. Морали он читать не стал, просто объяснил на пальцах, что мне светит за изнасилование учительницы и в какой позе мне предстоит провести бли-

жайшие несколько лет. Тем более что попаду я сначала на малолетку, а нравы там будут покруче, чем
на взрословяке.

— Но как же... — пытался объяснить я. — Мы же
никого не насиловали! Это же шутка была!

— Ну, посмотри, на сколько твои шуточки тянут. Самая легкая часть 1-я твоей 117-й статьи — от
трех до семи лет. А ты говоришь, что не один был,
то есть изнасилование групповое... Опять-таки слышал я, что выпивши ты был, а состояние опьянения
относится к отягчающим вину обстоятельствам...

— Да мы же не насиловали никого! Просто раздели!

— А учительница утверждает, что изнасилование
имело место быть. И вот приятели твои, с которыми
мы уже побеседовали, говорят, что Анну Ивановну
ты раздевал, а они и не знали, как тебя усмирить.
Буйный, говорят, ты был, пьяный. Они-то, мол,
тебя от учительницы в конце концов и оттащили...

— Но они же не говорят, что я насиловал? Да? —
я все еще надеялся на чудо...

— А сам-то что скажешь?

— Да не помню я ничего!

— Вот и у них амнезия. Тут помню, тут не помню...

— Что у них?

— Неважно. Главное, что путаются они в показаниях. И лишь в одном сходятся. Ты, Зина, один
как перст до своей преподавательницы домогался.

— Ну, так ведь не домогнулся, да?

— Это ты у меня спрашиваешь? Ну, ты герой!
Думаешь, что это твоя Анна Ивановна, парторг
школы, между прочим, от нечего делать придумала?

— Да она нас всех терпеть не может! Вот и решила...

— Каков подонок! — Так как был я несовершен-
нолетний, на допросе сидела какая-то педагогиня —
пенсионерка из местного красного уголка, — прита-

щили ее для видимости. Она только и причитала: — Ой, что делается, что делается! Не молодежь, а звери! Мы в них разумное, доброе, а они в нас!.. Ой, господи! О чем это я? Да просто фашисты!.. Они...

Достала меня эта бабушка гораздо больше следака. Тому картина уже давно была ясна. Он к моменту моего допроса успел и с Деревяшкой побеседовать, и кое с кем из Компашки переговорить. Только вот дела — ни одного из них милиция из дома не забрала! Более того, и допросов-то как таковых не было. Связи номенклатурные включались с такой скоростью, что не успевал мент в дверь квартиры позвонить, его начальству уже с верхов трезвонили. И опрашивали лейтенанты-капитаны «невинных малюток» у них же дома. Кофейком хозяйским импортным балуясь. С коньячком или с ликерчиком. Тепло, вкусно. И не допрос, а так, дружеская беседа — плохое самочувствие у ребенка, психологическая травма, воспаление хитрости и прочая хрень. Но всего этого я тогда еще не знал. Следак, как ему и положено, скупо о других отзывался.

Я же на жестком стульчике в комнате дознавателей в дежурке районного УВД писал свое чистосердечное признание. Рассказал все, как было, мол, да, раздевал учительницу. Так Стрелок с Ингой придумали и Компашку подговорили. Хотели ее пофоткать, чтобы, значит, хорошие оценки в аттестаты получить. Поначалу я-де даже отказывался в этом участвовать, а потом выпил и согласился. Потом еще чего-то глотнул и больше ничего не помню... Но не насиловал — этого бы не забыл!

Следак почитал, похмыкал, покрутил головой и меня единственного из всех участников того эротического триллера закрыл в СИЗО. А куда деваться? Статья-то «тяжелая».

...

Несколько раз я говорил следаку, что вся сцена с якобы изнасилованием снималась на фотоаппарат и видеокамеру. Только следак как-то вяло на это реагировал. То отвечал, что видеокассету и фотографии к делу не пришьешь — нет, по нашему УПК, такого вещдока, то просто отмалчивался, а как-то просто сказал:

— Что тебе с той кассеты? Во-первых, никто ее не видел, и куда ее твой Стрелок дел — неизвестно. Во-вторых, сам же говоришь, что на ней ты в главных действующих лицах. И на фотках тоже.

— Но там же видно, что изнасилования не было!

— Да? А откуда известно, что его не могло быть позже? Или раньше? Так что ничем твоя кассета в деле не поможет. Экспертиза однозначно говорит, что сперма на юбке вашей учительницы твоя. А больше ничьей нет! И синяки на запястьях у нее есть? Есть. Значит, она вырывалась, а ты ее удерживал. И кончай брехать, что ничего не было!

Хотелось биться головой об стену — ни хрена не помнить и оказаться под 117-й статьей! Хоть бы кайф какой словил, а то — ничего!

Я так понимаю, следак с самого начала просек, что идти мне паровозом. Детишки номенклатурные если что и получат, то по минимуму. И не любил он этих «позвоночных», которых по звонку с кичи вытаскивают. Поэтому ко мне относился достаточно лояльно. Когда в СИЗО стал определять, шепнул кому-то, и меня в камеру кинули к людям солидным, можно сказать, интеллигентным. Сидели там один цеховик и два растратчика. Вроде бы и не положено малолетку со взрослыми, но ничего, проканало — никто ж не жаловался.

И на допросах следак не сильно напирал — все ж

понятно. А в один прекрасный день он мне так по-простецки и говорит:

— Хреновые дела твои, Зиновий, — переписала твоя дама сердца заявление. Теперь получается, что ты один снасильничал. Никто тебя не подстрекал, ее никто не пугал, не удерживал. Не было у тебя никаких соучастников, никто ничего не видел.

— Как так? Но ведь другие, из Компашки, тоже показания давали!

— Ага, давали. Под протокол ни одного показания против них. Не был, не знаю, не видел. А беседы с ними за жизнь в тот день, когда тебя брали, к делу не пришьешь. Компанию не ту ты себе подобрал. Нашел с кем водиться! С дипломатическими сынками. Их выкупят и отмажут... Что, я думаю, и произошло.

— Но почему Деревяшка тогда совсем заявление не забрала?

— А вот тут, Зиновий, есть тонкость. Коль уж делу об изнасиловании дан ход и оно где надо зарегистрировано, все — забирай потерпевшая заявление, не забирай — должно быть решение суда. Так что дело теперь претерпит коренные изменения: будешь ты в нем фигурировать один. Да и какая тебе разница? Другие если вашей учительнице и присунули — следов-то нет. А ты на ее юбке потоптался, как слон на манеже.

— С-сука!

— Но-но, Зиновий! Это ведь ты ее изнасиловал, а не она тебя. Так что как ни крути, а виноват! За что и ответишь.

Суки! Я-то отвечу, а эти падлы номенклатурные?! Когда им ответ держать?!

...

Следак был тертым калачом. Понимал, что плевать против ветра себе дороже. И дело стало склеиваться по-новому. Эти суки-бонзы решили со всех сторон подстраховаться. Мамка мне спустя много лет призналась, что и им с отцом деньжат подбросили, чтобы подсказали сыну, как правильно себя на суде вести. А уж чья была идея ко мне Ингу подослать, к гадалке не ходи — Стрелка. У той самой положение были не ахти. Родители, как и мои, — пролетарии. Конечно, нонсенс, если бы она обвиняемой по 117-й пошла, но, говорят, и таких случаев немало было. Ну, там где подружкины ножки для своего кавалера какая-нибудь дура подержит, где еще как благоверному в удовлетворении его желания с другой дамой посодействует. И идет соучастницей. Но тут случай не тот. В деле-то всего из доказательств — мое чистосердечное признание и моя же сперма на юбке и остались. Хотя белых пятен хватало.

Во-первых, непонятно, где, собственно, произошло изнасилование? Стрелковская квартира родительскими стараниями отпадала как место происшествия. На улице как-то не сезон было — кто-то из нас задницу бы обязательно отморозил. Во-вторых, Деревяшкины габариты были моих поболее. Серьезно поболее. Нет, чисто теоретически я, конечно, мог ее где-то зажать, но опять-таки все это было весьма непросто в деле прописать.

И тогда, чтобы утрясти все эти противоречия следак устроил мне свидание с Ингой. Запер нас с ней вдвоем в своем кабинете. Эх, и дурак же я тогда был! Мог ведь разложить ее на столе и делать с ней что хочешь! Она же в моих руках была! А я не понимал. Думал, что следак в любой момент вернуться может. А он-то как раз прекрасно понимал, что Инга расплатиться за изменение моих показаний пришла. А уж как — дело наше. Специально и место, и время для этого предоставил. Только эта стерва, подстилка стрелковская, и здесь решила малой кровью отделаться!

Запела сладко.

— Ой, Зиновий, как ты осунулся, — сочувственным таким тоном. — Кормят, наверное, плохо. Я вот тут передачку тебе принесла. Следователь разрешил...

А я все не врубаюсь — чего пришла-то? Вроде пока на свободе гулял — не больно нужен был. И тут еще не совсем смикитил, что она упрашивать пришла показания-то изменить. И согласиться со всем, что следствие там напридумывает. Но она-то свою цель четко видела!

— Мы по тебе всей Компашкой скучаем. Жалеем, что так получилось. Надо было нам тебя от изнасилования-то удержать. Но ты как зверь был...

— Так я что, у вас на глазах ее?..

— Ага! Но ты у нас теперь герой!

Знает, сучка, чем пацана зацепить! Да, я — такой! И уже неудобно как-то жаловаться, наезжать. И как-то так незаметно разговор перевела к тому, что я вроде даже защитить ее должен, как свою даму сердца. Да чего ей грозило-то? Уж если парней отмазали, то она вообще пятым колесом в телеге в этом деле была! Стрелка пришла выгораживать, и как я тогда не понял?

Короче, стерва эта, как и все они, актрисой была неплохой. И слезу пустила, и общеловала всего, и даже за титьку потрогать дала. Но дальше — ни-ни. Вдруг следователь войдет. В общем, развела меня по полной. Что теперь только она поняла, какой я благородный и какая мразь этот Стрелков. Мол, войди,

Зиновий, в ее положение, свидетельствовать против Юры и Компашки она не может, потому как сама соучастницей окажется, а переть одному на всю эту номенклатурную кодлу она бы мне не советовала. А если я возьму все на себя, забуду, что кто-то еще там присутствовал, то папашки великие расстараются, срок по минимуму дадут — три года. И на СИЗО досидишь каким-нибудь помощником библиотекаря. Не жизнь — лафа.

— Я только теперь понимаю, Зиновий, — завершила она подвешивание морковки перед ослиным носом, — что зря только со Стрелком время теряла. Решила тебя ждать. Ты, как и я, парень из простой семьи, благородный. Дождусь и замуж за тебя пойду. Если возьмешь, конечно...

Какие я сопли розовые распустил! Обнимал «дорогую и любимую», целовал. В любви клялся! Она тоже не отставала. А напоследок свой трюк подъездный повторила. Через карман «затвор передернула». У-у, сучка, могла бы и до минета расщедриться!

А потом пришел следак, выпроводил Ингу и расписал примерно то же, что она говорила, но вполне предметно. Если не буду ерепениться, получу три года, досижу в СИЗО в приличной камере. Буду книжки развозить. А там, глядишь, год скостят за хорошее поведение...

И я изменил показания. Под диктовку. Получалось, что разложил я Деревяшку после уроков прямо на ее рабочем столе в классе. Следак сам морщился, когда эту чушь диктовал. Но куда денешься? Там такие прихваты были, что вякни не так — пойдешь кочегаром за Полярным кругом работать...

В общем, осудили меня, как и обещали, на три года в день, когда у моих одноклассничков был в школе последний звонок...

...

Прочерк между датами

Вспоминать два года отсидки занятие не сильно благодарное. Кто там был, тому и так все понятно. Кого пока пронесло — все равно не поймет. Мне запомнились эти годы больше не внешними какими-то проявлениями жизни: тут все понятно — баланда, редкие шмоны, еще более редкая баня и т.п., а каким-то общим отупением. Где-то через месяц я понял, что Инга меня кинула. Ни одного письма или там передачки. Просил мать в письмах узнать ее адрес. Но из школы матушку директриса выперла в момент, а где жила Инга, я толком в письмах объяснить не мог. Были попытки, писал по каким-то адресам наугад. Но ни ответа, ни привета. Может, какое и дошло, только Инга и не подумала на него ответить.

Иван Андреевич, Дюша, — растратчик, сидевший со мной в камере и ходивший под вышкой, еще когда меня с суда привезли, сказал, что лоханулся я по полной.

— Запомни, Зина, — прочитал он мне вечерком небольшую нотацию, — шмарам верить нельзя однозначно. Это имя прилагательное, самостоятельно в серьезных делах ничего не решающее. Потому с ней беседы вообще вести не стоило. Присунуть надо было, обязательно и ракообразно, а разговоры разговаривать — бесполезняк. А вот папашку ее хахеля тебе повидать стоило бы. И выжимать из него по полной. Подкинул бы он козлам еще капусты, мог бы ты и условным сроком отделаться. Хотя вряд ли, но пытаться стоило.

Дюша был умен и жизнь знал всяко получше моего. Лоб ему так зеленкой и не смазали — получил всего лишь «десятку» и довольный ушел на зону. «А ты что думаешь, — сказал он на прощание, — начлаг не хочет сытно есть? А с моим-то опытом! Да я с лагеря богатым человеком выйду!»

Не знаю, как там у Дюши получилось, но я вышел на свободу спустя два с небольшим года по УДО (условно-досрочно) бедный как церковная мышь. «Компашкины дети» учились по большей части в МГИМО, кто-то в МГУ, кого-то за какой-то надобностью занесло в ГИТИС. Все были при деле, упакованные и довольные жизнью. Одна радость у меня была — Инга с институтом пролетела, как фанера над тем самым Парижем, где она мечтала провести большую часть сознательной жизни. И трудилась, как мне поведал случайно встреченный парень из параллельного класса, лаборанткой на какой-то кафедре какого-то занюханного института. В МГИМО, значит, даже на такую должность ее не взяли: Стрелок остался в буйном школьном прошлом — студенческая жизнь закрутила, завертела. Инга же, судя по невнятному рассказу, тоску по несбывшимся надеждам сильно разбавляла вином. Мол, по пьяни ее и видел.

Что ж, такой расклад меня вполне устраивал. Получить должок обещанной женской лаской от пьяной неустроенной бабенки будет проще. И, протрезвев от трехдневного загула, случившегося по случаю освобождения, я под вечер отправился в знакомый подъезд.

Развод на слезы

У двери Ингиной квартиры я слегка понервничал: что говорить родителям, если откроют они? Но справедливо решил, что теперь я человек бывалый и думать о таких вещах мне не к лицу. Вдавил кнопку звонка, подождал. Дома никого не было.

Спустившись на пролет, я примостился у подоконника и стал ждать, время от времени поглядывая в окно. Уж чего-чего, а за два года ждать я научился. Но, видно, Инга не изменила своей привычке — дразнить меня. Прошло несколько часов, близилась полночь. Отопление по случаю приближения майских праздников выключили, а ночи были еще по-апрельски холодные, и я стал замерзать. Уже давно прошли все сроки, согласно которым мне надлежало быть дома как досрочно освобожденному. Но я рисковал. Не мог уйти, не увидев эту сучку. Уже несколько раз из-за двери соседней с Ингиной квартиры выглядывала физиономия испуганной бабки. Она зыркала на меня из-за цепочки, но спросить так ничего не решилась. То ли тюремный запах не выветрился, то ли вид бывалого, ха-ха, зэка отпугивал. Уже затихли все звуки в квартирах, а я все ждал...

Столкнулись мы с Ингой во дворе. После полуночи я все же решил идти домой — все разумные пределы миновали. Она же, как оказалось, сидела на лавочке под фонарем и курила. Еще подходя, я определил, что Инга лыка не вяжет. Фильтр сигареты не всегда попадал между губ, другой рукой моя должница тяжело упиралась в скамейку.

— О!.. А я тебя, кажется, знаю, — будто жуя, выговорила Инга. — Где-то я тебя видела...

Уж лучше б она промолчала! За два года неволи мозги у меня основательно прочистились. Все ее гнилое нутро мне было понятно. Но чтобы так?! Упрятать меня на два года и забыть???

От оплеухи Инга чуть не слетела со скамейки, взвизгнула и довольно быстро поднялась, держась за спинку.

— Что?! — Спьяну она не сразу сообразила, что

произошло. — Ты... Зина? Ты?.. А что ты з-з-здесь
д-делаешь?

Злость немного отступила. Я видел растерян-
ность на лице бывшей королевы класса. Жаль, было
темновато и не удалось полностью насладиться раз-
мазанной косметикой, наверняка краснеющей щекой и метаморфозами настроения, отражавшимися
на лице.

— Да! Это я! — не удалось скрыть торжества в голосе. — Ну, что, Инга дорогая, прямо здесь, на скамейке, жениться будем?

Я почти орал, голос отражался от стен домов.
Где-то загорелся в окне свет. Инга вдруг засмеялась.

— Ори, ори, — сквозь смех выплюнула она, —
пусть все знают, какой ты дурак! Ты дурак, Зина!

Она пыталась увернуться от второй оплеухи, но
не успела и растянулась на лавочке, свесив ножки с
торца. Я просто кипел от бешенства. Не знаю, что
меня удержало... Я чуть не схватил ее за волосы и не
размазал смазливое личико по лавке. Меня бил
нервный озноб. Инга вдруг всхлипнула.

Уж не знаю, была ли это ее очередная бабская
хитрость, или жизнь ей в тот момент тоже показалась не сахаром, но ее слезы разом притушили
злость. Я помог ей подняться и повел домой.

...

Проигрыш Инги

— Ты зачем меня домой тащишь? — Инга попыталась вырваться у подъезда. — Куда я в таком виде?

— Нет там у тебя никого...

— Нету?.. А куда они делись?

— Тебе лучше знать.

— А-а-а.... Сегодня же пятница. Все убрались на

природу, сезон открывать. Идиоты... Чего ж я как дура на лавочке сидела?.. Постой, Зин, так, значит, ты ко мне специально пришел?

— Нет, гуляю я тут, воздухом дышу. Два года в камере мечтал: вот выйду на волю и пойду холодной апрельской ночью в Ингин двор гулять...

— Ш-шутишь? — все-таки Инга была еще сильно пьяна. Оплеухи в чувство ее привели лишь на время.

Тем не менее, войдя в квартиру, она попыталась захлопнуть дверь перед моим носом. Но куда ей бухой было тягаться со мной! Я подвинул ее в коридор, вошел и запер замок.

— З-зина, — пыталась она изобразить недоумение, — я тебя в гости не приглашала...

— Я сам себя пригласил. Или ты думаешь, что за два года я все забыл?

Инга глянула каким-то непонимающим взглядом, махнула рукой и побрела в комнату, пытаясь на ходу снять кроссовки. Запуталась в собственных ногах и, чуть не упав, схватилась за косяк. Взгляд вновь сфокусировался на мне.

— А, Зина, — как будто только увидела меня, — дурачок ты, Зина. Кругленький такой дурачок!

И зашлась пьяным смехом.

— Тебя, лопушка, Стрелок и все его прихлебатели в тюрьму отправили. А сами на дипломатов учатся. А могли тебя отмазать, могли. Только ты лопух.

— Это ты — сука!!! — во мне снова закипала злость. — Ты меня уговорила! Песни пела: «Тебя одного люблю. Тебя ждать буду!»

— А чего ж ты, дурачок, хотел? Кто платит, тот и заказывает музыку. А платил не ты... Ха-ха-ха... Идиот!

Я залепил Инге еще одну пощечину и потащил ее, как была, в куртке, кроссовках, к дивану в комнате. Скажи она чего в этот момент — убил бы, не задумываясь. Но она нутром своим звериным поняла, что лучше молчать.

Я быстро сдернул с нее куртку, но джинсы не поддавались. Инга заартачилась и стала меня отталкивать.

— Зина, Зина, — бормотала она, — подожди, мне попить надо. Пойдем на кухню. У меня там хороший коньяк припрятан — у Стрелка стащила. Специально для торжественных случаев заныкала. Отметим твое освобождение, поговорим...

— Уже поговорили! Я тебя, падлу, сейчас драть буду.

— Да я ж, Зин, разве против? Когда я от хорошего секса отказывалась? А у тебя желания за два-то года ого-го сколько накопилось! Только давай выпьем сначала. А, Зин? Потерпи еще чуть-чуть...

Отвык я все ж от Ингиного коварства, поддался вновь на уговоры. На кухне она из подоконного холодильника из-за каких-то банок с огурцами достала початую бутылку «Камю».

— Камус, — прочитал я, разглядывая этикетку. Инга хмыкнула, но поправлять не стала. Достала из шкафчика над раковиной две чайные чашки. Поставила на стол, присела на табурет.

— Наливай, — она уже командовала.

Себе я плеснул от души. Ей вполовину меньше — а то оттрахаю, а она и не запомнит! Сунулся в холодильник, увидел банку из-под майонеза с засахаренным лимоном, достал.

— А ты, Зина, эстет, — хихикнула Инга.

— Хочешь, банку с огурцами открою, — кивнув на окно, огрызнулся я.

Инга примирительно махнула рукой и проглотила коньяк, даже не глянув на немудреную закуску. (Сейчас я думаю, что в ее голове, наверное, включился компьютер: как в очередной раз оставить меня с носом?)

Я остограммился и выразительно посмотрел на нее.

— Ну что, драгоценная, не пора ли вернуть должок? Пройдем в спальню? Или мы начнем здесь, на кухне?

— Плесни еще... — Инга тянула время. Не хотела она меня, дрянь такая. Но кто ж ее будет спрашивать, чего она хочет?

Я разлил остатки коньяка поровну. Инга закурила. Я молча смотрел на нее и представлял, как я ее сейчас раздену и оттрахаю прямо на этом столе. Минуты через три ее лицо вновь приняло полубессмысленное выражение, с каким я ее нашел на лавке.

— Ты, 3-з-ина, идиот, — вдруг сказала она, покачиваясь на табуретке. — Ослик. Иа-иа...

Она зохохотала, изобразив ишачиный крик. И тут же схлопотала оплеуху.

— Достал! — Инга попыталась вскочить с табуретки, но ее повело, и она, смахнув со стола банку с лимоном, растянулась на полу. Банка почему-то не разбилась, но, прокатившись по полу до стены, оставила на полу несколько липких, желтых кругляшей. И я тупо смотрел на них, пока Инга пыталась подняться.

Наконец ей удалось встать на четвереньки. Ее аппетитная попка в фирменных джинсах вызвала определенное движение в моих отнюдь не фирменных штанах. Я подошел к ней и попытался стянуть джинсы.

— Д-д-дурак, — Инга пыталась мне помешать и толкнула меня. Я поскользнулся на липком сиропе и тоже грохнулся рядом. Она вытаращила глаза, а потом зашлась от смеха, показывая на меня пальцем. И вдруг замолкла.

— Зин, — сказала она жалобно, — мне плохо... Отпусти меня, а? У меня есть кое-что, отчего тебе проку больше выйдет, чем...

— Какой от тебя прок? — ухмыльнулся я. — Твое дело бабье — ножки раздвигать и подмахивать.

— У-у, как заговорил. — Эта сучка пьяно лыбилась! — Небось сам два года ножки раздвигал и подмахивал...

Пинок под ребра заставил ее согнуться пополам, но и задыхаясь, она продолжила:

— Мне Стрелок говорил, что на зоне с такими как ты, только так.

Как я ее не убил, одному богу известно.

— Ба, какие у тебя познания из тюремной жизни. — Пнув пару раз извивающуюся на полу Ингу, я присел на табуретку. — К лагерю, сучка, готовишься?

— Ха. — Инга отползла к стене. — Это тебе, придурок, к тюряге готовиться нужно. Пойдешь снова за изнасилование... Да только за попытку уже могу тебя упрятать! Синяков ты мне наставил, где только мог...

— Что??? — Я схватил с разделочного стола нож и приставил к Ингиному горлу. — Что ты сказала, сучка?

— Что слышал, козел! — Она попыталась отобрать нож. Я схватил Ингу за плечо, развернул к себе спиной, плюхнулся на пол и прижал тесак к ее шее.

— Дорогуша, — как-то отстраненно сказал я, — ты это зря сказала. Теперь у меня один выход...

Ярость вызвала некое просветление в мозгах. Как же я мог так лохануться! Пришел за долгом, а она не только динамо крутит, так еще и под срок подводит! Не, ну где справедливость? Уже два года благодаря этой стерве и Компашке отсидел! Снова на тюрьму ни за что ни про что не пойду!

Инга легонько дернулась, я сильнее прижал лезвие к коже.

— Отпусти, — прошипела она. — Я никому ничего не скажу...

— Один раз я тебе уже поверил!

— Я обещаю... Ну, хочешь, я тебе сейчас дам... так как ты скажешь, в любой позе...

— Ага. Чтобы потом ментам сдать! Да ты, видно, сучка, не поняла, что выхода у тебя теперь нет. Сама себе приговор подписала. И трахать я тебя не буду, чтоб никаких следов. И отпечатки все сотру. Никто ж меня не видел...

Я поперхнулся. Вспомнил бабку, глядевшую из-за цепочки соседней двери. В голове некстати всплыл идиотский тюремный анекдот про Раскольникова: одна бабка — 20 копеек, а пять бабок — уже рупь!

— Тебя обязательно кто-то видел! — Инга что-то почувствовала.

— Без разницы. — Я лихорадочно пытался сообразить, что же теперь делать. — Лучше за мокруху, чем за мохнатый сейф. Пусть срок больше, зато не опустят.

— Зина, — жалобно протянула эта курва, — отпусти меня! У меня правда есть кое-что очень интересное для тебя... ну что мне сделать, чтобы ты поверил?

— Теперь уже ничего... — Клянусь, я готов был перерезать ей глотку. Чуть надавил на нож, пусть прочувствует, с кем имеет дело!

— Зина! — Она хрипела. — Не надо! Я тебе ее отдам, кассету! Насовсем!

— Какую кассету? — Я не понял.

— Ту, где ты с Деревяшкой!

— А на фига она мне? Теперь-то?

— А это гарантия будет, что я никому ничего не скажу. — Инга от испуга как-то сразу протрезвела. И теперь пела соловьем, сдавая и себя, и всю Компашку. — Там же видно, что Деревяшку ты не трахал, а сперма твоя на ее юбке с твоих рук...

— Как не трахал? — Я чуть не выронил от удивления нож. — Ты ж, паскуда, мне у следака говорила, что я ее на глазах у всех отодрал!

— Меня Стрелок врать заставил. — Инга крутилась как блоха на сковородке. — Иначе бы кранты — не видать им всем институтов.

— И ты думаешь, я тебе поверю? Откуда мне знать, что на той кассете?

— А у меня видик есть! Мне Стрелок свой старый отдал.

Я рывком поднял Ингу на ноги, продолжая держать для устрашения нож у горла.

— Ну, пошли, покажешь мне интересное кино.

Инга уже поняла, что проиграла, и не дергалась. В дальней комнате из-за книг она достала кассету, включила видак и телевизор. Я сел в кресло, посадил к себе на колено хозяйку и уткнул нож ей в бок — так было спокойней.

...

Интересное кино

Увидеть себя на экране мне было удивительно. Первый раз смотрел со стороны. И лицезрение пьяного Зиновия двухлетней давности мне удовольствия не доставило.

На экране я копошился на груди Деревяшки, пуская слюни, и лез ей под юбку. Она дергалась. Чьи-то ладони обхватили ее запястья, и голос Инги снова пообещал историчке группен-секс в случае ее непослушания.

Со стороны Компашки летели советы.

— Давай, Зина! Приспусти ей штанишки!

— Цыть, — сказал Стрелок, — не мешайте творческому процессу!

— Ублюдки, — громко и внятно проговорила историчка.

— К вам это тоже относится, мадам. Соблюдайте тишину в студии! Голову убери, — скомандовал мне Стрелок, — нормальный кадр сделать не даешь!

Вот и он с фотоаппаратом мелькнул на экране. Подошел к училке, поправил края ее кофточки так, чтобы они не закрывали бюст, и снова щелкнул.

— Зина, приподними-ка ей край юбки!

Я принялся ее задирать.

— Да не так, балбес, у тебя никакого художественного вкуса нет! С одного краю давай, будто она ножку выставляет, невинных деток соблазняет!

Все заржали.

Деревяшка сопротивлялась, когда Юра толчком свернул ее коленки набок, чтобы видно стало бедро, — но все же сдалась. Я приподнял край ее юбки повыше.

— Ой, нет, не могу-у-у! — раздался вопль Инги. — Это снимать нельзя! Вы только посмотрите на ее панталоны! Все мужское население нашей школы, от первоклашек до физрука, станут импотентами, как увидят!

Парни снова разразились пьяным хохотом.

— Надо их совсем стащить, — заявил я и снова полез к Деревяшке под юбку.

Компашка веселилась, историчка извивалась и сжимала колени, камера несколько раз мазнула по лицам и снова вернулась ко мне. В этот момент я, расстегивая брюки, с блаженной улыбкой идиота почти проорал: «Анна Ивановна, а давайте я вас трахну!»

Компашка за кадром грохнула. Видно было, как Стрелок уронил фотоаппарат и тот повис на его шее на ремешке. Он подошел ко мне, оттащил меня от Деревяшки и толкнул к двери.

— Ступай в ванну, дружок! Дуня Кулакова тебе поможет!

Я исчез из кадра. Деревяшка закрывалась руками, Стрелок что-то говорил. Долетели слова: «...поддержите грудь руками снизу... Уверяю вас, это будет очень красиво, вам понравится!»

Историчка затравленно глянула прямо в камеру...

Затем изображение смазалось, в кадр попал пол, потом окно. Что-то шуршало, гремело, разобрать можно было только отдельные реплики: «руками, руками», «где Зина?», «не сопротивляться».

— Инга, тащи Зину, — услышал я голос Стрелка.

И тут в кадр втолкнули меня. Я задумчиво рассматривал свою ладонь. Зачем-то ее понюхал. Компашка загибалась от хохота за кадром. «Зина», «великий мастурбатор», «полижи еще» — вот и все, что я разобрал в этом гвалте.

Я опустился на пол у ног Деревяшки и вдумчиво вытер руку о ее задранный подол. Потом на глазах у всех медленно застегнул ширинку, растерянно улыбнулся и привалился к ее коленям — заснул.

Тут Юра объявил конец художественной съемки.

Историчка застегнулась, брезгливо и в то же время опасливо косясь на меня. Двое парней оттащили меня от нее, и она тут же пропала из кадра. Пора было расходиться — зрелище закончилось. Вскоре голоса Компашки стихли в прихожей. Про видеокамеру все забыли, а она все записывала со своего штатива. Инга и Стрелок остановились возле меня.

— А с этим что делать? — Стрелок потер висок. — Не здесь же оставлять.

— Давай, пока ребята еще не все ушли, пусть его домой оттаранят. — Инга побежала в прихожую, Стрелок волоком потащил меня следом.

Некоторое время на экране можно было наблюдать пустой диван. Потом вернулись Стрелок и Инга.

— Уф, — потер руки Юрик, — теперь она у нас в кулаке. Сейчас пленку проявлю...

— Ты молодец, классно получилось! — сказала Инга и потянулась к нему с поцелуем.

Стрелок положил ей руку на грудь...

Дальше я воочию увидел безумный секс моих одноклассников. На том самом диване, где я недавно раздевал Деревяшку.

Инга, несмотря на упертый в бок нож, задергалась у меня на коленке.

— Дальше неинтересно!

— Да нет, самое интересное еще только начинается! — Я подумал, что она засмущалась из-за того, что происходило на экране.

Я смотрел, как Стрелок крутил Ингу, как хотел, как она стонала под ним... Но странно, возбуждения не пришло. Я отстраненно думал, какая же все-таки шлюха эта наша «королева класса».

После пятнадцати минут кувырканий голый Стрелок, мотая членом перед носом у Инги, спросил: «А Зине-то ты вздрачнула?»

— А кто ж еще? — заржала та. — Сказала ему, чтоб руку свою подставил, чтоб ковер тебе не попортил...

Кажется, я все-таки слегка продырявил ножом Ингин бок. Она взвизгнула и попыталась вскочить с моего колена.

— Сидеть, сука! — бешенство достигло своего предела. — Так это тебя я должен благодарить за два года на нарах? За отсутствие аттестата? За то, что путь в институт мне теперь заказан?

...Как я не убил ее, не знаю. Я схватил ее за волосы и скинул на пол. Оттянул голову назад. Она стояла на коленях и косилась на мою руку с ножом. Ну, прям Миледи, мать твою! Осталось только башку отрезать.

Но мне вдруг стало противно. Гадина, не хватало только действительно из-за нее в тюрьму сесть!

В моей голове метались мстительные мысли. Вот пойду к тому следаку, кассету покажу! Или к Стрелку прямиком. К его папашке с мамашкой: пусть полюбуются!

Эти мысли были куда интереснее, чем Инга!

Отведя нож, я пнул ее ногой. Она молча отползла в сторону, встала на коленки возле видика, вытащила пленку и протянула мне.

— Вот, спрячь ее подальше... — заискивающим голосом проговорила она. — А то если Стрелок узнает, что он вместо этой кассеты какой-то порнофильм уничтожил, он и тебе, и мне кучу неприятностей устроит!

Я в сердцах залепил еще одну оплеуху Инге, взял кассету, сунул ее под куртку и собрался было идти домой. Но все же решил подстраховаться. Поднял за волосы Ингу с пола, загнал ее в туалет и запер шпингалет снаружи. Благо он оказался на двери.

— Сиди там, сука, — сказал я ей на прощание.

— Ты что, Зина? — завопила она. — Мои же только в воскресенье приедут!

— Вот и здорово. Будет время подумать. Жратвы

тебе не нужно — растолстела уже. А пить захочешь — унитаз к твоим услугам.

Довольный своей шуткой, я выскочил из квартиры и захлопнул дверь. До сих пор интересно — так и сидела Инга на очке двое суток?

Литературно-художественное издание

Татьяна Гармаш-Роффе

УЙТИ НЕЛЬЗЯ ОСТАТЬСЯ

Издано в авторской редакции
Ответственный редактор *О. Рубис*
Художественный редактор *С. Груздев*
Технический редактор *О. Куликова*
Компьютерная верстка *Г. Клочкова*
Корректоры *Е. Дмитриева, М. Колесникова*

ООО «Издательство «Эксмо»
127299, Москва, ул. Клары Цеткин, д. 18/5. Тел. 411-68-86, 956-39-21.
Home page: **www.eksmo.ru** E-mail: **info@eksmo.ru**

Подписано в печать 22.02.2008.
Формат 84×108 $^1/_{32}$. Гарнитура «Таймс». Печать офсетная.
Бумага тип. Усл. печ. л. 20,16.
Тираж 15 100   экз. Заказ 3189.

Отпечатано в ОАО «Можайский полиграфический комбинат».
143200, г. Можайск, ул. Мира, 93.